LOSER'S TOWN

www.mynx.nl

DANIEL DEPP

LOSER'S TOWN

Oorspronkelijke titel: *Loser's Town*
Vertaling: Fanneke Cnossen
Omslagontwerp: HildenDesign, München
Omslagillustratie: © Dan Wilton / iStockphoto

Eerste druk april 2009

ISBN 978-90-8968-057-0 / NUR 330

Mynx is een imprint van De Boekerij bv, Amsterdam

Voor John

ter herinnering aan de vliegende Scaramanga Brothers

‘Ik kwam in de jaren dertig tijdens de Depressie naar Los Angeles, omdat hier werk was. LA is een stad van losers. Altijd geweest. Hier kun je het maken als je het nergens anders kunt maken.’

ROBERT MITCHUM

‘Prima als je denkt dat je een cowboy bent, tot je iemand tegenkomt die denkt dat hij een indiaan is.’

KINKY FRIEDMAN

Opmerking van de auteur

Zij zijn zij niet.
Jij bent hij, zij of het niet.

Elke gelijkenis in dit boek met ofwel levende, ofwel gestorven mensen is op puur toeval gebaseerd en wordt door de auteur eerder beschouwd als een eerbetoon aan zijn talent.

1

Toen de bestelbus van Laurel Canyon de weg naar Wonderland op draaide, zei Potts tegen Squiers: 'Hoeveel lijken heb je ooit bij elkaar gezien?'

Squiers dacht even na, vertrok zijn gezicht alsof het een pijnlijk idee was voor hem. Potts bedacht dat dat waarschijnlijk ook zo was. Ten slotte zei Squiers: 'Bedoel je bij een begrafenisondernemer of her en der op de grond?'

Van dit soort dingen werd Potts altijd knettergek. Je stelt hem een simpele vraag, hij doet er vervolgens verdomme drie dagen over en geeft dan een stom antwoord. Daarom had hij er zo'n hekel aan om met hem samen te werken.

'Jezus, ja, oké, gewoon her en der op de grond, verdomme. Ik heb het niet over je oma in haar kist.'

Daarop verviel Squiers in een volgende denksessie, zijn gezicht vertrokken in een grimas. Als die aan het nadenken slaat, kan ik net zo goed een kop koffie gaan drinken, zei Potts tegen zichzelf. Potts had hem wel een mep kunnen verkopen. In plaats daarvan beet hij op zijn lip en wendde hij zijn hoofd af om naar de langszoevende huizen te kijken.

De stokoude bestelbus sjokte tegen de steile kronkelweg op, wat een eeuwigheid leek te duren. Squiers zat aan het stuur, zoals altijd, want Squiers hield van autorijden en Potts niet. In Potts' ogen was je een idioot of waanzinnige als je graag door Los Angeles reed. Squiers was allebei. Potts heeft eens ergens gelezen dat er meer dan tien miljoen mensen in LA zijn, mensen die letterlijk hun halve leven op de weg doorbrengen. Op sommige plekken rijdt het verkeer over twaalf rijbanen honderdtwintig kilometer per uur, bumper aan bumper, op enkele centimeters afstand van elkaar. Met witte knokkels om het stuur voortdenderend in een paar ton glas en staal. Als je te langzaam gaat, rijden ze je ballen eraf. Ga je te snel, kun je niet op tijd stoppen als een of andere ouwe taart voor een spook op de weg op de rem trapt en er zo'n honderd auto's in de kreukels liggen. Je moet met de anderen meegaan, hoe idioot het ook klinkt. Daar ben je hoofdzakelijk mee bezig en je probeert er niet aan te denken dat dit alles wiskundig gesproken onmogelijk is, dat pure, gedachteloze optimisme dat dit werkelijk langer dan vijftien seconden zou kunnen duren zonder dat je gedood of gemangeld wordt. Aan de andere kant, elke vijftien seconden wérd daadwerkelijk iemand op de LA-snelweg gedood of gemangeld, dus het was volkomen normaal dat je op van de zenuwen was. Je had verdomme een doodswens als je in LA wilde rondrijden.

Maar waar Potts vooral een pesthekel aan had was dat je moest geloven dat mensen wisten waar ze mee bezig waren, terwijl dat duidelijk niet het geval was. Je keek uit het raam naar de langsflitsende gezichten en daar werd je bepaald niet vrolijk van. Voorbij zoeven een verzameling dronkaards, een van hormonen barstende groep tieners, huisvrouwen die worstelen om hun kinderen eronder te houden, in mobieltjes schreeuwende, hypergespannen directeurtjes, de bejaarden, de half blinden, losers die levensmoe zijn, de van slaap beroofde maar stijf van de amfetamine staande vrachtwagenchauffeurs die met een superzware tientonner vol toilettoebehoren over de weg zwabberen. Gezichten uit zo'n godvergeten, verdomde griezelfilm. Eén verkeerde manoeuvre en iedereen is er geweest. Je moest jezelf voorliegen als je wilde blijven functioneren. En zo was het met Potts. Potts was geen optimist. Na vijf jaar in een Texaanse gevangenis verandert je kijk op de mensen wel. Jezus, er lopen zo verdomd veel *psycho's* rond op de wereld dat het al een wonder is dat we 's ochtends levend wakker worden, en dan vergeten we voor het gemak maar het navigeren over een verdomde supersnelweg. En elke ochtend wanneer je de deur uit wandelde, moest je vervolgens alles opzijschuiven, het in een vakje in je hersens proppen en wegstoppen. Je moest jezelf dwingen alles te vergeten wat je over het leven wist, je eigen waarheid overslaan en doen alsof mensen op een of andere manier góéd waren en geen bende dieven en idioten, en tot op het bot slecht, want zo kende je ze immers. Daar werd Potts gek van. Het was doodvermoeiend, die constante zelfverlakkerij. Het drukte zo zwaar op hem dat hij voortdurend moe was.

Potts keek naar Squiers, die strak over zijn stuur tuurde, gefronst voorhoofd, de menselijke gedachten vertolkend. Squiers was reusachtig, bleek en dom, Potts was precies het tegenovergestelde en daar bewonderde hij hem bijna om. Uiteraard vond Potts het weerzinwekkend om in zijn buurt te zijn, en hij had het gevoel dat de wereld zonder meer beter af was als Squiers per ongeluk onder een trein zou lopen. Squiers was traag, een ploeteraar, en wat er ook in zijn hoofd omging was niet te vergelijken met wat er omging in dat van Potts. Squiers maakte zich nooit zorgen, was nooit zenuwachtig of bang, hij kon als een verdomde koe rechtop staand in slaap vallen. Hij stelde nooit vragen, kwam nooit met een antwoord, ging nooit ergens tegenin. Hij deed iets of hij deed het niet, en je wist nooit zeker welke kant het op ging, omdat er kennelijk geen gedachte aan vuilgemaakt werd. Squiers was waarschijnlijk de gelukkigste mens die Potts ooit was tegengekomen. In zijn leven bestonden geen tegenstellingen. Je kon Squiers een lekker bloederige kettingzaagfilm voorschotelen of een stapel goedkope pornoblaadjes en de man was zo zoet als een baby. Intussen had Potts last van zijn maag en kon hij zich geen enkel moment herinneren waarin de hemel niet op zijn hoofd dreigde te vallen. Potts kon niet anders dan hem enigszins benijden, maar tegelijk haatte hij de psychotische klootzak. Richie noemde ze Jut en Jul, maakte er grappen over dat ze elk de helft van de perfecte werknemer waren, hoewel ze er ieder apart niks van bakten. Potts mocht Richie ook niet erg, hoewel Richie goed betaalde, bovendien konden ex-bajesklanten niet al te kieskeurig zijn.

De bestelbus klom steeds verder, deze wereld uit en de volgende in, langs schitterende miljoenenpanden, maar die aan de achterkant evengoed op stelten stonden en zo'n dertig meter boven een verdomde kloof hingen. Voor dat geld zou je toch denken dat je er een achtertuin bij kreeg. Potts kon zich het leven niet zonder achtertuin voorstellen, een achtertuin was een must. Een plek waar je naar buiten kon, een biertje kon drinken en een hamburger grillen. Maar eigenlijk was die hele Hollywood Hill-scene een en al bullshit. Voor een paar miljoen had je een armzalig huis zonder stukje tuin waarvan de kloten boven een verdomde afgrond hingen. Nou, dat was Hollywood verdomme ten voeten uit, toch? Die hele kloteplek was nep. Filmsterren, m'n rug op. Een stelletje uitzuigers. Geef mij maar een huis met een achtertuin.

'Honderddrieëntwintig,' zei Squiers.

Potts keek hem aan. 'Wat?'

'Lijken die ik heb gezien.'

'Je liegt dat je barst. Honderddrieëntwintig? Waar haal je ze vandaan? Was je soms bewaker in Auschwitz of zo? Jezus.'

'Nee, echt waar. Ik heb een keer een vliegtuig zien neerstorten. Honderddrieëntwintig mensen omgekomen.'

Dat Squiers dat woord zei, omgekomen, ergerde Potts. En niet zo'n klein beetje. Hij loog, hij had het ergens op het nieuws gehoord, en de nieuwslezer had 'omgekomen' gezegd. Squiers wist niet eens wat dat betekende, waar zou hij dat woord nou opgeduikeld kunnen hebben? Potts besloot hem er met de haren bij te slepen.

'Je zag een vliegtuig neerstorten.'

'Ja, zo is het.'

'Je zag het voor je ogen neerstorten.'

'Nee, ik heb niet feitelijk gezien dat het op de grond terechtkwam. Maar ik was er vlak nadat het was gebeurd, toen de brandweer en de rest van die shit erbij was.'

'En je zag de lijken?'

'Wat?'

'Je zag die lijken toch? Honderddrieëntwintig verdomde lijken, her en der op de grond. En je hebt ze geteld, ja? Een, twee, drie, honderddrieëntwintig?'

'Nou ja, nee, shit, ik heb die lijken niet echt gezien, maar ze waren er. Honderddrieëntwintig mensen in dat vliegtuig en allemaal omgekomen.'

Potts haalde diep adem en zuchtte. 'Wat heb ik je nou gevraagd?'

'Wanneer?'

'Toen ik vroeg hoeveel lijken je had gezien. Dat woord heb ik gebruikt. Ik vroeg niet van hoeveel lijken je had gehoord, het aantal dat een of andere klotebobo op het nieuws heeft genoemd. Snap je dat?'

'Maar ze waren er, man. Ik hoefde ze niet allemaal te zien. Het was verdomme een vliegtuig vol mensen.'

'Maar het punt is dat je ze niet allemaal echt hebt gezien, wel? Je hebt gehoord dat het er zo veel waren, maar je hebt ze niet feitelijk met eigen ogen gezien. Klopt dat?'

'Ja, maar...'

'Nee, geen gemaar, verdomme... Heb je letterlijk, persoonlijk, met je eigen ogen, honderddrieëntwintig lijken gezien? Alleen ja of nee. Ja of nee.'

Squiers broedde daar even op, schoof een beetje met z'n kont heen en weer op de bestuurdersstoel, en zei toen kortaangebonden: 'Nee.'

'Aha!' zei Potts. 'Einde pleidooi.'

De bus beklom traag de bochtige weg. Het was drie uur in de ochtend en er kwam een verdomde mist opzetten waardoor het allemaal niet opschoot. Ze moesten een paar keer stoppen om te kijken waar ze waren. Het leek hier wel een rattendoolhof. Voor Potts kwam er geen einde aan de klim. Hij hield niet van hoogten. Hij hield van een mooi vlakke ondergrond, daarom woonde hij ook in de woestijn.

'Hier is het,' zei Potts.

Ze stopten voor een groot ijzeren hek. Squiers reed de bus tot naast een toetsenpaneeltje. Squiers keek naar Potts, die in de verschillende zakken rommelde van de gevechtsplunje die hij graag droeg.

'Heb je de code?'

'Ja, natuurlijk heb ik de code.' Maar eigenlijk had Richie de code op een geeltje geschreven en aan hem gegeven, en nu kon Potts het niet vinden. Hij had het in de club van Richie gekregen en er niet meer aan gedacht, en nu kon hij het verdomme niet meer vinden. Hij probeerde een opkomende paniekaanval terug te dringen. Squiers, de klootzak, bekeek hem met een nauwelijks verholen grijns op zijn gezicht. Hij hoopte dat Potts het niet kon vinden, zodat ze moesten bellen en Richie Potts ervan langs zou geven. Squiers was nijdig vanwege dat gedoe met het vliegtuig en was te stom om te bedenken hoe hij zelf zijn gram kon halen.

Eindelijk vond Potts het geeltje, vastgeplakt in een van de borstzakken van zijn camouflagejas. Zijn maag ontspande zich en hij zag dat Squiers teleurgesteld keek. Potts probeerde er koeltjes uit te zien, alsof het zweet hem niet was uitgebroken, en las Squiers de code voor, terwijl die zijn hand door het raam stak en hem intoetste. Het hek schudde een beetje toen het openging en ze reden erdoorheen.

Het huis stond tegen een heuvel geperst, helemaal boven aan Wonderland Avenue. Toen het hek achter hen dichtging, klommen ze langs de smalle oprijlaan omhoog naar een vlak, geplaveid terrein waar de garage stond. Daar was een scherpe bocht naar rechts en de oprijlaan ging in een steile hoek verder naar het huis omhoog. Squiers parkeerde de bus voor de garage. Ze stapten uit en staarden naar de steile klim.

'Shit,' zei Potts. 'Hoe goed is de handrem van dat stuk schroot?'

'Jezus, weet ik veel. 't Is mijn bus niet.'

'We moeten er achteruit op rijden en dat kreng daar parkeren,' zei Potts terwijl hij langs de laan omhoog gebaarde. 'En dan maar hopen dat dat rotding niet de heuvel af rolt en de ruimte in schiet.'

'Shit,' zei Squiers. Hij keek naar de plek waar ze moesten parkeren, volgde toen de mogelijke route waarlangs het voertuig van de heuvel af kon rollen, over de rand kon kukelen en in een dal vol huizen kon storten.

'Nou, vooruit dan maar,' zei Potts. 'Laten we eerst maar eens gaan kijken.'

Ze sjokten de heuvel op. Potts was klein en pezig. Squiers was een reusachtige hansworst. Toen ze bij de top kwamen waren ze allebei buiten adem. Ze rustten even uit en toen probeerde Squiers de deur. Die was niet op slot. Hij keek afwachtend naar Potts.

Ze gingen het donkere huis binnen, stapten een woonkamer in met een plafond zo hoog als een kathedraal, geflankeerd door glaswanden die van plafond tot de vloer liepen. Daarachter was een patio die bijna om het hele huis heen liep en een panorama van de lichtjes van Los Angeles ver onder hen.

Squiers wilde een licht aandoen, maar Potts hield hem tegen.

'Wat doe je, verdomme! Het lijkt hier wel een vissenkom. Ze hebben ons dan van Compton af in de smiezen.'

Potts trok de zware gordijnen dicht. 'Nu mag je dat klotelicht aandoen.'

Ze keken de kamer rond. 'Wat een zooitje,' riep Potts uit. 'Die lulhannes heeft zowat een miljard dollar, maar smaak, ho maar. Hier is verdomme niks van onze gading.'

'Richie gaat uit z'n dak als we iets zouden stelen,' zei

Squiers. 'Hij zei dat we niks mochten aanraken.'

'Richie kan de boom in,' zei Potts. 'Hoe dan ook, er valt niks te stelen. Moet je die rotzooi zien. Jezus.'

Potts begon deuren open te maken. 'Waar lag het volgens hem?'

'Boven, geloof ik.'

Ze sjokten de trap op. Potts deed een deur open. Een kantoor. Hij opende nog een deur. Een grote, rommelige slaapkamer. En een volgende.

Het meisje zat in elkaar gezakt op het toilet in de badkamer. Ze was misschien zestien of zeventien, heel knap, met lang bruin haar en een mooi figuurtje. Ze droeg een korte Schotse rok en een fleurige panty hing op haar enkels. De naald van een injectiespuit stak uit haar linkerdij, en spulletjes om te chinezen lagen op de wastafel naast haar.

Potts en Squiers staarden een tijdje naar haar.

'Wat een leukerdje,' zei Squiers even later. 'Weet je zeker dat ze dood is?'

'Dat is 'r geraden,' zei Potts.

'Lekkere tieten.'

'Je bent een smeerlap, verdomme,' zei Potts met afkeer, 'weet je dat?'

'Ik zeg alleen maar dat ik 'r zou neuken. Als ze nog leefde.'

Potts trok een walgend gezicht. 'Waar is die klotecamera?'

Squiers haalde een goedkoop 35mm toeristencameraatje tevoorschijn.

'Waarom krijgen we geen digitale?' vroeg Squiers de camera bestuderend. 'Dit is rotzooi.'

'Omdat hij die foto's op een fotorolletje wil, daarom.'

'Ja, maar waarom moet dat zo?'

'Omdat hij ons verdomme niet vertrouwt, ja? Voor we terug zijn kunnen we kopieën maken. Hij wil dat filmrolletje.'

'O.'

'Krijg ik die klotecamera nog of hoe zit 't?'

Potts nam vanuit alle hoeken foto's van het meisje, en

wachtte alleen om de flits te laten opladen.

'Oké, ga de bus halen,' zei hij tegen Squiers, 'en rij hem zo dicht mogelijk bij het huis. Ik heb geen zin om die trut de hele heuvel af te slepen.'

'Waarom ga jij de bus niet halen?'

'Vooral omdat jij een zieke klotelulhannes bent en ik je verdomme niet met die bitch alleen wil laten. Duidelijk?'

Squiers keek hem aan. Hij bewoog zich niet. Even dacht Potts dat hij hem te lijf zou gaan. Maar je wist nooit wat Squiers dacht, óf hij eigenlijk wel dacht. Hij keek gewoon altijd glazig uit z'n ogen. Potts wachtte op een beweging, de spiertrekking voor hij zou slaan, want dat zag je in zijn ogen niet aankomen. Squiers mocht dan een imbeciel zijn, maar je wist nooit wat je aan 'm had en je kon er zelfs niet van uitgaan dat hij iets in zijn eigen belang deed.

Ten slotte haalde Squiers alleen maar zijn schouders op en liep de trap af. Potts haalde diep adem en liep de slaapkamer in om een paar foto's te schieten. Richie wilde een paar van wat hij 'gerichte opnamen' noemde, foto's waarmee de plek duidelijk geïdentificeerd kon worden. Richie dacht overal aan. Potts mocht die miezerige klerelijer al net zomin als Squiers, maar je moest hem nageven dat er geen truc was die hij niet kende.

Squiers nam intussen verdomme wel zijn tijd om die heuvel weer op te komen. Hij had de bus van zijn zwager geleend, die had gezegd dat hij in orde was. Squiers zag dat klootzakkie al wezelachtig naar hem grinniken en besloot dat hij hem een aframmeling zou geven als hij terug was, zuster of geen zuster. De versnelling was een ramp, één was te zwak en twee te sterk. Krakend en hotsend wist Squiers maar net bij de garage te komen, en reed hem toen achteruit zo snel omhoog dat de bumper over de stenen schraapte voor hij heuvelopwaarts ging. Bovenaan zette Squiers de bus in de eerste versnelling en trok de handrem aan. Hij schokte nog een paar centimeter omlaag, maar hij hield het. Squiers wachtte even en het ding ging nergens meer heen, dus hij stapte uit en liep naar het huis terug.

'Ging het een beetje met de herrie, denk je?' zei Potts tegen hem toen hij de deur binnenwandelde.

'We moeten opschieten. Ik vertrouw die remmen niet.'

'Shit.'

Potts liep naar de slaapkamer boven en haalde een dekbed van het bed. Dat trok hij de gang in tot de badkamer en spreidde het op de grond uit. Squiers liep de badkamer in en pakte het meisje op, maar Potts duwde hem weg. Squiers ging opzij en liet Potts zijn gang gaan. Potts trok de naald eruit en legde die op de wastafel naast de rest van de spullen. Hij tilde haar van het toilet, droeg haar naar de gang en legde haar op de deken. De jurk was opgekropen en daaronder was ze naakt. Potts wurmde haar panty over haar heupen.

'Waarom doe je dat?' vroeg Squiers terwijl hij hem bewonderend had gadegeslagen.

'Ik wil niet dat iemand denkt dat we met haar gekloot hebben.'

'Wat maakt dat nou uit?'

Potts antwoordde niet. Hij werd misselijk bij de gedachte dat iemand het lijk zou vinden en zou denken dat er met haar gekloot was. Dat was precies waar de kranten en tv zo dol op waren, en hij werd beroerd bij de gedachte dat iemand zou denken dat hij aan haar had gezeten, ook al had die geen idee wie hij eigenlijk was. Toen hij het meisje fatsoenlijk had aangekleed, rolde hij haar als een zuurstok in de deken op.

'En die spullen?' vroeg Squiers aan hem.

'Richie zei dat we die moesten laten liggen, dan wordt die klootzak er nog 'ns aan herinnerd wanneer hij thuiskomt.'

Ze pakten ieder een uiteinde van de opgerolde deken en tilden het lichaam onhandig de trap af, het huis uit en de auto in. Squiers wilde de achterdeur van de bestelbus met zijn vrije hand openmaken toen de wagen vijftien centimeter naar voren sprong. Daarna nog een keer.

In paniek liet Squiers zijn dekenuiteinde helemaal los, waardoor het hoofd van het meisje met een doffe klap op de grond sloeg. Squiers rende langs de bus, worstelde met de passagiersdeur toen de auto omlaag begon te rollen. De bus maakte snelheid toen Squiers erin sprong. Hij trapte op de rem maar er gebeurde niet veel. De garage kwam nu snel op hem af. Squiers stond boven op die kloterem, trapte hem tot op de plank in, duwde zijn hoofd tegen zijn stoel en trok hard aan het stuur. Er klonk een akelig krakend geluid en Squiers dacht dat de remmen het nu compleet hadden begeven, maar de bus minderde met het geluid van een remmende goederentrein vaart en kwam anderhalve meter van de bumper van de in de garage geparkeerde Porsche tot stilstand.

Squiers leunde even over het stuur. Daarna stapte hij uit en keek naar Potts omhoog, die met open mond naast het meisje was gaan zitten.

Squiers sjokte de heuvel op. 'Kloteremmen, man,' zei hij stralend alsof hij net een ritje op de Magische Berg achter de rug had.

Potts was even sprakeloos. Ze brachten het meisje half dragend, half slepend de heuvel af en stopten haar in de wagen. Ze waren bijna in het Ontario-meer gestort en Potts trilde inwendig nog steeds, en toen hij nog een sigaret opstak om te kalmeren, zei Squiers plompverloren: 'Haar reet was tenminste schoon.'

2

Het kantoor van het impresariaat bevond zich negen verdiepingen boven Wilshire Boulevard in een gebouw dat vijftien miljoen had gekost en er nog steeds uitzag als een kruising tussen een koekoeksklok en een mausoleum op Forest Lawn. Eigenaar was het grootste en machtigste agentschap van de wereld, maar met al dat glas kon de airconditioning niets uitrichten en de ramen konden niet open voor het geval iemand de neiging kreeg een sprong te wagen. De bobo's hadden uitzicht op het westen over de Stille Oceaan. Deze specifieke agent had uitzicht op Oost-Los Angeles en een dikke smog die helemaal tot Redlands doorliep. Zelfs vanaf hier kon je ze praktisch in San Bernardino horen hijgen.

'... We hebben hier niet te maken met een of andere tweedehandsautodealer uit Reseda die wil dat je foto's maakt van zijn rondneukende vrouw, en ik heb ze verteld hoe belangrijk het was dat ze iemand zouden sturen die nog een beetje intact was, niet zo'n kloteclown die verdomme geen reet van de business begrijpt, of hoe je moet omgaan met dit kaliber talent, iemand met een beetje gevoel...'

Zo ging het al een kwartier lang en er was nog steeds niets uit haar gekomen wat zoden aan de dijk zette. Eigenlijk was ze niet eens zo heel lelijk, echt niet, als je tenminste van die overcompenserende oostkusttypes hield. En soms deed hij dat zelfs wel. Ze had kort kastanjebruin haar, volle rode lippen, een lichte huid, en zag er verder ongeveer uit als een hagedis. Hij had fantasieën dat ze de hele dag op vlees aan het inhakken was en dat ze vervolgens thuis haar katten ging aaien.

'... een beetje discreet, verdomme, en die niet als een olifant in een porseleinkast tekeergaat...'

Ze droeg een eenvoudig zwart Balenciaga-jurkje en hij dacht dat hij een vleug Opium opving toen ze achter hem aan liep. Haar kledingsmaak was uitstekend maar met de vergelijking van de olifant in de porseleinkast zat ze er niet ver naast. Zijn duim deed pijn en zonder het verband eromheen leek die wel op een kromme aubergine.

'... hun mond dicht kunnen houden en niet naar de roddelpers rennen met een verhaal dat...'

Haar kantoor was klein en een soort pijpenla waar het middenkader bij verzekeringsmaatschappijen in zat, maar zonder de familiekiekjes en wildparkkalender. Alles wat zou kunnen wijzen op haar persoonlijke leven was zorgvuldig verwijderd. Een muur werd van boven tot onder in beslag genomen door een boekenkast vol scripts. Zes hadden al een Academy Award gewonnen en nog eens vier zouden er waarschijnlijk een krijgen. In Hollywood zou je zomaar bewondering kunnen opbrengen voor zo'n allesomvattende toewijding, maar hij had lang geleden besloten dat het hem niet kon schelen.

Zijn duim begon nu te kloppen en hij had ook pijn in zijn rug. Hij weigerde pijnstillers te nemen maar hij snakte naar een sigaret en een flinke shot Jack Daniel's. Een week geleden was hij in Salinas tijdens een rodeo van een paard, Tusker geheten, gegooid en had een spier in zijn rug verrekt. Vervolgens had hij tijdens een lassoworp om een kalf zijn duim ontwricht. Hij kwam klem te zitten tussen het touw en de zadelknop, een echte beginnersfout waar hij vierkant om werd uitgelachen en niet op sympathie van zijn maten hoefde te rekenen. De rodeo in Salinas was een ramp geweest, maar eind deze maand was er nog een in Bakersfield. Hij was zich net aan het afvragen of hij daar genoeg vakantiedagen voor overhad, toen hij merkte dat ze niet meer praatte.

'Wat ben je verdomme aan het doen?'

Ze stond naast hem met haar handen op haar heupen en keek hem aan met een blik waardoor hij zich afvroeg of hij soms plotseling het syndroom van Tourette had ontwikkeld. Het duurde even voor hij zich realiseerde dat hij afwezig zijn sigaretten tevoorschijn had gehaald en er een wilde opsteken.

'Jezus christus,' zei ze, 'je mag in dit pand niet roken, en dat geldt voor de hele staat! Zit je eigenlijk wel op te letten?'

Hij stopte de sigaretten terug in zijn jaszak. Hij werd nu ook slaperig. Hij had de hele nacht vanaf zijn zusters huis in Flagstaff doorgereden, had twee dagen van zijn vakantie opgeofferd omdat Walter, zijn baas, zei dat hij uitdrukkelijk gevraagd was voor deze zaak en dat het om een belangrijke klant ging. Het was donderdag aan het eind van de ochtend en vóór maandag hoefde hij niet op zijn werk te zijn. Hij durfde te wedden dat Walter, de klootzak, dit niet eens als werktijd zou rekenen. Dat zou net een streek voor hem zijn. Spandau maakte in zijn hoofd een notitie dat hij dit zou rechtzetten voordat Walter het kantoor uit glipte om de rest van de dag ergens een stuk in zijn kraag te zuipen.

'Je hebt verdomme geen woord gehoord van wat ik heb gezegd. Geary zei dat je zogenaamd goed was, maar eerlijk gezegd heb ik het idee dat je nog niet eens het verkeer kunt regelen, laat staan een zaak als deze.'

Paul Geary was een tv-producent voor wie hij een paar klusjes had gedaan, en hij was degene die Spandaus naam had doorgegeven aan de Allied Talent Group, het agentschap dat deze nachtmerrie met airco had laten bouwen. Zij hadden op hun beurt Spandau op haar dak geschoven en nu was ze liefjes aan het vertellen dat ze daar niet blij mee was. Annie Michaels was een van de beste agenten in de business, ze stond erom bekend dat ze uitermate loyaal aan haar cliënten was en ze beschermde. Bovendien was ze berucht omdat ze de scherpste tong van Hollywood had en Spandau werd het behoorlijk moe dat hij daar nu het mikpunt van was.

David Spandau stond op en maakte zorgvuldig een enkele knoop van zijn Armani-jasje dicht. Ze was ongeveer een meter achtenvijftig en nu torende hij een volle dertig centimeter boven haar uit. Ze hield op met praten en moest nu in een hoek van vijfenveertig graden naar hem opkijken. Zoals Spandaus oude mentor Beau McCaulay vroeger zei: als al het andere faalt, zorg dan dat je langer bent.

'Dank je,' zei hij. 'Prettig met je kennisgemaakt te hebben.' Hij stak zijn hand uit. Ze staarde er alleen maar naar.

'Waar ga je verdomme naartoe?' vroeg ze ongelovig. Hollywoodimpresario's weten niet beter dan dat mensen dolgraag een afspraak met ze willen maken, ze vergeten dat mensen ook wel eens de deur uit kunnen lopen.

'Ten eerste,' zei hij, 'ga ik voor jullie prachtige nieuwe gebouw een sigaret opsteken, tenzij iemand naar buiten komt rennen en me met een brandblusapparaat natspuit. Vervolgens,' zei hij, 'denk ik dat ik naar Musso en Frank ga voor de eieren-met-rosbiefschotel. Daarna weet ik het nog niet. Iemand heeft me verteld dat in er het gemeentemuseum een tentoonstelling van een Duitse expressionist is. Ik ben een bewonderaar van het houtsnijwerk van Emil Nolde, maar ik weet niet of ik boven op het eten al die levensangst nog kan hebben.'

Het is moeilijk om een agent te slim af te zijn. De truc is dat ze er zo aan gewend zijn dat ze belangrijk zijn voor mensen, dat hun motorneuronen op slot schieten wanneer ze tegenover iemand staan die het eenvoudigweg geen reet kan schelen. Ze bleef hem niets ziend aanstaren terwijl ze het feit verwerkte dat hij haar werkelijk zou laten staan. Ze bekeek hem van top tot teen, alsof ze hem nu pas voor het eerst opmerkte. Een grote, donkere man met een gebroken neus en vermoeide ogen. Er was iets mis met zijn duim. Mooi pak, een echte Armani, maar waarom heeft-ie van die idiote cowboylaarzen aan? Hij zag er een beetje uit als Robert Mitchum, maar zij vond Robert Mitchum ongelooflijk sexy, dus dat gedeelte probeerde ze te negeren. Een echte stoere vent, vond ze. Genoeg om zich te kunnen veroorloven het te bagatelliseren. Misschien had hij zelfs wel hersens. Ten slotte had ze het hele programma afgedraaid en schonk ze Spandau een gemeen glimlachje.

'Een echte slimbo,' zei ze.

'Nee,' zei hij, 'ik heb alleen aan het eind van m'n vakantie wel wat beters te doen dan me verbaal te laten mishandelen door een of andere neurotica uit Long Island in een aardappelzak van tweeduizend dollar.'

'Moet je horen, Téxas, je was ingehuurd...'

'Nee, ik was niet ingehuurd. Niemand huurt wie dan ook in. Jouw kantoor heeft me gevraagd te komen om te zien of ik ze van een probleem af kon helpen. Tot nu toe is het geheel vrijblijvend, een zakelijke beleefdheid tussen mensen die geacht worden beschaafd met elkaar om te gaan. Maar eerlijk gezegd heb ik geen zin om me de huid te laten vol schelden, zelfs niet als ik ervoor word betaald.'

'Mijn god, wie denk je verdomme wel niet dat je bent? Met wie denk je eigenlijk dat je verdomme van doen hebt? Ik heb goddomme een professional nodig en ze sturen me een speciaaltje uit *Bonanza*!'

Ze heeft het over mijn Tony Lamas-cowboylaarzen, dacht Spandau. Verder was hij onberispelijk in Armani. Spandau salueerde naar haar en wendde zich tot de deur.

'Hé, lulhannes, míj draai je de rug niet toe!'

'Als je wilt, laat ik het kantoor wel iemand sturen die je beter ligt.'

'Grapje, zeker?' riep ze toen hij de deur opendeed. 'Je kunt naar de hel lopen, en je kantoor ook! Als je op weg naar buiten maar geen paardenstront op het tapijt achterlaat, Lucky Luke.

Spandau opende de deur en botste bijna tegen een slanke, elegante man van middelbare leeftijd op, in krijtstreep en met goed geknipt haar. 'Sorry,' zei Spandau en hij wilde langs hem heen lopen.

'Wilt u misschien nog even wachten?' zei hij tegen Spandau. Zijn glimlach was een ware triomf voor de orthodontie. Hij begeleidde Spandau vriendelijk de kamer weer in en sloot de deur. 'Hallo, Annie,' zei hij tegen haar. 'Ik zie dat je die prettige omgangsvormen waardoor je bij Bennington zo geliefd bent weer even hebt aangescherpt.'

'Deze... klóótzak van dat detectivebureau wilde net vertrekken.'

'Sorry,' zei hij. 'Meneer Spandau?'

'David Spandau. Coren & Partners, Persoonlijke Beveiliging en Onderzoek.'

'Mijn verontschuldigingen, meneer Spandau. Annie is er te veel aan gewend dat alles op haar manier gaat. Haar idee over met mensen omgaan is net zo lang schreeuwen tot ze toegeven. Het is niet fijn, maar verbazingwekkend effectief. Bij de meeste mensen lukt het. Mijn excuses.'

'Robert,' zei ze. 'Hij is achterlijk. Hij is hier volslagen ongeschikt voor. Moet je die schoenen zien!'

'Liefje,' zei hij, 'voor iemand die Versace kan dragen en er dan nog steeds als een chassidische jood weet uit te zien, zou ik mijn mond maar houden.'

'Robert, wat een rotopmerking!' jammerde ze, maar ze moest erom lachen.

'Schatje, je weet dat het zo is. Je had discoschoenen bij die jurk aangetrokken als de winkel je niet had aangekleed.' Tegen Spandau zei hij: 'Chanel weigert haar ook maar iets te verkopen.'

'Dat is een pertinente leugen!'

'Ze is praktisch een legende. Daar zijn ze ervan overtuigd dat ze hun kleren meeneemt en door een Chinees mannetje in Reseda laat vermaken. Anders begrijp ik er niks van.'

Nu sloeg ze bijna dubbel van de slappe lach. 'Robert, je bent verschrikkelijk!'

'Ik hou van je, daarom kan ik die dingen zeggen. Maar in dat zwarte ding zie je er goed uit. Is dat DK?'

'God, nee. Balenciaga, schatje. Vind je dat die me goed staat?'

'Schitterend. Precies jouw stijl. Kleedt mooi af.'

'Denk je?' zei ze koket.

'Ik ben toch zeker de eerlijkste man die je kent? Nou, wees een beetje aardig en hou op met deze arme kerel te tergen.' Hij stak zijn hand uit en stelde zich voor. 'Ik ben Robert Aronson, Bobby Dyes advocaat.'

Hij gebaarde dat Spandau weer moest gaan zitten, trok toen de knieën van zijn broek iets op en nam zelf plaats.

'Nou, eens kijken of we hier uitkomen. Ik heb de hele middag aan de telefoon gezeten en dat ging over u, meneer Spandau, en ook al ziet Annie het anders, het lijkt erop dat u in uw branche hoog aanzien geniet.'

'Ik...' begon Annie.

'Kóp dicht, Annie. Herinner je je die gek nog die Marcie du Pont vorig jaar stalkte? Dit is degene die hem achter de tralies heeft gekregen. Het lijkt wel alsof meneer Spandau zich op onze branche heeft toegelegd. Vertel eens, meneer Spandau, bent u werkelijk zo goed?'

'Beter nog,' zei Spandau. 'Ik ben voor elke organisatie een echte aanwinst.'

Aronson lachte. Een aangename lach als die naar Spandaus idee oprecht was geweest.

'Dit gaat niet lukken,' hield Annie vol.

'Waar het hier om gaat, liefje, is dat het niemand een reet kan schelen wat jij ervan vindt óf ik. Ik had net Gil aan de lijn... Gil White,' zei hij tegen Spandau, 'hoofd Allied Talent, en Gil wil dat Bobby hem ontmoet. De rest is aan Bobby.'

Annie Michaels haalde haar schouders op en slaakte een gefrustreerde zucht. Ze ging aan haar bureau zitten, pakte de telefoon en drukte op een knop. Spandau hoorde een zoemer op het bureau van de assistente buiten de kamer. 'Millie, kijk even wanneer ze bij de *Wildfire*-opnamen gaan lunchen.' Ze hing op. 'En als deze hele toestand de mist in gaat, heb ik het zoals altijd gedaan,' zei ze tegen niemand in het bijzonder. Haar telefoon zoemde. Ze pakte hem op, luisterde en vroeg toen: 'Is hij op de set of in de trailer?' en hing toen weer op. Ze pakte de telefoon nogmaals en toetste snel een nummer in. 'Hallo, liefje, met mij. De detective is er. Ben je in de stemming om met hem te praten? Wanneer? Over een half uur? Dag.' Ze legde de telefoon met haar vingertoppen neer alsof het een stukje bedorven fruit was. 'Oké, laten we het proberen.'

'Meer vraag ik niet,' zei Aronson. 'Tenminste, als meneer Spandau de zaak nog steeds wil, nadat hij met jouw charmes heeft kennisgemaakt.'

'Ik wil best met 'm praten,' zei Spandau.

'Ze nemen over een half uur pauze,' zei ze. 'Ze schieten in studio 36 bij Fox.'

Ze pakte haar tas en beende de deur uit. Aronson keek naar Spandau en rolde met zijn ogen.

'We gaan naar de *Wildfire*-set bij Fox,' zei ze tegen haar assistente. 'Bel het even door en laat ze bij het hek pasjes voor ons klaarleggen. Ik ben na de lunch weer terug. Verbind belangrijke gesprekken maar door naar m'n mobieltje. Al het andere kan wachten tot ik terug ben. Weet je het verschil tussen belangrijk en niet belangrijk?'

'Ja hoor,' zei de assistente blozend, in verlegenheid gebracht.

'Luister je wel naar me?'

'Ja, Annie.'

'Ik wil niet bedolven worden onder telefoontjes van mensen die alleen maar een babbeltje willen maken.'

'Annie, hoe weet ik nou of ze wel of niet willen babbelen?'

'Omdat, liefje, het verdomme je werk is te weten wie belangrijk is en wie niet, en belangrijke mensen hebben geen tijd om te kwebbelen. Is het dan nu duidelijk?'

'Ja, Annie.'

'Waarom doet iedereen alsof ze goddomme net een lobotomie hebben ondergaan? Robert, jij komt met mij mee. Lucky Luke, jij hobbelt op je paard achter ons aan.'

'Ik zie jullie daar wel,' zei Spandau tegen haar. 'Ik weet waar het is.'

Ze beende met een grom naar de lift en drukte op een knop. Kennelijk was de lift al net zo bang als de rest, want hij schoot meteen open. 'Robert, kom je nou mee?'

'Natuurlijk, Annie.'

Spandau liep achter hem aan. Aronson nam met opzet de tijd om bij de lift te komen. Annie moest haar tas tussen de deuren houden zodat ze niet dichtgingen. Terwijl Spandau wegliep, hoorde hij de assistente mopperend 'klerewijf' fluisteren. Toen de liftdeuren dichtgingen en Annie Michaels opnieuw een scheldkanonnade afstak, noteerde Spandau in zijn hoofd dat hij de assistente een bos bloemen moest sturen met een kaartje dat hij diep met haar meevoelde.

Spandau volgde Annie Michaels' Mercedes uit de ondergrondse garage van Allied Talent. Ze reed zoals ze praatte, als een gillende *banshie*, en gooide bijna een van de suppoosten van zijn sokken toen ze naar Wilshire afsloeg. Ze hield de vaart erin, maar zo roekeloos dat je haar onmogelijk kwijt kon raken. Het was alsof je in het kielzog van een tornado zat, je trad eenvoudigweg in het spoor van haar vernielingen. Hij zag haar door de achterruit of in de telefoon praten of schreeuwen en gesticuleren naar Aronson, die het allemaal rustig over zich heen liet komen. Elke vijftig meter keek ze lang genoeg op de weg om op de rem te staan en tekeer te gaan tegen de zoveelste automobilist of voetganger die ze bijna van de sokken had gereden. Spandau werd al doodmoe als hij naar haar kéék. Hij nam gas terug en liet de Mercedes in het verkeer verdwijnen. Hij was wel honderd keer bij Fox geweest en kon het blindelings vinden. Hij deed de radio aan, zette hem op een countrymuziekzender en reed er op zijn gemak naartoe.

Spandaus BMW was een leaseauto van het bedrijf waarvoor hij werkte, dus hij mocht er niet in roken, maar hij snakte naar een sigaret. Walter, zijn baas, had hem al een paar keer op zijn lazer gegeven omdat hij er een in de auto had opgestoken, dus Spandau moest de airco uit- en de raampjes openzetten. Op het moment dat hij dat deed, stormde Los Angeles als een woedende adem uit de hel naar binnen. Het was eind september maar LA had zich nog niet kunnen bevrijden van een beroerde zomer. De lucht glinsterde boven de straat, boven de geparkeerde en wachtende auto's en boven een westelijke horizon die in de smog in een prachtig maar onnatuurlijk oranje veranderde. Een warme, dunne nevel, bestaande uit gelijke delen wegstof, motorolie en de uitwasemingen van tien miljoen gretige Angelino's, nestelde zich op elk stukje zichtbare huid en hechtte zich aan kleding die in zandpapier veranderde. Ogen gingen tranen en de keel brandde.

Spandau rookte, en vond de langsglijdende stad net een overbelichte film, te veel licht, alle contrast weggebrand en opgeofferd. Al dat beton en asfalt, een kunstmatig aangelegde bakplaat van vijftienhonderd vierkante kilometer waarop we voor onze zonden worden gegrild. Vervolgens sla je een hoek om en sta je midden in een uitbarsting van karmozijnrode bougainville, die een anders oerlelijk betonblok opfleurt. Of je komt langs een rij hoge palmbomen, nog altijd majestueus en dapper volhoudend, waar aan de top van dikke, afstervende stengels koppig groen blijft ontspruiten en die een zijstraat van bungalows bewaken uit de tijd dat LA nog het land van melk en honing was. Als je goed je best doet en je ogen tot spleetjes knijpt, kun je je voorstellen waarom ze hierheen zijn gekomen, al die mensen. Hier bestond een soort schoonheid, soms, onder al het verval, net als in het gezicht van een filmster die haar beste tijd gehad heeft, waar in de contouren, achter de wanhopige lagen foundation en eyeliner, nog steeds een vroegere lieftalligheid doorschemert. Spandau kon er maar nooit achter komen waarom hij bleef, waardoor hij steeds maar weer naar LA werd toe getrokken, tot hij een dronkenmansgesprek had met een cowboy in Nevada, die verliefd was geworden op een hoer van middelbare leeftijd. Het klopte, zei de cowboy, dat ze oud was en hebzuchtig, en ook geen noemenswaardige principes had. Maar soms, als ze sliep, was haar gezicht als dat van een jong meisje, en op dat jonge meisje werd de cowboy steeds maar weer verliefd. En als ze in de stemming was, voegde de cowboy eraan toe, dan trok ze een trukendoos open en was je de gelukkigste man ter wereld.

Hij dacht er opnieuw over om uit Los Angeles te vertrekken. Daar dacht hij vaak aan – jezus, iedereen met een beetje verstand dacht er honderd keer per dag aan – maar net als de hoer van de cowboy wist ze hem steeds weer te verlokken. Deze keer was het zwaar. Deze keer was hij bijna niet teruggekomen. Toen hij bij zijn zuster in Flagstaff vertrok en met de truck naar LA terugreed, was het alsof hij een steeds donker wordende wolk terugduwde, tot bij de Californische grens had hij het gevoel gehad alsof hij door een vloek was getroffen. Hij werd te oud voor dit gedoe. Hij zou tegen Walter zeggen dat hij ermee ophield. Dee was weg en het detectivewerk had hem afgestompt voor al het goede en fatsoenlijke in het universum. Hij dronk al te veel, en hij zag zichzelf al eindigen zoals Walter: die had zijn beste jaren vergooid met achter de dingen aan te jagen, wat een onzin. Met de opbrengst van zijn huis en het geld dat hij opzij had gezet kon hij een kleine ranch in Arizona kopen. Maar nee, hij was verdomme geen rancher, hij had de energie niet om een stuk eigen grond te bewerken. Niet op zijn leeftijd. Hij was boeken over het Amerikaanse Westen gaan verzamelen en hij genoot van die wereld. Misschien begon hij wel een boekhandel, zette hij ergens een pandje vol boeken, zou hij een catalogus samenstellen. Maar nee, dat wilde hij ook niet. Hij wist verdomme geen reet van boekenverkopen. Beau McCaulay had altijd gezegd dat een man moest doen waar hij het beste in was. Het enige wat Spandau kon was van een paard af vallen. En dat zette je niet op je cv.

Het terrein van Fox was in Beverly Hills, tegenover de countryclub. Het teleurstellende voor bezoekers van een filmset is dat de glitter gereserveerd is voor betalend publiek. Van buitenaf leek de plek wel een blik- of toiletbrillenfabriek. En als het aan de directie lag, was er ook geen verschil. Het enige spoortje Hollywoodglamour was het giga billboard met de aankondiging van Bobby Dyes recentste film, *Crusoe*, een hippe remake van Defoe's klassieker, waarin Vrijdag werd gespeeld door een rondborstige Franse actrice in een lendendoek. De film ging bijna in première en terwijl de serieuze critici hem in de pan zouden hakken, van wie er uiteraard nog maar drie in het land over waren, werkte de rest voor kranten en tijdschriften die eigendom waren van dezelfde mensen die de studio's in hun zak hadden. Er werd veel gespeculeerd en verwacht werd dat de film in het weekend van de première zijn budget twee keer zou terugverdienen. Dus Bobby Dye was in Hollywood ongeveer een god, in elk geval een tijdje.

Spandau zag dat Willard Packard dienst had toen hij bij het hek stopte. Willard had ruim veertig jaar voor de studio gewerkt en beweerde met alle grote sterren dikke maatjes te zijn.

'Meneer Spandau.'

'Meneer Packard.'

'*Wildfire*, studio 36, klopt dat?'

'Helemaal.'

'Ik hoef u niet de weg te wijzen, hè?'

'Nee, ik vind het wel.'

'*Dead Letters*,' zei Willard. '1976. *Horse's Mouth*, 1978. *Doublecross*, 1981. Klop dat?'

'Je vergeet *The World and Mr Miller*,' zei Spandau, doelend op een van de andere films waaraan hij voor Fox had meegewerkt.

'Nee, meneer, ik was te beleefd om u eraan te helpen herinneren,' zei Willard. 'Daar schonken ze geloof ik cranberrysaus, hè?'

'Ik geloof het wel,' stemde Spandau in. 'Is Bobby Dyes agent hier al?'

Hij trok een ernstig gezicht en stak toen een hand op met een paar kromme vingers alsof ze eraf gekauwd waren. Spandau knikte en reed het terrein op. Hij parkeerde achter het directiegebouw en deed de radioklep op slot voor het geval de dienstdoende onderdirecteur distributie het in zijn hoofd haalde om zijn Blaupunkt-geluidssysteem te jatten. Hij ontweek een langsracend golfkarretje, een Chinese man in pandakostuum zonder kop, en twee vrouwen in pak die kibbelden of zwarte meerval in een macrobiotisch dieet thuishoorde.

Spandau sloeg rechts af en liep door een verlaten straat langs de openbare bibliotheek van New York en een Italiaans restaurant op de Lower East Side. Hij was een keer van de tweede verdieping uit een bibliotheekraam dood neergevallen en door het raam van het restaurant was er met een machinegeweer op hem geschoten. Beide waren routinestunts geweest, niets om trots op te zijn, maar hij kreeg een nostalgisch gevoel toen hij aan het oude werk moest denken, tot hij zich herinnerde dat hij bij de val uit het raam zijn pols had gebroken. De airbag zat in de weg van een bepaald schot dat de regisseur wilde, en hij had hem tijdens de lunchpauze een beetje verplaatst. Gevolg was dat hij niet goed leegliep en Spandau als een pingpongballetje op straat was gestuiterd. De regisseur had in het verleden een paar hits gescoord en kwam er met een lichte berisping van de studio af. Intussen zat Spandau een maand in het gips, kon niet werken en moest zijn reet met de verkeerde hand afvegen.

Studio 36 was aan de overkant van het terrein, omringd

door een doolhof van trailers, kabels en apparatuur. Een toneelknecht wees hem Bobby Dyes trailer, een klein motorhome dat eruitzag alsof het zich in een bejaardencommune wel thuis zou voelen. Daar ga je met je Hollywoodglamour, dacht Spandau, hoewel hij wist dat de acteurstrailers gelijke tred hielden met hun ego's en kassuccessen. Als *Crusoe* en *Wildfire* het inderdaad zo goed gingen doen als de geruchten voorspelden, dan had Bobby's volgende trailer wellicht een eigen postcode nodig. Spandau klopte op de deur. Annie Michaels schoot als een fret naar buiten en deed de deur weer achter zich dicht.

'Waar zat je verdomme?'

'Heb wat in het verleden rondgedoold,' zei hij.

'Zou je alsjeblieft een beetje je best kunnen doen?' Er klonk lichte paniek in haar stem door. Spandau kreeg bijna medelijden met haar maar negeerde dat. 'Moet je horen. Er ligt een enorme druk op hem, hij heeft een hoop van die kloteproducer en die kloteregisseur te verduren. Zijn tegenspeler heeft het talent van een jutezak. Laat het praten maar aan mij over, jij blijft gewoon zitten tot je iets gevraagd wordt. Als het slecht uitkomt, dan vertrek je gewoon, we komen nu trouwens toch nergens. Er is niets mis met zijn intuïtie. Als hij je niet mag, kun je vertrekken, begrepen?'

'Had ik wortels of suikerklontjes moeten meenemen?' vroeg Spandau bedaard.

Ze zoog lucht tussen haar tanden naar binnen en keek hem aan met die dodelijke Bronx-blik. 'Ikzelf,' zei ze, 'zou je hooguit een halve minuut geven.'

In de trailer zat Bobby Dye tegenover Aronson, ingeklemd achter de kleine eettafel.

'Bobby,' zei Aronson, 'dit is David Spandau van het detectivebureau.'

Bobby stond op en ze schudden elkaar de hand. Annie bleef even achter Spandau staan en schoof toen tussen hen door, ze daarmee uit elkaar drijvend, alsof ze haar cliënt tegen besmetting wilde beschermen.

'Liefje, als je er niet klaar voor bent, hoeven we het heus niet nu te doen, hoor,' zei ze tegen Bobby.

'Ik vind het prima,' zei hij.

'Weet je het zeker?'

'Jezus, Annie,' zei Aronson, 'Hou je effe in, ja?'

'Annie,' zei Bobby.

'Ja?'

'Ik word stapelgek van je, ja?'

'Liefje, ik pas alleen maar op je. Daar word ik voor betaald.'

'Hou daarmee op, oké?'

'Wat jij wil, liefje.'

'En noem me verdomme niet steeds "liefje",' zei Bobby. 'Dat werkt op m'n zenuwen.'

'Nou, sorry, hoor,' zei Annie en ze schakelde gelijk over op een telefoongesprek dat ze die ochtend met een Finse regisseur had gehad en die wellicht wel met Bobby wilde werken. Dat had natuurlijk best kunnen wachten, maar Annie wilde haar gezicht redden en liever de indruk wekken dat ze terrein won dan dat dat onder haar voeten werd weggetrokken.

Spandau trok zich uit het gezinsdrama terug, ging zitten en nam de gelegenheid te baat om de trailer rond te kijken.

Het kwam regelmatig voor dat er op een filmset vijftien uur per dag werd gedraaid. Voor een steracteur betekende dat dat hij het grootste deel van de tijd in zijn trailer zat, eigenlijk een soort huisarrest dus, en omdat je nooit wist wanneer je moest komen opdraven, mocht je nooit van de set af. In je contract stond waarschijnlijk niets wat je zou kunnen tegenhouden, uiteraard niet, maar het was niet echt een prettig vooruitzicht om verkleed als cowboy of vleesetende zombie bij de McDonald's rond te darren. En als je een populair acteur was, moest je bovendien slag leveren met fans en de pers. Als je veel moest filmen, dan kon je theoretisch een wandelingetje gaan maken, hoewel je dan behoorlijk wanhopig moest zijn, aangezien filmterreinen niet veel opwindender zijn dan een houtzagerij. En net als onderwijzers die aan het eind van een schoolreisje een kind te weinig mee terugnemen, krijgen producers en regisseurs – sowieso al een nerveus stelletje – ongeveer een rolberoerte als ze hun acteurs niet kunnen vinden. Die staan er immers om bekend dat ze, wanneer je ze hun gang laat gaan, uitstekend de tijd weten te doden. Iedereen is een stuk gelukkiger als een acteur gewoon keurig netjes in zijn trailer blijft.

Motorhomes staan bepaald niet bekend om hun gezelligheid, dus doen acteurs er alles aan om ze 'huiselijk' te maken. Spandau had trailers gezien die waren ingericht als Turkse bordelen, opiumkits, Franse boudoirs en sportzalen. Hij kende een ster die een dikbuikig varken bij zich had, een deel van haar trailer had afgeschermd en de vloer met stro had bedekt. Het stonk er navenant en de ster zelf – een internationaal sekssymbool dat vijf echtgenoten had versleten – riekte dan ook vaak naar *eau de cochon*. Maar als de ster gelukkig was, dan was iedereen dat, en maalde men niet om gezondheidsvoorschriften.

Het viel Spandau op dat Bobby Dyes trailer volkomen onpersoonlijk was: geen tierlantijnen, kussens of leuke gordijnen. Geen familiekiekjes, helemaal geen foto's zelfs, geen memorabilia, niets wat ook maar iets prijsgaf van Bobby's privéleven of verleden. De deur naar de slaapkamer stond open en Spandau zag een rommelig bed, een paar neergegooide kleren en een set gewichten. De rest van de trailer was zoals de fabriek hem had afgeleverd: kil en onpersoonlijk, alsof die met opzet zo gehouden werd. De enige sporen van zijn bewoners waren de her en der liggende tijdschriften en boeken. Er lagen bladen als *Cahiers du Cinéma*, *Sight and Sound*, *The New York Times*, *Esquire* en *People*. Nogal uiteenlopend leesvoer, dacht Spandau, die Bobby er onaardig genoeg van verdacht dat als je ze doorbladerde, er hoogstwaarschijnlijk iets over hem in zou staan. Op een kleine boekenplank stond Will

Durant tussen werken van Charles Bukowski en Carl Jung. Had Bobby die werkelijk gelezen? Of stonden ze er voor de show?

'Een echte detective, hè?' zei Bobby, daarmee Spandaus aandacht weer opeisend.

'Op-en-top.'

'Heb je wat bij je?'

'Je bedoelt een wapen?'

'Ja,' zei Bobby.

'Nee,' zei Spandau.

Bobby was teleurgesteld. 'Jezus, waar gaat het dan nog over?'

'Soms vraag ik me dat ook af,' antwoordde Spandau.

Spandau vond het prettig dat Bobby was opgestaan toen ze elkaar de hand hadden geschud, had hij toch nog ergens wat manieren opgedaan. Bobby Dye was tien centimeter korter dan de een meter vijfentachtig van Spandau. Hij had Spandaus hand gegrepen en hem in de ogen gekeken, hoewel hij het een tikje had overdreven, alsof hij een rol speelde en zijn personage zich zo moest gedragen. Bobby had zijn kostuum nog aan: verschoten spijkerbroek, afgetrapte cowboylaarzen, een houthakkershemd waar bij de open kraag zijn gebruinde maar haarloze borst te zien was. Hij had de mouwen opgerold over zijn sterke, gespierde armen, waarop een verzameling tattoos prijkte die onder de make-up nog net zichtbaar was. Een warrige bos halflang, bruin haar, nog warriger gemaakt doordat de uiteinden dramatisch waren getoupeerd zodat de coupe er voor de camera geteisterd uitzag, maar van dichtbij eerder op een nest koraalslangen leek. Hij had bruine, een beetje droevige ogen, waar de tienerbladen vol van stonden. En dan die neus... de beroemde gebroken snavel, een beetje gedeukt en scheef, waarschijnlijk het gevolg van een korte bokscarrière, waardoor Bobby een apart gezicht kreeg, niet een waarvan er dertien in een dozijn rondliepen. Niet voor het eerst viel het Spandau op hoe gewoontjes een acteur in het dagelijks leven kon zijn, terwijl hij op het scherm een soort magie leek uit te stralen: een soort merkwaardige betovering waardoor die anders zo alledaagse gelaatstrekken voor een cameralens grandeur en romantiek kregen. Niemand kon verklaren wat dat precies was en waarom dat slechts bij een paar uitverkorenen het geval was, hoeveel moeite mensen sinds de uitvinding van de film er ook in hadden gestopt.

'Zo, hoe moet je me dan beschermen?'

'Als het zover komt dat er moet worden geschoten, dan kun je zeggen dat ik goed beschouwd mijn werk niet goed heb gedaan. En ik doe mijn werk altijd goed.'

'Wat meneer Spandau volgens mij bedoelt, is...' begon Annie.

'Ik weet wat hij bedoelt,' zei Bobby op scherpe toon tegen haar. 'Ik ben niet doof, hoor.'

Ze staarde Spandau aan. Spandau realiseerde zich dat er een glimlach op zijn gezicht lag. 'Meneer Spandau, ik geloof niet dat je...'

'O, hou toch je kop, Annie,' zei Bobby.

Spandau probeerde zich niet te verkneukelen. Hij zei tegen Bobby: 'Laten we erover praten.'

'Oké.'

'Misschien een goed idee om dat onder vier ogen te doen,' zei Spandau, 'tenzij we er een theekransje van willen maken.'

Aronson keek naar Annie en knikte. Schoorvoetend liep ze achter hem aan de trailer uit.

'Je hebt niet veel zin in dit klusje, wel?' zei Bobby tegen Spandau.

'Dat hangt van jou af. Zonder jouw medewerking kan ik niks.'

Bobby gaf Spandau een vel papier waar uitgeknipte letters op geplakt waren: JE GAAT ERAAN, STERVEN ZUL JE!

Spandau gaf het aan hem terug. 'Grappig.'

'Ik vond het gisterochtend. Iemand had het daar onder de deur door geschoven.'

'Komt dit vaak voor?'

'Soms. Soms wordt een of andere meid verliefd op me als ze me in een film heeft gezien, dan wordt haar vriendje link en stuurt me een brief.'

'Hoe ga je daar normaal mee om?'

'We hebben iemand die over de beveiliging gaat. Meestal handelt hij deze ellende af.'

'Heb je hem dit laten zien?'

'Ja.'

'En?'

'Er niet over inzitten. We huren een paar bodyguards in. De productiemaatschappij betaalt.'

'Waarom denk je dat dit anders is dan anders?'

'Omdat ze het onder de deur van mijn verdomde trailer hebben weten te schuiven.'

'Waarom heb je mij gebeld? Wat kan ik voor je doen?'

'Ik wil dat je uitzoekt wie het is.'

'Enig idee wie het zou kunnen zijn?'

'Nee.'

'Dan is het niet waarschijnlijk dat ik hem kan opsporen, al ben ik nog zo'n slimme speurneus. Zoals je al zei, kan het best een jaloers vriendje zijn. Het kan iedereen zijn. Regel die bodyguards en vergeet het.'

'Is dat alles? Is dat verdomme alles wat je me te zeggen hebt? Iemand bedreigt me met de dood!'

'Een of andere klootzak heeft je een briefje gestuurd. Ik wil het niet bagatelliseren, maar dat gebeurt aan de lopende band en volgens mij heeft het niet veel te betekenen.'

'Klootzak.'

'Hoor eens,' zei Spandau, 'als dit soort rommel iets te betekenen had, zou half Hollywood al onder de groene zoden liggen. Die brieven zwerven rond als supermarktfolders. Sorry dat ik je zeepbel moet doorprikken, maar iedereen krijgt ze. Dat is nu eenmaal de prijs die je betaalt als je beroemd bent. Als je gelooft dat je echt in gevaar bent, dan zijn er mensen die je beschermen en moet je naar de politie gaan. Maar bij dit akkefietje is het geen kwestie van elimineren, dat gaat niet werken. Tenzij je een idee hebt wie het kan zijn? Heb je dat?'

'Nee.'

'Dan valt er niets meer te zeggen. Ga naar de politie en huur die bodyguards in.'

'Rot dan maar op. Ik neem wel iemand anders.'

'Er zijn altijd mensen te vinden die je geld aanpakken.'

'Lul die je bent.'

Spandau werd moe van de taal die Bobby uitsloeg. Hij dacht er ernstig over om hem bij zijn revers te grijpen, hem van zijn stoel te trekken en hem een fatsoenlijk lesje te leren over hoe je om diende te gaan met gasten, zeker met degenen die bijna achtenzeventig kilo zwaarder en tien centimeter langer waren. En hij had het misschien nog gedaan ook, als Bobby Dyes handen niet zo trilden toen hij een sigaret opstak. Hij wilde stoer doen, maar dat lukte niet erg. Tot op dit moment had Spandau het allemaal wel grappig gevonden, maar nu wist hij zeker dat er iets anders aan de hand was.

'Laat me dat briefje nog eens zien.'

Bobby gaf het aan Spandau, die het van alle kanten bekeek. Niet dat dat veel hielp. Spandau hield het tegen het licht. De letters glansden en zaten waarschijnlijk onder de vingerafdrukken, maar Joost mocht weten van wie die waren.

'Hoeveel mensen hebben dit gezien?'

'Weet ik veel,' zei Bobby. 'Annie. Robert. Misschien nog een paar anderen.'

'Je bedoelt dat het als een schaal cocktailworstjes is rondgegaan?'

Hij lachte een beetje. 'Ja, eigenlijk wel.'

'Vind je het goed als ik het meeneem? Ik breng het morgen weer terug.'

'Ja, dat kan wel. Tuurlijk. Neem je de zaak aan?'

'Ik moet erover nadenken.'

'Wat bedoel je daarmee? Zit je de boel expres te traineren? Is dit soms een soort egotrip voor je?'

'Ik neem geen zaak aan voor ik zeker weet dat ik er iets mee kan. Zo werkt het gewoon. Als je wilt, kun je ook iemand anders nemen.'

'Robert zegt dat jij de beste bent.'

'Dat klopt. Ik ben de beste. Dus kun je me op mijn woord geloven.'

'Nou, als je het maar niet kwijtraakt.'

'Ik zal m'n best doen. Hoe dan ook, morgen kom ik terug.' Spandau stond op en schudde hem de hand. 'En trouwens, sla nooit meer zo'n toon tegen me aan zoals je net deed. Misschien dat andere mensen dat pikken, maar ik niet. Tot morgen.'

Zodra Spandau uit de trailer stapte, klampte Annie hem aan.

'En?'

'En wat?'

'Hoe ging het?'

'Vraag dat maar aan je klant.'

'Ik vraag het aan jou.'

'Ja,' zei hij, 'maar ik werk niet voor jou.'

Haar eerste reactie was hem de wind van voren geven, maar ze bedacht zich. Ze glimlachte. 'Je bent echt een klootzak.'

'Kan zijn,' zei hij, 'maar ik ben een ouderwetse klootzak, en mensen als jij schelden me verrot en daar hou ik niet van. Ik weet zeker dat het een teken van genegenheid is, maar ik wil dat het ophoudt.'

'Neem je de klus aan?'

'Ik weet 't echt niet. Ik moet met mijn baas overleggen. Ik laat 't je morgen weten.'

Spandau draaide zich om en liep weg. Hij verwachtte half en half een steen tegen zijn achterhoofd te krijgen. Toen die niet kwam, liep hij door en probeerde zich de blik op haar gezicht voor te stellen.

Het kantoor van Coren Investigations zat op Sunset tegenover een Mercedes-dealer en een Franse bistro. Op heldere dagen kon je het raam in de wachtkamer opendoen en de *daube au provençal* ruiken terwijl je naar de Iraniërs keek die met de SLR's testritjes om het blok maakten. Het kantoor van Coren probeerde discreet te zijn – het was tenslotte de bedoeling dat ze discreet te werk gingen – maar gaf met een enigszins zelfvoldane koperen plaat naast de voordeur aan de ijdelheid toe. Het kantoor zelf bestond uit niets meer dan een receptie, Corens kantoor en een kleine vergaderzaal, maar er lag dik tapijt en er stonden zware meubels. Ons kun je vertrouwen, dat straalde het uit, en mensen deden dat ook. Coren had zelden meer dan vijf detectives tegelijk aan het werk, hij had een 'boetiek'-bureau zoals hij het graag noemde, waaruit klasse en kieskeurigheid sprak, in tegenstelling tot een groot en onpersoonlijk vertoon zoals de Pinkertons.

Walter Coren had de zaak van zijn vader overgenomen, een alcoholische stille van de oude stempel, wiens favoriete schrijver Sir Walter Scott was, maar die was neergesabeld door dertig jaar onwelriekende echtscheidingen en weggelopen echtgenoten. Walter haalde aan de universiteit van Los Angeles een graad in bedrijfseconomie, maar betaalde zijn studie door 's nachts voor zijn vader te werken. Tegen de tijd dat hij op de universiteit begon, had hij al drie jaar door motelramen gefotografeerd en belastende condooms uit vuilnisbakken gevist. Door deze prima, financiële no-nonsense-opleiding raakte Walter alleen nog maar sneller mogelijke romantische ideeën kwijt over het leven in de Stad der Engelen. Walter begroef zijn vader met zijn verkalkte lever rond de tijd dat hij afstudeerde, maakte een begin met de herschepping van zijn vaders zaak, en wees een dikke MBA-baan in Stanford af. Iedereen die hij kende versleet hem voor gek, omdat zijn vader in zijn hele carrière nooit meer dan een hongerloontje had verdiend. Maar in tegenstelling tot zijn vader liet Walter zich niets gelegen liggen aan de morele tekortkomingen van de wereld om hem heen. Walter had al jong begrepen dat menselijke wezens beschadigde schepsels waren, die zich als gevolg daarvan vaak in de nesten werkten en hulp nodig hadden. En net zoals ondernemers kapitalen verdienen aan het verwerken van menselijk afval – op de universiteit had Walter een verhelderende verhandeling geschreven over hoe winstgevend afvalmanagement kon zijn – realiseerde Walter zich dat er in Los Angeles een hoop mensen woonden die bereid waren goed geld te betalen om zich te ontdoen van andere soorten, zich opstapelend afval dat hun slecht uitkwam. Hij redeneerde dat hoewel mensen uit alle lagen van de maatschappij heel goed in staat waren hun eigen nest te bevuilen, het de rijken waren die beter betaalden en aan wie hij het meeste plezier beleefde.

Walter leasete bij de lommerd een indrukwekkende auto, kocht een mooi pak en huurde een duur pand in Beverly Hills, vanuit de gedachte dat welgestelde lui alleen hun-soort-mensen vertrouwden. Hij begon rijke en beroemde mensen te bewerken, die zijn gebruinde teint en mooie tanden waardeerden, evenals het feit dat hij discreet was en niet liet merken of hij al dan niet een moreel oordeel over hen had. De rijken willen ook graag aardig gevonden worden. Binnen tien jaar was Walter Coren een succesnummer en een van de best bewaarde geheimen in LA. Hij had bovendien drie ex-vrouwen versleten, een maagzweer opgedaan, evenals een stoet jonge minnaressen, en Spandau. Spandau was de enige die hij echt graag mocht, en alleen Spandau wist dat Walter Coren jr. het veel belangrijker vond om een vader die hij aanbad te rehabiliteren dan geld te verdienen. Uiteindelijk had die ouwe aan de basis van een succesvol bedrijf gestaan. Een schilderij van oprichter Walter Coren sr. hing in zijn kantoor – Walter had dat van een foto laten maken – en elk jaar werd Walter op 14 juli dronken ter nagedachtenis aan zijn sterfdag. Soms deed Spandau met hem mee.

Spandau perste de BMW op een zeldzame parkeerplek voor

de bistro en vroeg zich af of er vandaag *paupiettes de veau* op het menu stond. Hij zag dat dat zo was en prentte zichzelf in dat hij zich bij de chef-kok, André, zou beklagen omdat hij er in plaats van madera rode wijn bij serveerde. Toen hij naar het kantoor liep, keek Pookie Forsythe – die vroeger Amanda heette, tot ze naar een goede school in het oosten ging – op van de *Women's Wear Daily*, die ze aan het uitpluizen was. Pookie was een kleine, mooie brunette die geloofde in spirituele verlossing door middel van kleding. Ze geloofde ook dat één identiteit nooit genoeg was en veranderde de hare dan ook dagelijks. Daarin verschilde ze niet van de meeste mensen in Los Angeles. Vandaag had ze besloten Audrey Hepburn te zijn. Ze droeg haar haar opgestoken, waardoor haar buitengewoon bleke hals zichtbaar werd, en als haar roze pak niet van Givenchy was, dan was het een prima kloon. Pookie was vastbesloten om het op eigen kracht in LA te maken, hoewel de maandelijkse toelage van pappie de druk er een beetje af haalde.

'Hij is er weer!' kondigde Pookie aan. 'Hoe was de vakantie?'

Spandau stak een duim op, die steeds meer op een aubergine begon te lijken. Pookie trok er een gezicht naar.

'Wat heb je daar in hemelsnaam mee gedaan?'

'Ik heb 'm gelassood.'

'Ik dacht altijd,' zei ze met haar beste Barnard-stem, 'dat je een koe of zoiets moest lassoën.'

'Ik miste. Is hij er?'

Pookie knikte. Spandau liep naar Corens deur en klopte aan. Coren deed open en leek keek verbaasd toen hij Spandau zag. Maar hij herstelde zich snel en zei: 'Geef me je kilometeroverzicht.'

Walter Coren jr. was lang en mager, en hij had dat knappe uiterlijk dat met het ouder worden behouden blijft, maar misleidend suggereert dat hij van een oud, rijk geslacht afstamt. Hij had nog steeds een mooie teint, maar zijn blonde haar werd dunner en het kostte tegenwoordig heel wat moeite om in maat 34 te blijven passen. Hij was even over de vijftig maar zag er bijna net zo oud uit als Spandau. Vrouwen vonden hem zo aantrekkelijk dat hij steeds weer in de problemen kwam en mannen mochten hem graag omdat hij hun ijdelheid streelde zonder als homo over te komen. Maar onder dat alles zat hij vanwege al zijn vrouwen in de schulden en was zijn lever op weg om net zo te worden als die van zijn vader.

'Ik ben net terug,' zei Spandau.

'Je levert nooit je benzinebonnen in, maar loopt wel te klagen dat we je niet genoeg betalen. We willen je alleen maar helpen.'

'Jij bent de Man,' zei Spandau terwijl hij zich op de stoel aan de andere kant van Corens bureau liet vallen. 'De Man is in staat tot exploiteren, maar zal het nooit helemaal begrijpen.'

'Wat is dat?' zei Coren bewonderend. Vroeger was hij op de universiteit van Los Angeles een buitenbeentje geweest, een van de weinigen met een aandelenportefeuille. 'Van Eldridge Cleaver?'

'Van meneer Rodgers.'

'Hoe is 't met je duim?'

Spandau liet hem zien. Coren kromp ineen. 'Jezus, dat ziet er akelig uit. Waarom doe je er niet iets omheen? Mensen houden daar niet van... En hoe zit dat met dat Bobby Dyegedoe?'

Spandau liet hem de brief zien. Coren keek ernaar en gaf hem terug.

'Enig idee van wie die is?'

'Hij zegt van niet.'

'Wat moeten we volgens hem dan doen?'

'Uitzoeken van wie die is. Iemand heeft hem verteld dat we dat soort dingen doen.'

'En je hebt hem kalm uitgelegd wat de kansen zijn dat je ook daadwerkelijk iets opspoort?'

'Ja.'
'En?'
'Hij wil toch dat we het gaan uitzoeken.'
'En wat heb je daarop geantwoord?'
'Dat ik het met mijn Heer en Meester zou bespreken.'
'Heeft dat zin, denk je?'
'Ik denk dat het allemaal bullshit is. Ik denk dat het nep is.'
'Denk je dat hij zichzelf een doodsbedreiging heeft gestuurd? Waarom zou hij dat doen?'
'Geen idee. In eerste instantie dacht ik aan publiciteit of zoiets, maar hij wil er niet mee naar buiten komen en hij wil niet naar de politie. En bovendien heeft hij het helemaal niet nodig.'
'Denk je dat hij ergens op uit is, en dat hij nu moed verzamelt?'
'Zou kunnen. Hij is op zoek naar iemand die hij kan vertrouwen.'
'Zo iemand als jij met je droeve hondenogen.'
'Inderdaad.'
'Dat klopt wel. Volgens mij is het grote onzin en verspillen we alleen maar onze tijd. Er zijn wel tien andere dingen die je zou kunnen doen.'
'Ik heb nog steeds vakantie,' bracht Spandau hem in herinnering. 'Tot maandag hoor ik hier helemaal niet te zijn, weet je nog? En trouwens, je schrijft hier wel uren voor, hoor je?'
'Ik heb het concept vakantie nooit begrepen,' zei Coren, handig Spandaus pathetische poging om hem extra geld uit de zak te kloppen omzeilend. 'Mensen zouden voldoening in hun werk moeten zoeken. Daarmee is dit land groot geworden. Je zou denken dat Thomas Jefferson steen en been klaagde omdat hij zo nodig zijn jaarlijkse verplichte twee weken op Myrtle Beach moest doorbrengen. En trouwens, je verveelt je nu al een ongeluk en bovendien ben je een oen dat je je eigen duim gemold hebt. Je staat bijna te smeken om weer iets te kunnen doen.'

'Thomas Jefferson had honderd slaven en heeft kosten noch moeite gespaard om het Amerikaanse volk aan de tomaat te krijgen,' antwoordde Spandau. 'Hij klooide in zijn tuin en had nooit iets te maken met agenten, acteurs of de Ventura-snelweg om zes uur 's avonds. Ik heb nog drie dagen.'

'Oké, wat wil je dan? Wil je hier echt mee aan de gang?'

'Ik ga morgen weer met hem praten.'

'Prima, maar dat doe je in je eigen tijd. Wat je zegt, je hebt nog vakantie. Vandaag betaal ik je uit, maar je zoekt het maar uit tot je officieel een zaak hebt binnengesleept, popje. Ik heb een zaak te runnen.'

'En wat voor zaak.'

'Je droeve hondenogen leveren heus niks op. En dien verdomme je benzinebonnen in, ja. Ik wil niet meer met die geintjes worden opgescheept dat jullie ze als een soort potje achter de hand houden en van mij verwachten dat ik gekke Gerritje ben.'

Spandau stond op.

'Maandag,' zei Coren tegen hem. 'Zorg dat het maandag een zaak is of ik zet je ergens anders op.'

3

Ze begroeven het meisje buiten Indio in het zand. Toen ze klaar waren, brak het daglicht bijna door en Potts werd steeds zenuwachtiger dat ze betrapt zouden worden, hoewel ze een roteind van de hoofdweg af waren en ze haar tussen de rotsen omhoog hadden gesleept. Het was volle maan en de zaklantaarn hoefden ze tijdens het graven bijna niet te gebruiken. Potts dacht een paar keer ratelslangen te horen maar Squiers herinnerde hem eraan dat slangen koudbloedig en dus overdag actief waren. Maar het kon ook andersom zijn. Squiers was enorm en sterk, maar een luie donder. Ze zouden om de beurt graven, maar de beurten van Squiers werden steeds korter totdat hij bleef zitten en Potts in het zand stond te scheppen. Ze dachten dat zand lekker snel zou gaan, maar na een halve meter gleed het zand weer terug. Het gat was minder diep dan ze hoopten en het lichaam was een enorme bobbel in het zand. Potts redeneerde dat niemand het tussen de rotsen zou zien en dat het zelfs niet vanuit de lucht opgemerkt zou kunnen worden. Ze zaten erover in dat coyotes het misschien zouden opgraven maar uiteindelijk besloten ze dat het daardoor alleen maar moeilijker te identificeren werd. Er zou gauw genoeg niets meer over zijn dan botten. Squiers wilde het meisje uitkleden, maar dat mocht per se niet van Potts.

Potts ging halverwege de ochtend terug naar zijn huis in Redlands. Hij was moe en smerig en snakte naar een douche en een koud biertje. Hij zou een tukje doen, laat ontbijten en dan met de motor een eind rijden. Hij woonde buiten de stad aan de rand van de woestijn. Zijn huis bestond uit klotegasbetonblokken met daaroverheen vergelend stucwerk. Het was ontelbare keren door aardbevingen gebarsten en zo vaak opnieuw gestuukt dat als er een stuk af viel er een diepe scheur zichtbaar werd waar ongedierte in nestelde. Potts dacht er maar niet aan wat er allemaal onder de vloer zat. Aan de zijkant stond een houten garage die enigszins helde en vol kieren zat, waar zand en wind doorheen piepten. Potts had wel een beter huis gewild, een appartement misschien zelfs, maar die klootzakken controleerden allemaal of je wel kredietwaardig was en Potts' kredietwaardigheid stelde niets voor. Er was één slaapkamertje, een keukentje en een woonkamer. Een armoedig kot, verdomme. Maar een tuin had hij wel.

Potts parkeerde zijn truck voor de garage en ging het huis binnen. Hij was vergeten de airco aan te zetten en het was er heet. Hij zette hem aan en liep naar de keuken om een biertje te pakken. Hij maakte het open en sloeg het in één keer achterover. Hij maakte er nog een open. Hij zou er beter door kunnen slapen.

Potts liep de woonkamer in. Hij ging in zijn leunstoel zitten en keek om zich heen. Het was niet veel, maar het was tenminste iets en Potts was blij weer thuis te zijn. De meubels kwamen hoofdzakelijk van de bedeling met hier en daar wat uit de kringloopwinkel. Het mocht dan goedkoop zijn, het leek in niets op de klotezooi waarin hij was opgegroeid, of de klotezooi waar hij vaak genoeg in had gewoond. Aan de muur hing een groot schilderij, *Thee*, een afbeelding van iemand die Blue Boy heette die door ene Gainsborough geschilderd was. Al met al was het behoorlijk nichterig maar Potts vond het mooi. Hij hield van de zachte kleuren en dat er niet met harde lijnen was gewerkt, alles versmolt als het ware in elkaar. Hij werd er rustig van, en trouwens, hij nam toch nooit mensen mee naar huis. In het jaar dat hij hier nu woonde, was er nog nooit iemand geweest, behalve de huisbaas en een kerel die het toilet kwam repareren. Die plek had een bepaalde naam. Heilig… en nog wat, of zoiets.

Het lichtje op het antwoordapparaat knipperde. Potts luisterde het af.

'Meneer Potts, met Gina Rivera van kredietmaatschappij Consolidated. We willen graag over uw aflossing komen praten, u loopt inmiddels ver achter…'

(piep)

'Meneer Potts, met Kevin Pynchon weer. Ik ben nu al drie keer langs geweest voor de huur…'

(piep)

'Meneer Potts, met Leslie Stout van McCann, Pool en Foxle. Over de aanvraag die we voor u hebben ingediend in verband met een bezoek aan uw dochter: die is afgewezen. Als u me wilt terugbellen, dan kan ik u de details geven. We kunnen het natuurlijk nog een keer proberen, maar daar zijn extra kosten aan verbonden…'

Potts liep naar de schuifdeur die op de patio uitkwam. Zoals altijd moest hij hem openwrikken. Potts had liever een echte deur met scharnieren en zo, omdat hij wist hoe makkelijk je deze kon openbreken. Met een koevoet was je zo binnen. Jezus, in Texas had hij dat zo vaak gedaan. De deur kwam op de achtertuin uit en dan kon je vanuit de woonkamer de lucht buiten van kleur zien verschieten.

De achtertuin bestond hoofdzakelijk uit zand met struikjes vingergras, er stonden een barbecue en een plastic tafel met stoelen. Potts had kerstlichtjes opgehangen en als hij dronken was deed hij ze zelfs aan. Er stond een vogelhuisje waar de vogels hun snavel voor optrokken, en een provisorisch hoefijzerveld. Hij liep erheen, pakte een roestig hoefijzer op en gooide. Mis. Hij ging in een plastic stoel zitten en keek een tijdje uit over de woestijn. Hij dronk het biertje op, sleurde zichzelf overeind en liep naar binnen. Hij nam nog een biertje, ging naar de slaapkamer, legde de inhoud van zijn zakken op het dressoir en gooide de dikke bundel bankbiljetten die Richie hem had gegeven in zijn sokkenla. Hij kleedde zich uit, waarbij de vloer onder het zand kwam en hij vloekte omdat hij de energie niet had om het op te ruimen. Hij liep de badkamer in en nam een lange, hete douche en probeerde aan een vrouw te denken, maar dat lukte ook niet. Hij kreeg zin om iets kapot te slaan, dus hij stapte onder de douche vandaan, trok zijn kamerjas aan en dronk nog twee biertjes.

Hij werd laat in de middag wakker en lag in zijn kamerjas op bed. Zijn mond plakte en zijn hoofd bonkte. Het kon door het bier zijn veroorzaakt maar het was waarschijnlijker dat het kwam doordat hij was vergeten te eten. Hij schuifelde de keuken in, maakte wat oploskoffie en nam die mee naar het toilet, waar bleek dat hij aan de diarree was. Zijn darmen rommelden en hij voelde zich zwak. In zijn dromen had hij flitsen van het meisjesgezicht gezien.

Potts trok een spijkerbroek aan, laarzen en zijn versleten leren motorjasje. Hij liep naar de garage, deed hem van het slot en schoof de deur omhoog. De grote, klassieke Harley-Davidson stond midden in de garage, met eromheen reserveonderdelen en gereedschapskisten. Potts streek met zijn hand over de motor. Hij ging er schrijlings op zitten en rolde hem naar buiten, stapte af en sloot de garagedeur. Hij zette zijn helm op – de lichtste die de wet voorschreef – en startte de motor. Als Potts motor reed, vergat hij alles, de reden trouwens waarom iedereen motor reed. Die klotewereld was overal, maar op je motor brak je eruit en scheerde je eroverheen.

Potts reed naar Kepki's Roadhouse. Er stonden een stuk of tien motors buiten en een paar trucks van jongens die net van hun werk kwamen. Potts kende er behoorlijk wat mensen maar toen hij binnenkwam zeiden slechts een paar hem gedag of zwaaiden naar hem, ook al was hij er al een jaar vaste klant. Potts liep naar de bar en ging op een kruk zitten. Kepki stond achter de bar.

'Biertje?' zei Kepki.

Potts knikte. 'En wat van die chili, als je hebt. En een bakje crackers.'

Kepki bracht hem een biertje en Potts sloeg het snel achterover. Hij tilde zijn flesje op zodat Kepki er nog een kwam brengen.

'Begin je vroeg of ben je nog bezig?' vroeg Kepki aan hem.

Potts negeerde de vraag maar viel iets langzamer op zijn biertje aan. Hij draaide zich om en keek de ruimte rond. Een stel motorrijders waren achterin aan het poolen en een paar mensen stonden om erbij te kijken. Een van hen was een vrouw van in de dertig, gekleed in een strakke blauwe jurk met een biertje in haar hand. Ze keek op en zag Potts naar haar kijken. Potts draaide zich weer terug.

Potts zat aan zijn chili toen de vrouw naast hem opdook.

'Heb je een Miller voor me?' vroeg ze aan Kepki.

Kepki gaf haar een Miller en ze dronk het naast Potts op. Potts maakte een paar zakjes zout open, strooide het over zijn chili en roerde. Hij had honger en toen hij een hap nam, was die zo heet dat hij hem in zijn hand moest uitspugen. 'Shit!' Hij nam een slok bier om het te blussen.

De vrouw lachte. 'Heb je nooit geleerd dat je eerst moet blazen?'

'Verdomme, de blaren staan in mijn mond. Shit, Kepki, had je me niet kunnen waarschuwen?'

'Omdat er chili op staat betekent dat heus niet dat het niet heet is, hoor,' zei Kepki naar de vrouw knipogend.

Potts nam nog een grote slok koud bier.

'Eet je altijd zo?' vroeg de vrouw hem. 'Van alles een grote hap? Een goed teken, zou ik denken. Een die overal een grote hap uit neemt, een grote hap uit het leven, bijvoorbeeld. Zit je zo in elkaar?'

'Nooit over nagedacht.'

'Vast wel,' zei ze. 'Ik durf te wedden dat je alles zo doet. Ik heet Darlene.'

'Potts.'
'Gewoon Potts?'
'Gewoon Potts,' zei hij.

Ze dronken de rest van de avond door. Potts had wat van Richies geld meegenomen en de hoeveelheid bierflesjes en whiskyglazen op de bar groeide gestaag. Ze lachten en praatten, Darlene had haar arm om Potts heen geslagen en leunde tegen hem aan. Ergens eerder op de avond had Darlene zich naar voren gebogen en Potts gekust, ze had haar tong diep in zijn mond gestopt en door zijn spijkerbroek heen over zijn kruis gewreven. Potts liep weg om te gaan plassen en stond bij de pisbak toen Darlene binnenkwam. Potts wilde zijn rits dichtdoen maar Darlene zei: 'Laat maar.' Ze greep Potts bij zijn jongeheer en duwde hem achteruit tegen de muur. Ze trok haar blauwe jurk omhoog en stopte met een ruk Potts hand in haar slip. Potts was enigszins overweldigd. Een motorrijder kwam binnen en zei: 'Sodeflikker! Nou, stoor je vooral niet aan mij,' en hij ging staan pissen terwijl Potts en Darlene elkaar bevingerden. De motorrijder floot waarderend voor hij wegging en knipoogde naar Potts.

'Zullen we naar jouw huis gaan?' vroeg Darlene aan hem.

'Nee,' zei Potts.

'Ben je getrouwd?'

'Nee.'

'Waarom dan niet? Het kan me niet schelen of het schoon is of niet, als er maar een bed is.'

'Ik neem nooit iemand mee naar huis, dat is alles.'

'Waarom niet?'

'Waarom al die vragen? Ik doe dat gewoon niet, klaar. Jij moet zo nodig ergens heen. Laten we naar jouw huis gaan.'

'Kan niet. Ik heb een kind. Als ik iemand mee naar huis neem, verraadt dat joch het aan die verdomde sociaal werker.'

Ze reden met haar auto naar een motel. Potts was dronken dus hij gaf haar een stapeltje bankbiljetten. Zij was misschien iets minder dronken dan Potts en ging een kamer boeken. Ze kwam een paar minuten later terug met de rest van het geld in haar hand. Ze keek ernaar, toen naar Potts en stopte het geld toen in haar bh.

'Als je dat wilt,' zei ze tegen Potts, 'kom het dan maar halen.'

In de motelkamer ging ze op bed zitten en haalde een fles wodka uit haar tas. Ze nam een slok en bood hem toen aan Potts aan.

'Je lijkt wel zenuwachtig. Ben je altijd zo of komt het door mij?'

'Ik ben niet zenuwachtig,' zei Potts.

'Leuk om een beetje zenuwachtig te zijn,' zei ze. 'Ik ben graag een beetje bang.'

Ze ging aan het hoofdeind zitten en gebaarde dat Potts naast haar moest komen.

'Kom hier, schatje,' zei ze. 'Kom hier en praat een poosje met mama Darlene.'

Potts klom op het bed. Darlene trok zijn hoofd tegen haar borst en streelde zachtjes zijn haar, zijn gezicht. Potts deed zijn ogen dicht.

'Je hebt een hard leven gehad, hè? Dat zie ik zo. Je ziet het altijd als iemand een hard leven heeft gehad. Wat jij nodig hebt is een beetje liefde, hè, popje? Wat jij nodig hebt is dat iemand goed voor je is, dat iemand zacht met je omspringt. Het leven is te hardvochtig. Maar zo hoeft het toch niet aldoor te zijn?'

Ze tilde zijn kin op, bracht haar lippen naar de zijne en kuste hem teder. Ze keek hem in de ogen.

'Je hebt prachtige ogen, weet je dat? Dat zag ik meteen. Die grote droevige ogen van je. Daarom viel ik op je. Ik dacht: iemand met zulke ogen heeft een beetje liefde nodig.'

Potts keek toe hoe ze zich uitkleedde. Op haar manier was ze prachtig. Ze had een weelderig, zacht lichaam, maar dwars over haar buik zat een akelig diep litteken. Ze zag dat Potts ernaar keek.

'Vind je dat eng?'
'Nee, hoor,' zei Potts.
'Lelijk, hè? Dat heeft een dokter gedaan, tijdens de bevalling van m'n kind. Infectie. Ik was liever doodgegaan. Misschien wil je me nu niet meer. Sommige mannen hebben dat.'
'Nee. Ik wil je nog steeds.'
Hij raakte het litteken zachtjes aan en ze liet hem begaan. Hij streek over de hele lengte.
'Je bent een goeie vent, hè? Toch?'
'Ja. Ik ben een goeie vent.'
'Kom op. Kleed je uit. Ik wil je een tijdje vasthouden en dan met je vrijen.'
Potts kleedde zich uit en ging naast haar in bed liggen. Nu leek ze verlegen. Potts streelde haar overal en ze moest giechelen. Het was net als op de middelbare school. Ze trok Potts dicht tegen zich aan en het leek wel alsof ze zich om hem heen vouwde. Ze duwde Potts op zijn rug en hij gleed bij haar naar binnen. Ze glimlachte naar Potts en op dat moment vond Potts haar het mooiste wezen dat hij ooit had gezien. Het plafondlicht bescheen haar van achteren en ze zag eruit als een engel, met een halo om haar hoofd. Potts was in de hemel. Als een engel.
Ze rolde op haar rug en trok Potts boven op zich. Hij kuste haar terwijl hij met haar vrijde, maar toen ze hitsiger werd, draaide ze haar hoofd opzij. Ze begroef haar vingernagels in Potts' rug en had haar benen om hem heen geslagen, terwijl ze haar rug in een boog kromde, hem opzwepend tot harder, sneller en nog harder. Potts dacht dat ze klaarkwam maar ze hield op, greep Potts' handen en legde die om haar hals. Potts wist niet precies wat hij moest doen. Darlene staarde hem aan. 'Schiet op, in godsnaam, doe het!'
Potts verstevigde zijn greep om haar hals waarna ze ontspande en hij merkte dat ze weer in beweging kwam. Potts maakte zich ongerust maar wanneer hij zijn greep verslapte, werd ze boos. Uiteindelijk greep ze zijn handen en drukte die

zelf tegen haar hals om hem te laten zien wat ze wilde. Ze werd rood, daarna langzaam paars en maakte reutelende keelgeluiden. Potts wilde ophouden maar ze sloeg hem op de armen en hij ging door. Ze maakte krampachtige bewegingen, rolde met haar ogen en Potts was bang dat hij haar zou vermoorden, hij wilde haar geen pijn doen. Ze sloeg met haar handpalmen op het bed, Potts stopte en trok zijn handen terug. Hij keek naar haar terwijl ze naar lucht hapte en kennelijk weer bij zinnen kwam. Ze focuste haar ogen, staarde Potts raar aan en begon toen te schreeuwen: 'Heb je een gaatje in je hoofd, of zo? Ben ik soms te vrouwelijk voor je, vuile flikker? Is dat het soms? Verdomde loser, verdomde klotenicht!'

Ze schold hem de huid vol, bleef doorschreeuwen toen er deuren in het motel opengingen, en toen Potts met zijn shirt en laarzen de straat op strompelde en maakte dat hij wegkwam.

4

Nadat Spandau bij Corens kantoor was weggegaan, was het bijna drie uur 's middags toen hij bij zijn huis in Woodland Hills aankwam. Hij woonde in een oude driekamerwoning, klein, maar met een mooie achtertuin. Spandau had er een vijver aangelegd met een paar vissen en een schildpad. De schildpad gedijde goed, maar de vissen werden door de wasberen opgegeten. Om de paar dagen keek Spandau in de vijver en merkte dat er weer een vis was verdwenen, en soms vond hij de staart en een paar vinnen onder de haag. Dan kocht hij weer een paar nieuwe vissen. Hij had er wel eens over gedacht om 's nachts achter het open raam met een hagelgeweer op wacht te gaan zitten en die klotewasberen op heterdaad te betrappen, en hij vond het wel zorgelijk dat hij daar werkelijk over dacht. Het waren tenslotte maar beesten. Als je in menselijke termen als wraak over ze dacht was je al half op weg krankzinnig te worden en kon je je maar beter gedeisd houden. Maar hij wilde dat hij die klotevijver nooit had aangelegd. Het was de bedoeling geweest dat hij ervan zou ontspannen, maar nu werd hij alleen maar kwaad.

Hij zette de BMW op de oprijlaan, stapte uit, maakte de gammele dubbele garage open en parkeerde hem naast de pick-uptruck. Dat was een opgeknapte Chevy Apache-*shortbed* uit 1958, waarin hij veel liever reed dan in de BMW, die hij maar een patserwagen vond, maar Coren leasete die nu eenmaal voor zijn detectives. Coren redeneerde dat in LA een BMW zo gewoon was dat die niet te veel opviel maar wel weer zo hip dat die bij zijn mensen paste. Wat Spandau betrof was het een verdomde grote moffenbak waarin hij niet mocht roken.

Spandau was zelf van Duitse afkomst, zijn vader was een slager geweest die net na de oorlog uit Düsseldorf was geëmigreerd, en hij dacht dat de auto hem wellicht aan zijn vader deed denken. Donker, kil en afstandelijk. De oude man sloeg hem vroeger altijd met een brede legerband, Spandau vermoedde dat het een of ander romantisch aandenken was aan zijn legertijd toen hij voor *das Reich* vocht. Spandau heeft hem een keer gevraagd of hij een nazi was en toen had de oude Horst hem alle hoeken van de kamer laten zien. In de winkel hakte de oude man de hele dag op vleeskarkassen in alsof het Joden, homo's of zigeuners waren, en hij kwam thuis om schnaps te drinken en zijn vrouw en kinderen te terroriseren. Katrina, zijn dochter, twee jaar jonger dan David, sloeg hij nooit, maar hij schold haar wel de huid vol. Er zat iets in zijn Duitse genen wat hem er wel van weerhield om vrouwen te slaan maar niet om ze emotioneel tot nul te reduceren en ze net zo doeltreffend en diep in stukken te scheuren als het vlees dat hij bewerkte. Elke keer dat iemand de BMW aanprees als een 'mooi stukje Duits vakwerk' moest Spandau denken aan hoe rücksichtslos efficiënt zijn vader zowel dierlijk vlees als menselijke wezens in stukken hakte. Maar ten slotte leidde dat ook tot waanzin. En uiteindelijk was het gewoon maar een auto.

Spandau was bij de markt gestopt en balanceerde nu de zak boodschappen in zijn elleboogholte terwijl hij de garagedeur dichttrok. Voor hem geen mooie elektronische deuropeners. Het was een hete dag en de rug van zijn witte overhemd was doorweekt onder het dunne Armani-jasje. In huis was het koel en donker, hij trok de jaloezieën dicht en liet de airconditioner aanstaan. Het was een opluchting om binnen te zijn, veilig, rustig, privé. Hij miste Dee maar eerlijk gezegd was het op deze manier goed thuiskomen, de wereld buiten te sluiten, niemand te horen praten.

Delia had hem een jaar geleden verlaten. De scheiding was in goed overleg gegaan, voor zover dat met een scheiding kon, en hij had geen tegenstand geboden. Hij had het al lang zien aankomen, dat hadden ze allebei. Het huwelijk ging prima toen hij nog stuntwerk deed, want dat begreep ze, dat had haar vader ook gedaan. Maar toen kreeg Spandau dat rampjaar waarin hij te veel botten brak en die producer een oplawaai had verkocht.

Een gebroken heup en sleutelbeen in een tijdsbestek van tien maanden waren al erg genoeg, maar Spandau was een keer op de set uit zijn slof geschoten en had een Pak met een mooie, krakend korte stoot op de kin getimmerd. Een paar dure kronen van Het Pak waren gebroken en hij haalde er een advocaat bij. Deze dreigde de stuntcoördinator, Beau, die eigenaar van de zaak was en bovendien Dee's vader, voor het gerecht te slepen. Beau kafferde Spandau uit maar zou voor hem gevochten hebben en daardoor alles verliezen. Beau weigerde hem te ontslaan. Spandau nam liever ontslag om Het Pak tevreden te stellen dan Beau in moeilijkheden te brengen. Hij zat drie maanden thuis en was bijna elke middag dronken. Toen was Coren langsgekomen met die baan als detective, en Spandau ontdekte dat hij daar goed in was, en lichamelijk letsel was verleden tijd.

Het detectivewerk had zijn huwelijk verwoest. Het kon Dee niet schelen dat hij slempte en zoop, wat hij allemaal aanrichtte, wie hij een mep verkocht. Jezus, zij was Beau McCauleys dochter en aan dat alles was ze gewend. Maar waar ze niet aan kon wennen, was dat Spandau zo anders werd, en dat hij zo gemakkelijk een baan nam die zij moreel weerzinwekkend vond. Bij een eerdere klus moest Spandau vriendjes worden met een man, een persoonlijk manager die ervan werd verdacht dat hij zich wat geld van zijn cliënt had 'toegeëigend'.

De cliënt was een bitch-godin van een tv-ster, een rondborstig blondje met een lijf als een barbiepop en een stel hersens als die van J. Paul Getty. Ze was een slavendrijver voor die manager, betaalde hem het minste van het minste, en schiep er genoegen in om hem ten overstaan van wie er ook maar in de buurt was grondig de grond in te trappen. De manager slikte het, maar nam wraak door kleine hoeveelheden van haar geld naar een rekening in Nevada door te sluizen. Het was niet veel, de man wilde alleen een huisje in Tahoe afbetalen waar hij heen ging om te vissen en ontspannen, wanneer hij ook maar kon ontsnappen aan de ijzeren greep van zijn baas, wat niet vaak het geval was. Spandau had met hem in Tahoe afgesproken, ze waren gaan vissen, bevriend geraakt.

Op een dronken namiddag hadden ze in zijn kleine vlet naar baars zitten vissen en had de man alles aan Spandau opgebiecht. Hij legde uit hoe hij het geld beetje bij beetje gedurende een jaar lang had laten weglekken, bijna ongemerkt, zodat hij deze plek kon afbetalen en hier kon wonen wanneer hij ontslag nam bij koningin Titzilla, wat hij over een paar maanden zou gaan doen. Zoals hij het verhaal aan Spandau vertelde, kon je merken dat hij helemaal geen kwaad zag in wat hij deed. Hij vond het niet meer dan eerlijk en hij voelde zich er niet schuldig over. Titzilla vergde veel te veel van hem en vernederde hem, dus pikte hij een in zijn ogen eerlijk bedrag, dat was alles. Ze zou het heus niet missen, hoor. Ze was stinkend rijk en had een landhuis. Maar natuurlijk miste ze het wel. Ze zei dat ze hem ging verdenken toen hij niet meer zo gekwetst keek als ze hem beledigde. Ze zei dat het goedkoper was om een detective in te huren dan haar boeken te laten controleren, ze was er trouwens sowieso niet al te happig op dat naar haar gekeken werd. Spandau hielp de arme dronken stakker van het meer naar zijn huisje, legde hem op bed, belde Titzilla en vertelde haar het hele verhaal.

Dee vond dat walgelijk en was verbaasd dat Spandau dat niet vond. Hoe kon hij een vriend verraden, iemand die hem aardig vond en vertrouwde? Spandau zag het anders. Hij had helemaal geen gewetenswroeging, geen spoortje schuldgevoel. Hij probeerde zijn standpunt aan haar uit te leggen, maar dat schoot niet op. De man was een boef, legde Spandau uit. Spandau was ingehuurd om die te vangen. En dat had hij gedaan. Einde verhaal. Maar voor Dee waren vriendschap en familie heilig. Je verraadde geen vriend, wat er ook gebeurde, en zeker niet wanneer je er ergens ook nog in kon komen dat hij dit had gedaan. Zoiets deed je gewoon niet.

'Maar hij is mijn vriend niet,' zei Spandau. 'Hij is een dief.'

'Maar je zei tegen hem dat je zijn vriend was!' zei ze beschuldigend. 'Daardoor voelde hij zich veilig, dacht hij dat hij je kon vertrouwen. En dat heb je tegen hem gebruikt.'

Spandau wist niets te zeggen. In zijn ogen sloeg haar argumentatie nergens op. Maar de zaak had een bres tussen hen geslagen, een onoverbrugbare kloof. Hij vermoedde dat er iets meer op het spel stond, dat er meer aan de hand was, maar hij kon de vinger er niet op leggen. Het incident had een zwakke plek in hun relatie blootgelegd.

Pas nadat Dee een paar weken weg was, had Spandau tijd om obsessief na te gaan welke fouten hij in dit huwelijk had gemaakt, en dat hij daar een antwoord op wilde.

Dee had het eerder zelf al een keer uitgelegd. Spandau had haar verteld over zijn vader. Dat hij geslagen werd, de scheldpartijen, de kilte en wreedheden. Hoe hij en zijn zuster daardoor dichter naar elkaar toe waren gegroeid. Dat die verbondenheid met elkaar verder iedereen buitensloot, dat hij daardoor geïsoleerd raakte en geen vrienden had of iemand die hij in vertrouwen kon nemen, maar waardoor de dagelijkse kastijdingen van Horst draaglijk werden.

Spandau begreep dat je werkeloos kon toekijken terwijl een dierbare werd mishandeld, omdat het nu eenmaal zo ging. Je aanvaardde het, liet de pijn en vernederingen als een koude wind door een tochtgat door je heen gaan, en je maakte het goed door de liefde die je had verstopt later te tonen.

Toen Spandau haar dat vertelde, had het niets voor hem betekend, behalve dat hij zich geneerde dat hij uit zo'n nest kwam, dat hij zo'n vader had. Dee had tranen in haar ogen. Spandau stak de draak met haar maar wist eerlijk gezegd niet wat hij had gezegd waardoor wie dan ook tot tranen toe werd bewogen.

En dat, zei Dee, was precies de reden waarom ze moest huilen. Dat hij er geen idee van had hoe verdrietig het allemaal was.

Dat woord had ze gebruikt: verdrietig. Dee had een onstuimige, maar liefdevolle jeugd gehad. Beau mocht dan strontlazarus thuiskomen van een avondje stappen met de jongens, verder was hij een modelechtgenoot en huisvader. Hij had twee zoons en een dochter die hem net zo aanbaden als hij hen aanbad. Hij kon behoorlijk tekeergaan, maar was nooit gemeen geweest en had nooit, maar dan ook nooit, een van hen geslagen. Dee was met zo veel liefde opgegroeid dat ze zich op de middelbare school pas realiseerde hoe bevoorrecht ze was.

Ze had David bedankt omdat hij het haar had verteld en dat daardoor dingen duidelijker waren geworden.

Wat dan? had Spandau gevraagd.

Dat je wanneer je je bedreigd voelt in staat bent om afstand te nemen, zei Dee tegen hem. Dat je in staat bent om je als een schildpad in jezelf te verstoppen.

David zei dat hij geen idee had waar ze het over had en ze wilde er niet meer over praten.

Het misverstand zat 'm in hun ideeën over familie en loyaliteit. Dee had door haar opvoeding heel veel liefde, vertrouwen en loyaliteit meegekregen. Voor Spandau was het leven een heel kleine boot, en daar zat je in of niet.

Als je buiten de boot was gevallen, lag het aan jezelf hoe lang je bleef watertrappen. Hij hield van zijn moeder, zijn zuster, hij was dol op Dee en Beau. Een kleine bemanning voor een klein jacht. De rest van de wereld was zijn probleem niet. Je beschermde je dierbaren als een tijger en de rest kon de klere krijgen, en daar was hij geen moment rouwig om.

Was zijn huwelijk daardoor op de klippen gelopen? Hij dacht van wel.

De teloorgang was misschien net zo simpel als het verschil tussen gelukkige gezinnen en ongelukkige. Ze keken anders tegen de wereld aan, en misschien hadden ze ook een ander soort liefde. Spandau wantrouwde iedereen in de wereld, behalve degenen die zich hadden bewezen en dicht bij je stonden. Dee hield van de wereld en omhelsde die.

Het tragische was dat Spandau juist om die reden van haar hield. Omdat ze zo heel anders was dan hij.

Spandau begreep dat hij had gewild dat Dee een beter mens van hem maakte. Hij hoopte dat hij meer zoals zij zou worden. In plaats daarvan was hij niet veranderd. Zo veel als ze van elkaar hadden gehouden, zo veel als ze nog altijd van elkaar hielden, ze had hem niet veranderd. Hij kon niet veranderen en daarom was ze weggegaan, en daarom kon hij van verraad zijn beroep maken.

Ze waren vijf jaar getrouwd geweest. Zij was lerares. Ze gaf les aan de tweede klas op een school in de Valley. Er waren momenten, zelfs dagen, dat ze ongelooflijk gelukkig waren. Een geluk waar Spandau zich schuldig over voelde, een gevoel dat het te mooi was om waar te zijn, dat ze het niet hadden verdiend – hij althans niet.

Het was nooit een slecht huwelijk geweest, maar soms wel moeilijk. In het begin van het vierde jaar was Beau gestorven. Een hartaanval, hij was zeventig. Beau McCaulay was zo gezond als de paarden die hij zijn hele leven bijeen had gedreven. Hij was zo'n man die het eeuwige leven had. Hij had een persoonlijkheid nog groter dan het leven zelf, voor wie de normale regels der sterfelijkheid niet golden. Zijn dood sloeg een enorm gat in hun aller leven.

Voor Dee, Beaus oogappeltje, was het nog het moeilijkst. Haar broers kwamen op de begrafenis, maar konden niet blijven. Ze kwamen van ver, de een woonde in Frankrijk, de ander in New York, beiden met hun gezin. Beaus vrouw, Mary, een stevige, taaie tante, bleef achter om de ranch in Ojai te bestieren, met hulp van een Mexicaanse familie die al jaren bij ze was. Dee had de laatste paar zomers daar praktisch gewoond, om met het vee en de ingewikkelde boekhouding van de ranch te helpen, en gewoon om Mary gezelschap te houden. Spandau ging erheen wanneer hij maar kon.

Het kwam niet als een verrassing toen ze tegen hem zei dat ze voorgoed naar de ranch wilde terugverhuizen. Ze woonden al een jaar apart zonder dat ze gescheiden waren toen ze zei dat het misschien maar beter was om het officieel te maken. Spandau vroeg zich af of er een andere man in het spel was, maar daar had hij nooit iets van gemerkt, tot nu toe niet althans.

Misschien wilde Dee Spandau bevrijden zodat hij achter andere vrouwen aan kon. Pas nadat de echtscheidingspapieren waren getekend, eigenlijk pas afgelopen jaar, kon Spandau zijn oog op iemand anders laten vallen. En zelfs nu was het raar. Hij dacht niet dat hij nog een Dee zou vinden.

Sterker nog, hij dacht dat hij helemaal nooit meer iemand zou vinden en dat vond hij wel zo prettig. De papieren waren getekend en toen het duidelijk was dat ze niet terug zou komen, kocht Spandau haar helft van het huis. Verder bezat ze niets. Zij nam de Toyota-fourwheeldrive. Spandau hield de Apache en de meeste meubels.

Spandau nam de boodschappen mee naar de keuken, zette de zak op tafel en borg ze op. Het was nog geen twee uur. Hij maakte een sandwich klaar en at die snel, als een vrijgezel staand bij het aanrecht, op. Hij liep naar zijn werkkamer om zijn berichten te controleren.

De tweede slaapkamer was ooit als babykamer bedoeld geweest. Nu was het wat Dee 'de Gene Autry-kamer' noemde. Het vertrek was aanvankelijk eenvoudigweg een kantoor waar Spandau zijn boekhouding deed en zijn rapporten voor Coren schreef. Gaandeweg werd het een verzamelplaats van souvenirs, aandenkens en foto's van films waaraan hij had gewerkt en rodeo's waaraan hij had meegedaan. Hier en daar stond een trofee van een of andere armzalige plaatselijke rodeo, meestal gewonnen met lassogooien, aangezien Spandau, zoals Beau hem een keer had gezegd, op een paard zat alsof hij een laag teflon op zijn kont had.

Toen Dee was verhuisd, nam de cowboy in hem, die nooit eerder zo aan de oppervlakte lag als nu, het compleet over: Navaho-kleden, indiaanse totems, Mexicaanse dekens over een oude bank gedrapeerd en een fauteuil van zadelleer, zijn lievelingsplek. Zijn boekenverzameling over westerse americana stond in een vitrine. Aan de muur hingen een paar antieke geweren. Achter zijn houten bureaustoel hing een grote poster van Sitting Bull, het bureau zelf was een oud cilinderbureau dat door drie mannen zijwaarts de kamer in gedragen had moeten worden.

Het was een museum van een lang vervlogen tijd, waar de paar vrienden die bij hem over de vloer kwamen hem al snel op wezen. De enige concessies die hij aan de twintigste eeuw deed – die, net als Evelyn Waugh, volgens Spandau een reusachtige vergissing was – waren het antwoordapparaat en de laptop, die uit het zicht in een hoekje waren weggewerkt. Hier voelde Spandau zich thuis zoals hij zich nergens in de wereld thuis voelde. Hier bracht hij vele lange en eenzame avonden door in zijn leunstoel, rookte een pijp, nipte van Wild Turkey en las boeken over het Amerikaanse Westen.

Op het antwoordapparaat stond niets bijzonders. Pookie

herinnerde hem er, met dat Marilyn Monroe-stemmetje dat ze over de telefoon altijd opzette, aan dat Coren zijn benzinebonnen wilde hebben. Een vriend uit Utah, een echte cowboy, belde dronken en verveeld op dat hij binnenkort naar LA kwam en of Spandau nog aankomende, gewillige filmsterretjes kende.

Dee had gebeld. Ze wilde weten of Spandau die middag nog naar de ranch kwam. Spandau draaide haar stem een paar keer af, liet zich meedrijven op het bekende op en neer gaan van zijn hart.

Hij trok de Armani uit en schoot snel een spijkerbroek aan, een T-shirt en een paar oude laarzen. Het was alsof hij een nephuid afschudde en die verruilde voor zijn echte. Hij zag het leven ineens een stuk lichter. Hij opende de garage en na een paar pogingen wilde de Apache starten. Hij had er in geen weken in gereden. Hij reed achteruit naar buiten en deed de garage weer dicht. Hij zat in de truck op de oprijlaan, genoot van dat gevoel. Hij had de truck weer in originele staat teruggebracht, tot aan de babyblauw-met-witte lak en een AM-radio die het deed. Met drie versnellingen en zes cilinders was het bepaald geen snelheidsduivel op de weg, het was een werkauto en zo reed hij ook. Op de bank naast hem lagen een gedeukte Stetson-strohoed en een baseballpet van de Red Pecker Bar & Grill. Hij zette de pet op.

Hij was thuis.

De McCauley-ranch lag elf kilometer buiten Ojai en je kwam er over een zandweg die tussen de heuvels door kronkelde. Beau McCauley had veertig jaar geleden ruim twintig hectare hoofdzakelijk heuvelachtig land gekocht, niet lang nadat hij met Mary was getrouwd en hij aan het begin stond van zijn carrière als een van de beste stuntmannen in de business. Beau vertrouwde nooit op filmgeld en meende dat zijn geld veiliger was als hij rodeopaarden ging fokken. Paarden waren de stomste beesten die God ooit op deze aarde had neergepoot, maar hij had ze toch liever dan de meeste mensen. Beau en Mary hadden beiden een zakenknobbel en algauw was het land helemaal van hen. Beau bleef in trek als stuntcoördinator, zette zijn eigen bedrijf op en de ranch bedroop zichzelf prima. Toen Beau stierf, besloot Mary de ranch aan te houden. Dat hoefde ze niet. Ze kon gemakkelijk het meeste land verkopen en stil gaan leven. Maar zo zat Mary niet in elkaar. Ze fokte nog steeds paarden, maar liep nu zelf ook tegen de zeventig en werd wat trager. Ze runde de ranch met een Mexicaan, Carlos genaamd, en zijn vrouw en zoon. De zoon was twintig en dronk in de weekenden, maar hielp verder goed mee.

Spandau was dol op de ranch, en als hij al een thuis had, dan was het daar. Hij reed over een heuveltop naar de ranch, die over een uitgestrekt, vlak stuk terrein daaronder lag. Een grindweg slingerde langs de heuvelrug omlaag. Er liep een kreek door het land en het witte, twee verdiepingen tellende huis stond in een groene oase te midden van het normaal gesproken bruine landschap. Er stonden bijgebouwen en de schuur, de stallen, de paardenkralen en het kleine huis waar Carlos woonde. Op het grasland liepen een paar paarden rond. Er waren er niet veel. Maar wel genoeg, zoals Mary placht te zeggen, om het een bedrijvige ranch te kunnen noemen. Alleen dekte de paardenverkoop nauwelijks Carlos' loon. Maar een ranch zonder paarden was een dode ranch, enkel een waardeloos stuk grond, zoals Mary uitlegde, en zolang de ranch leefde, was een groot deel van Beau er nog steeds in de buurt.

Spandau vroeg zich af wat er met de ranch zou gebeuren als Mary stierf. Dee was dol op de plek maar hield nog meer van lesgeven en had geen ambities om een ranch te runnen. De broers waren blij geweest dat ze weg waren en hielden nu zo van het stadsleven dat ze niet meer terug wilden. Het land was nu tien keer zo veel waard als wat Beau ervoor had betaald, en er werd druk uitgeoefend om het te verkopen. Tien jaar na Mary's vertrek, zou het zijn veranderd in een voorstad, vol staan met goedkope huizen, kabeltelevisietorens en andere overblijfselen van de American dream. Dan zou van Spandau ook weer een stukje zijn verdwenen. Het loonde niet om van iets te houden als het niet van jou was, wat niet jouw bezit was. Maar ondanks zijn gezonde verstand was hij toch van deze plek gaan houden.

Carlos stond zijn zoon de mantel uit te vegen over iets toen Spandau de auto achter het huis zette. De zoon stond met gebogen hoofd terwijl Carlos met een vinger naar hem prikte. Carlos keek op om even naar Spandau te glimlachen en stak begroetend zijn hand op, maar richtte zich toen weer tot zijn zoon. De zoon keek Spandau even gemelijk aan, maar zei niets. Nu zag Spandau dat de jongen een blauw oog had. De jongen liet zijn hoofd weer hangen, liet het over zich heen komen, maar luisterde totaal niet naar wat er werd gezegd. De jongen had zo te zien altijd aan iedereen en alles een hekel en Spandau had altijd een hekel aan de jongen gehad.

Spandau roffelde op de hordeur naar de keuken en Mary kwam uit het huis tevoorschijn. Mary McCauley was een kleine, pezige vrouw die nog steeds op Myrna Loy leek, de actrice uit de *Thin Man*-films. Beau zei dat dit een van de redenen was waarom hij met haar was getrouwd. Maar vooral, zei hij, omdat hij een vrouw nodig had die nog gemener was dan hij om hem op het rechte pad te houden.

Dit was niet ver bezijden de waarheid. Het jaar daarvoor had hij een keer gezien dat ze met een schep het hoofd van een projectontwikkelaar in elkaar dreigde te timmeren omdat hij haar onder druk zette de ranch te verkopen. De man had het wel uit zijn hoofd gelaten toen Beau nog leefde en dacht nu uit Mary's verlies een slaatje te kunnen slaan. Het was prima geweest als de man alleen zijn medeleven was komen betuigen, maar hij bracht de verkoop van de ranch ter sprake en Mary vond dit van slechte manieren getuigen. Ze joeg de man zijn auto in en sloeg een achterlicht van de Mercedes stuk voor hij weg kon komen. Spandau kon niet anders dan dol op haar zijn.

Mary maakte de hordeur open en gaf Spandau een droge kus op de wang. 'We wisten niet of je nog kwam,' zei ze. Mary liet haar genegenheid niet gauw blijken – Beau was de knuffelaar en kusser uit het gezin geweest – maar ze liep regelrecht naar de koelkast en zette een schaal aardappelsalade, plakken ham, salade en een kan ijsthee op tafel, allemaal dingen waarvan ze wist dat Spandau die lekker vond, en allemaal eerder die dag speciaal voor hem klaargemaakt.

'Ik hou ervan de dingen mysterieus te houden,' zei hij.

'Mysterieus, je kan me wat met je mysterieus,' zei Mary. 'Jij bent de minst mysterieuze persoon die ik ooit heb ontmoet. Jij bent net als Beau. Je bent een open boek, liefje, vervelend dat ik het moet zeggen.'

'Waar gaat dat over?' zei hij door het raam naar Carlos en zijn zoon knikkend.

'Miguel heeft een meisje in Camarillo zwanger gemaakt,' zei ze.

'Geen wonder dat hij er zo shit uitziet. Heeft Carlos hem een blauw oog geslagen?'

'Nee, de vader van het meisje. Goed katholiek, hij hoort de kerkklokken al luiden.'

'Arme donder.'

'Het is een akelig stuk vreten geworden,' zei Mary. 'Net goed als hij wordt opgezadeld met een dik vrouwtje en vijftien koters voordat iemand een mes in z'n lijf steekt.'

'Zo hoor ik je niet vaak tekeergaan.'

'Deze week is het twee jaar geleden dat we Beau hebben begraven. Dat is voor mij altijd een kwaaie tijd.'

Spandau ging aan tafel zitten. Mary zette een bord, bestek en een glas voor hem neer. Ze schonk thee in en haalde het plastic folie van de schalen. Spandau schepte zichzelf op en begon te eten.

'Vraag je niet waar Dee is?'

'Dat is allemaal onderdeel van mijn mysterie,' zei hij. 'Bovendien heb ik honger.' De waarheid was dat hij popelde om Dee te zien, er zelfs naar hunkerde, en dat wisten ze allebei.

'Ze is in de stal. Ze is Hoagy voor je aan het opzadelen.'

'Mooi,' zei hij.

'Je bent zo'n stuk vreten,' zei ze glimlachend. 'Ze is de hele dag al zenuwachtig omdat ze op jou zit te wachten.'

'Mag je me dit wel vertellen?'

'Ik weet verdomme niet wat er aan jullie mankeert. Jullie doen alsof dit allemaal een spelletje is. Ik heb trouwens nooit begrepen waarom jullie zijn gescheiden. Jullie houden nog steeds van elkaar. Geen van jullie komt hier ooit overheen, wil dat trouwens niet eens.'

'De wereld zit ingewikkeld in elkaar.'

'Nee hoor,' stelde ze op effen toon. 'Dat is nu niet zo en dat is ook nooit zo geweest. Die godverdomde intellectuelen zoals jullie twee verprutsen alles omdat jullie doen alsof dat zo is. De wereld draait prima rond. Het enige wat je hoeft te doen is je leren vast te houden,' zei ze. 'Net als met paarden.'

'Heb je soms commentaar op mijn recente optreden in Salinas?'

'Nee,' zei ze, 'maar ik hoorde dat het niet al te briljant is geweest. Laat me eens naar die duim kijken.'

Spandau liet hem zien. Ze lachte. 'Dat ding zat altijd al wat bij je in de weg. Beau zei dat je hem er een keer af wilde rukken. Ziet ernaar uit dat je het deze keer bijna voor elkaar had.'

Ze ging tegenover Spandau zitten en keek hem aan.

'Is het niet in je opgekomen,' zei ze, 'dat ik over niet al te lange tijd doodga?'

'Was je dat van plan dan?'

'Dan gaan jullie deze ranch in kleine brokken hakken en verkopen aan de mensen die naar Oprah Winfrey kijken,' zei ze.

'Als ik jou was zou ik dan niet doodgaan.'

'De jongens geven er niks om en Dee wil hem niet alleen runnen. Dat kan ze wel, maar dat wil ze niet.'

'Dit heeft niets met mij te maken, Mary,' zei hij. 'God, als Dee in de keuken was, zou je me dit niet aandoen.'

'Ze is koppig. Misschien zit er bij jou nog een greintje verstand.'

'Dee is bij mij weggegaan,' zei hij.

'Je hebt haar laten gaan.'

'Sinds wanneer kan iemand Dee ooit tegenhouden? Die doet toch wat ze zelf wil.'

'Verdomme,' zei ze. 'Laat haar toch lesgeven. Jij kunt deze ranch bestieren.'

'Vind je niet dat je zoons daar ook iets over te zeggen hebben?'

'Voor hen is dit alles een lap droge grond in een of ander godvergeten gat. Ze hebben er niks mee. Ik heb geld en kan een goede regeling met ze treffen. Niet dat ze het nodig hebben. Ik kan de ranch aan Dee nalaten als ze dat wil. Daar gaan ze heus niet over piepen.'

'Daar kun je beter met Dee over praten.'

'Ik praat tegen jou, meneer. Besluit maar eens wat je nou precies wilt. Misschien is er niet veel tijd meer.'

'Je bent zo gezond als een vis, tenzij je iets achterhoudt.'

'Daar heb ik het niet over.'

Ze stond op en ging in de gootsteen borden afwassen die al afgewassen waren.

'Wat bedoel je?'

'Mijn mond zit op slot,' zei ze. 'Het gaat mij niets aan wat jullie met je leven doen.'

'Bedoel je soms dat ze iemand heeft ontmoet?'

'Dat is niet aan mij om je te vertellen. Jij moet met haar praten.'

'Godverdomme, Mary,' zei Spandau.

'Het enige wat ik probeer te zeggen is dat jullie eruit moeten zien te komen. Ik blijf niet eeuwig in de buurt.'

'Waaruit zien te komen?' vroeg Dee vanaf de hordeur.

'Wat jullie tweeën vanavond willen eten,' zei Mary. 'Ik vind het niet erg om te koken, maar ik wil niet allerlei gerechten hoeven klaarmaken. De mensen moeten vertellen wat ze willen.'

Delia McCauley was lang, net als haar vader. Ze had het kastanjebruine haar van zijn familie geërfd maar ze had haar bos krulhaar opgestoken. Spandau had avond aan avond naar haar omhooggekeken als ze naast het bed stond, de spelden lostrok en het haar als een adembenemende herfstvloed omlaag liet vallen. Van haar moeder had ze de fijne bouw en gelaatstrekken, van een haast koninklijke elegantie. Ze was lang, slank en mooi, en Spandau verlangde nu net zo naar haar als altijd. Ze liep door de hordeur naar binnen en liet die met een scherpe klap dichtvallen, vooral om haar moeder te ergeren. Ze liep naar Spandau toe en kuste hem licht op de wang terwijl ze haar hand op zijn bovenarm legde. Spandau rook de vage geur van paard en leer, wat hij niet onaangenaam vond. Daardoor wortelde ze in deze wereld, deze plek waar hij ook zo veel van hield.

'Ik dacht dat je niet meer kwam,' zei ze.

'Ik werd in de stad opgehouden. Ik had moeten bellen, maar voor ik hierheen ging, ben ik eerst langs huis gegaan.'

'Ik heb Hoagy voor je klaargezet,' zei ze. 'Als je tenminste nog een rit wilt maken. We kunnen op tijd terug zijn om te koken.'

'Gaan jullie maar lekker,' zei Mary. 'Ik kan inmiddels helemaal in mijn eentje koken. Geniet er nou maar van,' voegde ze er liefjes aan toe.

Dee kijk haar waarschuwend aan. Mary negeerde haar. Dee verdween weer in het huis.

'Ik geef je op een briefje,' zei Mary, 'dat je zo meteen de

douche hoort lopen. Ze wil het paard van zich afwassen. En wees maar niet verwonderd als je een vleug parfum ruikt.' Mary zuchtte. 'Ik heb nog nooit twee zulke dombo's bij elkaar gezien.'

Spandau at zijn eten op en toen Dee terugkwam, bespeurde hij een vage vleug Chanel. Mary keek hem hoofdschuddend aan. 'Hmpf,' gromde ze.

'Klaar?' vroeg Dee.

Hij liep achter haar aan naar de stallen, keek hoe ze over het terrein liep, haar wiegende heupen in strak zittende jeans. Nu hij haar hier zo zag, zo volkomen op haar plek, kon hij zich maar moeilijk voorstellen dat ze voor de klas stond, voor een stelletje tweedeklassers of tijdens een lerarenvergadering. Maar hij had het allebei meegemaakt, in de strenge bloes en rok, onberispelijk en formeel, het kastanjebruine haar in een strakke ouwevrijstersknot opgestoken, de leesbril op het puntje van haar neus, terwijl ze daar rechtop, compromisloos en onbenaderbaar stond. Hij vermoedde dat sommige leraren bang voor haar waren. Ze gaf geen krimp. Maar ze was een goed docent en hield van haar werk, hield elk jaar weer van haar leerlingen. En toch had hij het idee dat hij op die momenten naar een vreemde keek. Ze was niet dezelfde vrouw die in de badkamerdeuropening een striptease voor hem deed en daarna, vochtig, zacht en naar geurige zeep ruikend, als een kat in bed kroop en zich op hem liet zakken, terwijl ze zijn handen op haar heupen legde en hem toefluisterde, de vochtige druppels nog van haar natte haar langs haar hals tussen haar borsten naar haar buik druppelend, vocht dat ook op Spandau terechtkwam, als een fijne regen, als ze haar handen op zijn schouders legde en zich boven zijn gezicht naar voren boog en met zachte stem uitriep dat ze van hem hield, dat ze altijd van hem zou houden.

Ze noemde het paard Hoagy omdat hij er altijd zo verdomde triest uitzag. Hij was het eerste verjaardagscadeau dat Dee hem ooit had gegeven, destijds een broodmagere, kleine eenjarige waarvan niemand dacht dat die ergens goed voor was, behalve Dee. Hij was te mager, te lang en vertoonde geen van de kenmerken van een toprenpaard. Dee zei dat hij evengoed soul had. Beau zei dat hij eerder de bouw had van een verdomde lama dan van een paard. Mary zei dat als je hem recht aankeek hij op Hoagy Carmichael leek, altijd een beetje zwaarmoedig. Die naam is blijven hangen. Toen de tijd rijp was, was het Spandau die hem temde en trainde. Zelfs nu was hij nog te lang, stond hij te hoog op de benen, en voor een goed rodeopaard was zijn balans niet in orde. Maar hij was wel goed. Hij was voor Spandau bedoeld, om mee te gaan rijden wanneer die op de ranch op bezoek kwam, maar Spandau ging met hem aan het werk met vee van een aangrenzend stuk land. Hij was niet heel erg wendbaar en je zat zo hoog dat hij je er verdomme bijna af gooide, maar hij was slim en had in de gaten wat de koe van plan was, dus dat maakte hij meer dan goed. En hij was snel. De eerste keer dat hij Hoagy in de rodeokraal deed, kwamen de cowboys niet meer bij van het lachen, vroegen of nu soms ook kamelen al aan rodeo's mochten meedoen. Maar toen de kraal werd geopend was dat het laatste wat Spandau erover hoorde. Hoagy schoot zo snel weg dat hij al bijna boven op het kalf zat en Spandau praktisch alleen nog maar het touw hoefde te laten zakken. Toen bleef Hoagy stokstijf staan en gaf een licht rukje naar achteren, wat Spandau hem nooit had geleerd, en het kalf glipte op zijn rug en het enige wat Spandau hoefde te doen was hem vast te binden. Toen Spandau de arena uit reed vroegen dezelfde cowboys hem nu wat dat paard verdomme bij Spandau te zoeken had, aangezien Spandau alleen maar de verdomde lus hoefde mee te dragen.

Toen Spandau de stal binnenkwam, herkende het paard zijn geur en begon in zijn stal te snuiven en draaien.

'Hij heeft je gemist,' zei Dee.

Spandau aaide over het voorhoofd van het paard en klopte hem ruw op de nek.

'Ik had iets mee moeten nemen.'

'Hij is al dolblij als hij bereden wordt,' zei Dee. 'Sinds jij weg bent heeft niemand op hem gereden.'

Ze leidden de paarden uit de stallen door het hek naar de weide. Spandau sloot het hek achter zich, ze stegen op en reden langzaam, stilzwijgend over het weiland, een ander hek door en toen heuvelopwaarts het bos in. Het pad slingerde zich door het woud omhoog en algauw werd het zo steil dat de paarden, lui als ze waren, liever stil bleven staan tot ze werden aangedreven. Na een poosje lieten ze de bomen achter zich en kwamen ze uit op een hoge open plek, waar je heel ver weg in de diepte de oceaan kon zien. Het klif viel steil omlaag het dal in. Je zag de ranches, een gedeelte van Ventura en de glinsterende oceaan in de verte. Vlak aan de rand stond een ruwhouten bank die over zee uitkeek. Spandau en Dee stegen af en bonden de paarden vast. Ze liepen naar de bank en Dee ging zitten, staarde over de zee en haalde diep adem.

'Zei mam tegen je dat het vandaag twee jaar geleden is?'

'Ja.'

'Hij was dol op deze plek,' zei Dee, haar vader bedoelend. 'Dit was ons geheime plekje, weet je. Ik heb het hout zelf omhooggesleept om dit ding hier te bouwen. We hebben er een hele zaterdagmiddag over gedaan.'

Spandau plukte met zijn vingernagel aan het grove hout van de bank.

'Is er iets?' vroeg ze aan hem.

'Alleen jammer dat de vakantie voorbij is,' loog hij. 'Ik heb geen zin om weer aan het werk te gaan. Je kent dat wel.'

'Ik dacht dat je dol op je werk was.'

'Ik heb nooit gezegd dat ik er dol op was. Ik ben er alleen goed in, dat is alles. Als cowboy zie ik weinig toekomst voor me weggelegd.'

'Niet als je steeds je vingerkootjes probeert af te rukken.'

'Ik word oud,' zei hij.

'Dat zeg je altijd. Dat zeg je al zolang ik je ken. Hoe oud ben je eigenlijk? Achtendertig?'

'Achtendertig,' herhaalde hij. 'Jezus, het voelt als negentig.'

'Kijk, dat is nou net het probleem. Hou er toch mee op om je zo oud te voelen. Ik voel me niet oud.'

'O nee?'

'Jezus nee,' zei ze. 'Ik voel me nog steeds zo dartel als wat.'

'Dartel als wat, hè,' zei Spandau smalend, maar zo bedoelde hij het niet.

Hij was jaloers, en dat hoorde ze in zijn stem. Ze had het hier niet over willen hebben, in elk geval niet nu en niet hier. Ze had gehoopt dat ze een keer rustig zouden kunnen rijden, het misschien helemaal nergens over hoefden te hebben, gewoon in de spaarzame tijd die ze samen hadden bij elkaar te zijn.

'Wat heeft mama je verteld?'

'Niets,' zei Spandau. 'Ik heb het min of meer zelf bedacht.'

'Ik had het heus wel verteld, hoor.'

'Je bent me geen verklaring schuldig,' zei hij. 'We zijn niet meer getrouwd. Je kunt doen wat je wilt. Daar is niks verkeerds aan.'

'Nou,' zei ze, 'het voelt anders wel verkeerd.'

'Dat hoeft niet. Het is logisch. Tenzij het om een andere reden verkeerd voelt.'

'Nee,' zei ze, 'het voelt verkeerd omdat ik voor mijn gevoel nog steeds met jou getrouwd ben.'

Dat had ze ook niet willen zeggen, maar zo voelde ze het wel. Spandau zei niets.

'Shit,' zei Dee.

'Wat moet ik dan zeggen? Wil je dat ik jaloers ben? Oké, natuurlijk ben ik verdomme jaloers. Maar dat wist je al, dus waarom moest ik het dan zo nodig van je uitspreken?'

'We zijn niet meer getrouwd.'

'Moet je horen,' zei hij, 'ik ga geen ruzie met je maken. Wil je dat ik hier niet meer kom?'

'Misschien is dat wel het beste,' zei ze hoewel ze dit zo niet voelde, en ze zei het omdat ze boos was en wilde dat hij ertegenin zou gaan.

'Oké,' zei hij.

'Maar dat lijkt me ook weer niet goed,' zei ze terugkrabbelend. 'Ik bedoel, ik ken deze plek als...'

'Het is al goed,' zei hij. 'Waarschijnlijk maar het beste ook. We zouden er sowieso een punt achter moeten zetten. Zoals het nu is, kunnen we geen van beiden verder met ons leven.'

'Hoe moet het dan met Hoagy?' zei ze. 'Wat ga je daaraan...'

'Dat komt wel goed,' zei hij. 'Ik kan hem wel bij mijn zuster in Flagstaff kwijt. Met hem komt het wel in orde.'

'Sorry,' zei ze.

Spandau groef dieper in de rugleuning van de bank. Kleine splinters hadden zich onder zijn nagel gewerkt en nu begon het een beetje te bloeden.

'Is hij een fijne kerel?' vroeg hij haar ten slotte.

'Op het eerste gezicht wel. We kennen elkaar nog niet zo goed. Maar hij lijkt me een fijne kerel.'

'Hoe heet hij?'

'Charlie,' zei ze. 'Op een of andere manier doet hij me altijd aan een verdomde parkiet denken. Hij is schooldecaan.'

'Geen cowboys meer dus.'

'Geen cowboys meer.'

Er viel opnieuw een lange stilte. Dee sloeg op haar dijen en stond op. 'Nou ja, alles verandert.'

'Ja,' zei Spandau, 'en ik vind het klote .'

Ze liep naar hem toe en sloeg haar armen om hem heen. Hij hield haar vast en ze bleven net even te lang zo staan, hielden nog wat langer de schijn op dat het onschuldig was. Dee wendde zich af en wreef in haar ogen. Ze bestegen de paarden weer en begonnen aan de terugrit naar beneden.

Zonder iets te zeggen borstelden en roskamden ze de paarden. Toen Dee klaar was, borg ze de borstels eenvoudigweg op, sloot de staldeur en liep naar het huis terug. Spandau kwam een paar minuten later achter haar aan. Mary was in de keuken.

'Wat is er in hemelsnaam gebeurd?'

'We hebben gepraat,' zei Spandau.

'Godverdomme,' zei Mary, 'ik heb je nog zo gezegd dat het geheim van elke relatie niet praten is. Dat is jullie probleem. Daar waren Beau en ik al lang geleden achter. In vijfendertig jaar hebben we nauwelijks een woord met elkaar gewisseld. Maar als we het deden, mijn god, dan wilden we het ook zelf.'

'Het is waarschijnlijk beter als ik m'n gezicht hier niet meer zo vaak laat zien. De komende week zal ik Hoagy verhuizen.'

'Je bent een sukkel,' zei Mary tegen hem. 'Die kerel, dat duurt nog geen twee weken. Dit wil ze niet.'

'Daar beslist ze zelf over.'

'Weet je,' zei ze, 'ik heb er zo'n hekel aan als mensen net doen alsof menselijke wezens weten wat ze willen. Heb je daar verdomme ooit enig bewijs van gezien?'

'Ik ga er niet over.'

'Waar ga je dan wel over, hè? Als je plek niet hier is, niet bij haar? Heb je soms een of ander paradijselijk eilandje waar ik niks van weet? Want je ziet er in mijn ogen hartstikke klote uit, makker. Jullie allebei trouwens.'

'Mary, ik heb hier niks tegenin te brengen.'

'O nee, natuurlijk niet. Laat de natuur haar gang maar gaan. Jij gaat achteroverhangen en laat alles maar op zijn beloop. Lekker makkelijk, ja? Ga jij maar op zoek naar een bergtop, klojo, en neurie maar hare-krisjnawijsjes terwijl jullie allebei je leven naar de verdommenis helpen. Je gaat je gang maar.'

'Nou,' zei Spandau, 'bedankt voor de lunch. Ik blijf niet voor het avondeten.'

Hij gaf Mary een kus op de wang. Ze liet het stijfjes toe.
'Zeg maar dat ik heb gezegd...' Maar hij wist niets te zeggen. Zonder zijn zin af te maken liep hij door de hordeur naar buiten.

5

De volgende ochtend baande Spandau zich over het *Wildfire*-terrein een weg naar Bobby's trailer. Toen hij daar aankwam, stond er een zware vent voor de deur. Hij zag eruit als een uitsmijter en Spandau nam aan dat Bobby eindelijk was gezwicht en een bodyguard had genomen. Deze was enorm, maar had een kop als een overrijpe watermeloen. Mensen huurden graag de grotere exemplaren in, dan voelden ze zich veilig, hoewel in Spandaus ervaring juist diegenen te traag en te opvallend waren. Ze waren oké als afschrikmiddel tegen te agressieve fans, maar vijfennegentig procent van het echte werk bestond eruit dat je op voorhand de problemen moest zien aankomen en hoe groot je ook was, kogels raakten er nooit van onder de indruk. Spandau knikte naar hem en wilde aankloppen, maar die vent zette zijn hand tegen Spandaus borst en duwde hem weg.

'Werk je voor Bobby?' vroeg Spandau hem.

'Hij is bezig,' zei de uitsmijter.

'Mag ik blijven wachten?'

De uitsmijter haalde zijn schouders op. Wie hij ook was, hij was geen prof, want bij elke beveiliger wordt het erin geramd dat je iemand nooit als eerste mag aanraken, aangezien dat als een 'vijandige handeling' kan worden opgevat waarmee problemen zouden kunnen ontstaan en die je in een rechtszaal lelijk konden opbreken.

In de trailer klonk geschuifel en Bobby's stem riep: 'Moet je horen, man, ik geef je geen reet! Wie denk je verdomme wel dat je bent, je kunt niet...'

Bobby's stem werd met een scherpe grauw afgebroken. Spandau liep naar de deur, maar de uitsmijter versperde hem de weg en duwde hem opzij. Toen de man zijn borst aanraakte, greep Spandau zijn hand, boog zijn vingers naar achteren en omlaag. Toen de vent uit zijn evenwicht raakte, rolde Spandau hem een meter het asfalt op en liep naar de deur.

Bobby stond voorovergebogen tegen de tafel met zijn handen op zijn buik, hij snakte gierend naar adem. Een magere vent met een rattenkop en in driedelig pak stond voor hem.

'Uit de weg,' zei Spandau tegen hem.

'Wie ben jij, verdomme?'

'Uit de weg en laat me je handen zien.'

'Wat is dit? *Gunsmoke?* Je hebt niet eens een revolver.'

De trailerdeur ging open en de uitsmijter wilde naar binnen komen. Terwijl hij zichzelf de treden ophees, schopte Spandau hem achteruit en deed de deur op slot. Hij draaide zich naar de rattenkop om en haalde kort maar hard uit naar zijn plexus solaris. De man sloeg dubbel.

'Lekker gevoel, hè?' zei Spandau tegen hem. 'Met jou alles goed?' vroeg hij aan Bobby.

'Ja... ik...'

Bobby draaide zich om en gaf op de grond over. Spandau keek om zich heen en vond een handdoek. Hij maakte die in de gootsteen nat en gaf hem aan Bobby die zijn mond ermee afveegde.

'Ga zitten,' zei hij tegen Bobby. 'Over een paar minuten gaat het wel weer. En jij,' zei hij tegen Rattenkop, 'jij blijft waar je bent. Eén beweging en ik breek iets waardevols van je.'

Spandau haalde zijn mobieltje tevoorschijn en wilde een nummer intoetsten.

'Wie bel je?' vroeg Bobby op dwingende toon.

'Beveiliging.'
'Nee.'
'Ik moet iemand erbij roepen om...'
'Ik zei nee!'
Spandau staarde hem aan. Hij meende het. Spandau stopte zijn mobieltje weer weg.
'Wie is die vent?' vroeg hij aan Bobby.
'Ik ben een vriend van 'm, klootzak,' zei Rattenkop.
'Wat je een vriend noemt.'
Intussen stond de uitsmijter aan de deur te rammelen.
'Richie?' riep hij. 'Alles goed, Richie? Richie?'
'Volgens mij maakt je liefje zich zorgen om je,' zei Spandau tegen Rattenkop.
Rattenkop rekte zich tot zijn volle lengte uit en probeerde te doen alsof zijn maag geen pijn deed. 'Met mij is alles goed, klootzak, en niet dankzij jou,' riep hij door de deur.
'Moet ik de deur intrappen?' vroeg de uitsmijter.
'Een beetje laat, vind je ook niet?' antwoordde Rattenkop. 'Wacht maar, ik kom er zo aan.' Hij wendde zich tot Spandau. 'Je mag van geluk spreken dat ik je niet aanklaag wegens mishandeling.' Tegen Bobby zei hij: 'Wie is die vent?'
'Niemand,' zei Bobby. 'Gewoon een bodyguard die Annie wilde inhuren.'
'Je hebt geen bodyguard nodig,' zei Rattenkop. 'Je hebt mij.'
'En daar heb je wat aan,' zei Spandau tegen hem.
Rattenkop zei tegen Bobby: 'Ik ga ervandoor. Je belt me, ja? Over waar we het over hadden?' Toen hij langs Spandau liep, zei hij: 'Als je me verdomme ooit nog met één vinger aanraakt, zou je willen dat je dood was.'
Rattenkop maakte de trailerdeur open en liep naar buiten.
'Jezus, Richie,' zei de uitsmijter, 'sorry, hoor, hij overviel me.'
Rattenkop sloeg hem in het gezicht. 'Zet me nooit meer zo voor schut.'

'Tuurlijk, Richie, jezus, nooit meer...'
'Alles goed?' vroeg Spandau aan Bobby.
'Ja.'
'Ik dacht dat je had gezegd dat je vroeger bokste?'
'Ik ben uit vorm, ja?' zei hij boos.
'Wie was dat?'
'Gewoon een kennis.'
'Laat je je door al je kennissen in elkaar slaan?'
'Wat moet je verdomme van me?'
'Ik kwam je vertellen dat ik de klus aanneem.'
'Geweldig. Ik wil je niet. Dank je de koekoek.'
'Zoals het er nu naar uitziet, zou ik zeggen dat je me nu nog meer nodig hebt dan gisteren.'
'Nou, dat is niet zo. Ik heb alles onder controle.'
'Dat zie ik, ja.'
'Sodemieter nou maar op,' zei Bobby vermoeid. 'Annie schrijft wel een cheque voor je uren uit.'
Spandau ging op een stoel zitten en sloeg zijn benen over elkaar. Hij keek naar Bobby, zuchtte, schudde zijn hoofd en dacht erover weg te wandelen. Toen zei hij: 'Wat is je probleem?'
'Het gaat prima met me. Laat me met rust.'
'Waarom heb je een nepbrief gestuurd?'
'Wie zegt dat die brief nep is?'
Spandau pakte een van Bobby's populaire tijdschriften op en gooide dat naar Bobby's voeten. 'Mooie glanzende letters, uitgeknipt uit *People* of zoiets. Waarschijnlijk ligt het hier nog wel ergens. De vingerafdrukken zitten er in 3D op.'
'Moet je horen, ik heb je verdomde hulp niet nodig, oké? Wil je soms dat ik je er met kop en kont uit laat gooien?'
Spandau keek hem nog even langer aan. Hij stond op, haalde een visitekaartje tevoorschijn en schreef er een nummer op. Hij stak het kaartje naar Bobby uit, die het weigerde aan te nemen.
'Ik bied je mijn diensten aan. Als je van gedachten veran-

dert, bel me dan. Je mag misschien een taaie zijn, kereltje, maar je gaat met een verkeerd slag mensen om.'

Spandau gooide het kaartje op de tafel en vertrok. Hij liep terug naar de auto en besloot Walter niet te bellen. Walter zou of proberen hem een andere klus in de maag te splitsen of hem willen overhalen mee te gaan naar een of andere weekendfuif. Walter kon wel wachten. Het was een mooie dag, de zon scheen en hoewel Elvis dood was, was Spandau nog steeds springlevend. Hij zou naar Santa Monica gaan, lunchen op het strand en wachten tot het meisje van zijn dromen op rollerskates zijn leven binnen kwam zeilen. Hij dacht aan Sarah Jessica Parker uit *LA Story*, terwijl ze voor Steve Martin op het strand de radslag doet. Er viel een hoop te zeggen voor een vriendinnetje die de radslag kon, en mogelijk nog een stuk of tien die in Santa Monica bevredigd wilden worden door een oudere man met cowboylaarzen en een reusachtige paarse duim. Het was een amusante gedachte die Spandau nog tot een eind op snelweg 405 bijbleef, en bijna de hele weg naar huis.

Die avond zat Spandau in de Gene Autry-kamer Wild Turkey te drinken en een pijp te roken. In een boekwinkel in Flagstaff had hij een eerste druk van Mari Sandoz' *Cheyenne Autumn* weten te scoren en hij had al een week op een rustig moment gewacht om het te kunnen lezen. Hij legde zijn voeten op een zadelleren poef en nam een slokje van zijn whisky, pakte het boek en draaide het in zijn handen om terwijl hij de eenvoudige bruinstoffen omslag bewonderde die onder het beschermlaagje nog in goede staat was. Vlak nadat Dee bij hem was weggegaan was hij begonnen met het verzamelen van boeken over het Amerikaanse Westen. Voor die tijd had hij zich schuldig gevoeld om er geld aan uit te geven – het was een dure hobby – maar nu was hij eraan verslingerd geraakt en had hij inmiddels tientallen waardevolle exemplaren. Hij rechtvaardigde het door zichzelf wijs te maken dat ze hem door de eenzame ouderdom zonder vrouw loodsten, en het was inderdaad zo dat de boeken op een of andere manier hem boven zichzelf uittilden, hem verhieven boven de twistzieke wereld waarin hij leefde. Zo zittend in zijn belachelijke kamer, omgeven door een lang vervlogen tijdperk, geurend naar rook, leer en whisky, vol anachronismen, maar wát graag toegevend dat hij zelf een anachronisme was, voelde hij hoe de altijd aanwezige knoop in zijn schouders werd ontward en zijn ziel weer in balans kwam. Het was absurd, zo wist Spandau, dat hij als volwassen man een beetje cowboytje speelde. Of de tijd probeerde terug te draaien, hoe kortstondig ook, naar een onschuldig tijdperk, alsof Amerika ooit een onschuldig tijdperk had beleefd. Was dat op zichzelf niet het meest Amerikaanse sentiment van allemaal? Als we überhaupt al een nationale identiteit hadden, was dat dan niet de sleutel, de overtuiging dat we ooit nog terug konden naar een soort puurheid? Dat we ooit onze zaakjes in orde hadden, wat op zichzelf de mogelijkheid openliet dat we die zaakjes weer opnieuw in orde zouden kunnen krijgen? Waar je ook keek, overal zag je illusies, en Spandau was het moe om zijn ogen dicht te moeten knijpen, om sowieso met moeite door de mist heen te kunnen kijken. Misschien was alles uiteindelijk inderdaad gelul, zoals Walter hem als eerste onder de neus zou wrijven. Amerika. Cowboys. Allemaal gelul, allemaal mythen gecreëerd om iets aan de man te brengen. Welkom in Hollywood, welkom in LA. Hij had eens een socioloog horen beweren dat als je een glimp van de toekomst wilde opvangen, je een blik moest werpen op het huidige Los Angeles. Spandau probeerde dat uit alle macht niet te geloven, en hij voelde zelfs nu nog weerstand. Nu zei een verre, maar verlossende stem tegen hem dat niet alles waardeloos is. Denk eraan hoe het voelt om op een paard te rijden. Denk eraan als je uit de kraal komt en de trilling van het touw voelt wanneer dat om de zadelknop straktrekt, de scherpe, plotselinge ruk en de bevrijding. Denk aan de geur van hoog gras en wanneer dat langs je benen strijkt als je erdoorheen rijdt. Denk aan Dee. Misschien is het hele bestaan wel niet meer dan een oneindige, wormstekige, woekerende mesthoop. Maar wat Spandau betrof waren de herinneringen aan Dee in zijn armen het meer dan de moeite waard om door te gaan.

De telefoon rinkelde op het bureau achter hem, het ging als een elektrische schok door hem heen. Hij had die verdomde telefoon uit moeten zetten. Hij had op dit moment geen verplichtingen, hoefde niet op te nemen. Hij keek naar de nummermelding... geblokkeerd. Het antwoordapparaat nam het over voor hij dat kon afzetten. Het was Gail van zijn boodschappendienst. Hij pakte de hoorn op.

'Spandau.'

'Je hebt een bericht van ene Ginger Constantine. Hij zegt dat het dringend is.'

'Ja, oké, geef me het nummer maar.'

Spandau krabbelde het op zijn hand. Hij verbrak de verbinding en draaide het nummer. Een man met een licht Brits accent nam op.

'Ja?'

'Met David Spandau. U zei dat het dringend was.'

'O, heremetijd! Ja! Ik ben Bobby Dyes assistent, ik zag uw kaartje en ik wist dat hij met u had gepraat... Moet u horen, Bobby zit in de problemen. Hij is naar Richie Stella toe. Hij heeft een pistool meegenomen. Ik wist niet wie ik anders moest bellen.'

'Magere vent met een rattenkop?'

'Dat is Richie.'

'Waar kan ik hem vinden?'

'Hij is naar Richies club gegaan. Kent u de Voodoo Lounge op Sunset?'

'Ja. Die ken ik. Hoe lang geleden is hij vertrokken?'

'Tien minuten misschien.'

'Ik ga er nu heen.'

De Voodoo Lounge was de populairste club op de Strip en zat tussen een slijterij en een sushibar in. Aan de buitenkant zag het eruit als het soort hopeloze kroeg waar je van die alcoholische oma's aantrof die met hun wang in een plas barzweet lagen. Hiervoor was het een yuppententent geweest in de stijl van Philippe Starck, allemaal glanzend staal en melkglas, en het kostte de nieuwe eigenaar een slordige kwart miljoen om de gevel te verbouwen, waarbij zorgvuldig alle tekenen van succes of schoonheid waren verwijderd en vervangen door een soort textuur en ontwerp die doen denken aan een dofzwarte kartonnen doos. Die was ontworpen om de ultiem hippe scene aan te trekken, die al gesmoord was in de hogere esthetica en behoefte had aan een plek waar ze behaaglijk en veilig uit konden in een achterbuurtachtige omgeving, zoals de geitenboerderij van Marie Antoinette in de tuin van Versailles. Toen Spandau er aankwam stond daar de onvermijdelijke vrijdagavondmenigte, die hier uit de superchic bestond, te wachten om door de portiers te worden toegelaten. Spandau wist een parkeerplekje in de buurt te bemachtigen en vroeg zich af hoe hij binnen moest komen. Hij keek in zijn portefeuille of de vijftigjes er nog in zaten.

Een meisje op een kruk bij de deur, geflankeerd door een paar professioneel ogende uitsmijters, selecteerde mensen als waren ze gedroogde groenten. De goede aan die kant, de slechte aan de andere. Alleen de mooie en welbekende exemplaren mochten naar binnen. Spandau realiseerde zich dat hij geen van beide was. De rij bleef maar groeien. Spandau liep naar twee prachtige hittepetitjes achteraan.

'Moet je horen, ik ben acteur, en binnen zit een producer die ik echt te pakken moet zien te krijgen. Jullie krijgen ieder vijftig pop. Je hoeft niet rond te blijven hangen, het enige wat jullie hoeven doen is me naar binnen loodsen.'

Ze bekeken hem even van top tot teen en Spandau wist zeker dat ze hem uit zouden lachen. Toen zei een van hen: 'Tuurlijk, voor vijftig pop.'

'Trouwens, zo slecht zie je er voor een ouwe vent niet uit,' zei de ander.

Bij de deur aangekomen, staken de beide meisjes ieder een arm door de zijne. Het meisje op de kruk keek naar de hittepetitjes en toen naar Spandau. Ze schudde haar hoofd. Spandau dacht dat dat een nee betekende, maar ze drukte alleen haar ongeloof maar uit. Ze maakte een wuivend gebaar dat ze door konden lopen.

Het was nog vroeg, maar de tent zat al bomvol, op de dansvloer veel stelletjes die op een oorverdovende beat kronkelden. Het leek alsof je in een trommel zat. Spandau was vaak genoeg in dit soort clubs geweest, maar nooit vrijwillig, altijd vanwege een zaak. Hij had er uiteraard een bloedhekel aan, maar zag ook de aantrekkelijk kant wel. Het was een soort legitieme orgie waar je door schoonheid en roem een vrijbrief had om te doen wat je wilde. Dit soort plekken waren er overal en altijd geweest. Net als bij Steve Rubells legendarische Studio 54 in New York in de jaren zeventig hoor je er nooit iemand over, vooropgesteld dat je binnen weet te komen. Je kunt er snuiven, neuken, iedereen betasten en jezelf te kijk zetten zo veel je wilt, en dat allemaal met de beau monde delen. Hier gold een merkwaardig soort democratie. Waar anders krijgt Lulu Snekert, de geremigreerde koningin uit Grand Rapids, een kans om met haar favoriete sterren een lijntje coke te snuiven?

Na de meisjes een drankje te hebben aangeboden, liet Spandau ze aan de bar achter en keek om zich heen. Hij maakte een paar rondjes om de volgepakte dansvloer maar zag Bobby niet. Hij maakte zich niet ongerust of Richie hem zou zien... Bobby zou zijn waar Richie was.

Het was donker en rokerig in de ruimte. Roken was slechts een van de vele plaatselijke verordeningen die ze daar negeerden, en de directie moest daar dan ook elke maand flink voor dokken. Ze streefden naar een nachtclub in Harlem uit de jaren veertig van de vorige eeuw, het soort exotische plekken waar blanken toekijken hoe negers marihuana roken en er sensueel dreigend uitzien. Zo nu en dan werd er nog wel jazz gespeeld in de Voodoo Room, maar het was voornamelijk rock en de bands waren al net zo wit als de klandizie. Voor die speciale dreigende chill – een soort hardheid die je bij alle goedlopende would-be sloppencafés aantrof – zorgden de poenige bendeleden met een hoop blingbling en vriendinnetjes, evenals de betere drugdealers die op sommige avonden de plek omturnden in een door dope benevelde soek die zich uitstrekte van de toiletten tot aan de straat.

Een enorme spiegel besloeg bijna een hele muur. Daarachter, bedacht Spandau, zou de notoire viproom zijn waar beroemdheden zich ophielden om van het gepeupel verschoond te blijven. Spandau keek hoe hij daar kon komen. Aan het eind van een gang waren twee dichte deuren. Spandau maakte er een open. Het was een kantoor, en een mooi blondje van achter in de twintig zat aan een bureau over een stapel rekeningen gebogen.

'Oeps, sorry,' zei Spandau met benevelde stem. Neem me niet kwalijk, gewoon de zoveelste verdwaalde dronkenlap. 'Zoek de wc.'

'Aan de andere kant van de club,' zei het blondje en ze boog zich weer over haar cijfers.

Spandau probeerde de andere deur. Niet op slot. Deze kwam uit op een korte, smalle gang en een volgende deur. Spandau hoorde stemmen aan de andere kant. Een ervan was die van Bobby. Hij duwde de deur open.

De ruimte zelf was halfdonker, alsof die door kaarsen verlicht werd. De tegenoverliggende muur was van glas waardoor je de hele clubvloer en het podium kon overzien. Het was alsof je naar een hogeresolutietelevisie van Hollywood Gone Wild op groot scherm stond te kijken. De kamer was geluiddicht en door de speakers klonk muziek, wat het nog onwerkelijker maakte.

Richie Stella zat op een bank. Bobby stond in het midden

van de kamer, van achteren verlicht door het panorama van de clubvloer. Bobby had een pistool op Richie gericht. Zijn hand trilde en de loop van de .38 tekende cirkeltjes in de lucht. Bobby zweette als een otter en hoewel Spandau zijn ogen niet kon zien, wist hij dat hij onder de drugs of drank zat, waarschijnlijk allebei. Richie zat kalm met zijn benen over elkaar. Hij maakte zich kennelijk niet al te veel zorgen, hoewel de kans groot was dat Bobby per ongeluk op hem vuurde, om maar eens wat te noemen.

Toen Spandau binnenkwam, draaide Bobby zich met pistool en al razendsnel om.

'Wauw,' zei Spandau. 'Ik ben 't maar.'

'Wat doe jij hier, verdomme?' zei Bobby met klaaglijke stem. 'Laat me met rust.'

'Ginger heeft me gevraagd je te zoeken,' zei Spandau. 'Hij was bang dat je iets stoms zou gaan doen.'

'Ik doe helemaal niets stoms,' zei Bobby met een bibberstem. 'Ik ga alleen die ellendige klootzak vermoorden.'

'Ik wilde 'm net uitleggen...' probeerde Richie.

'Hou je bek!' riep Bobby. 'Geen woord, geen beweging!'

Richie ging toch verder. 'Ik wilde 'm net uitleggen dat hij een sukkel is. Ik ben zijn vriend.'

'Je bent een kloteworm en je verdient een kogel tussen je ogen,' zei Bobby.

'Waarom vertel jij 'm niet dat hij het helemaal mis heeft?' zei Richie tegen Spandau.

'Dat moet je mij niet vragen,' zei Spandau. 'Ik vind jou ook een kloteworm.'

'Vertel 'm dan over de bajes,' zei Richie. 'Als hij me neerschiet, komt hij daar terecht.'

'Daar heeft-ie een punt,' zei Spandau tegen Bobby. 'Denk je dat het de moeite waard is?'

'O ja,' zei Bobby. 'Absoluut.'

'Waar wacht je dan nog op?' zei Spandau. 'Schiet hem neer, dan kunnen we allemaal naar huis.'

Richie keek Spandau lang en vernietigend aan. Ze wachtten en toen er niet werd geschoten, zei Spandau: 'Geef me dat pistool, Bobby. Het is een waardeloze .38 en tenzij je iets vitaals raakt, krijg je die klootzak hier toch niet mee dood. Je belandt alleen maar in het gevang en dan kun je je carrière wel op je buik schrijven.'

'Ik vermoord hem.'

'Doe dat dan ook,' zei Spandau, 'en hou op met dat geneuzel.'

Bobby staarde naar Richie. Hij hief het pistool en richtte op Richies borst. Met zijn klamme hand verstevigde hij zijn greep op het pistool, ontspande, greep het weer stevig beet. Hij wachtte.

Spandau liep naar Bobby toe en pakte het pistool van hem af. Bobby stortte in en liet zich op de bank naast Richie vallen. Hij verborg zijn gezicht in zijn handen.

'Mooi was dat, ja,' kondigde Richie aan. Hij keek hoofdschuddend naar Spandau en wendde zich toen tot Bobby.

'Hoe gaat het? Alles goed?' zei Richie tegen Bobby.

Bobby gaf geen antwoord, zat alleen maar met zijn gezicht in zijn handen.

'Jezus, knul,' zei Richie terwijl hij zijn arm om Bobby's schouders sloeg. 'Ik dacht dat ik er geweest was, eventjes dan. Moet je nou kijken, je bent helemaal in de war. Wil je een Xanax? Ik laat iemand wel Xanax voor je halen.'

'Laat 'm met rust,' zei Spandau. 'Ik breng 'm naar huis.'

'Jij,' zei Richie tegen Spandau. 'Jij zit me tot hier. Je hebt geluk dat ik je niet om zeep help. Je hebt me bijna laten doodschieten.'

'Hij ging niemand doodschieten.'

'Dat heb ik bepaald niet aan jou en je opmerkingen te danken. "Waar wacht je nog op, schiet hem neer," zegt-ie, "dan kunnen we allemaal naar huis." Waar is Martin, verdomme?' Tegen Bobby zei hij: 'Ik zorg dat Martin je naar huis brengt.'

Richie pakte een telefoon en riep Martin bij zich. Een paar

tellen later stond de krachtpatser, die met Richie in Bobby's trailer was geweest, in de deuropening.

'Jij brengt Bobby naar huis,' zei Richie tegen hem. 'Geef hem alles wat hij wil. Haal maar wat Xanax of zo voor 'm. Hij is in de war.' Tegen Bobby zei hij: 'We halen wat voor je, je zult straks slapen als een baby.'

'Laat hem met rust,' zei Spandau nogmaals.

'Martin brengt hem thuis,' zei Richie tegen hem. 'Jij, jij gaat helemaal nergens naartoe.'

Martin trok Bobby overeind. Bobby leek wel een zombie. Martin nam hem mee. Bobby sjokte zonder een blik op Spandau langs hem heen, staarde alleen maar naar de grond.

'Wat een klotenacht,' zei Richie. 'Iets drinken?'

'Ja. Bourbon.'

'Ga zitten,' zei Richie tegen hem.

Spandau ging zitten en keek door de doorkijkspiegel naar de kronkelende lijven. Richie zette het geluid af alsof hij zijn aandacht wilde vangen. Hij pakte de telefoon. 'Ik wil een fles Makes Mark, wat ijs en een paar glazen.' Hij legde de telefoon neer en wendde zich tot Spandau. 'Dit is allemaal jouw schuld.'

'Hoe kom je daarbij?'

'Als jij je erbuiten had gehouden, was dit nooit gebeurd.'

'Als ik me erbuiten had gehouden,' zei Spandau, 'lag jij nu onder de groene zoden. Zo kun je 't ook zien.'

'Ik vind mijn visie beter,' zei Richie tegen hem. 'Dan sta je bij me in het krijt.'

Er werd op de deur geklopt en het blondje uit het kantoor kwam met de drank op een dienblad binnen. Ze keek Spandau nieuwsgierig aan en keek toen de andere kant op. Richie glimlachte naar haar en legde zijn hand op haar heup toen ze het blad op het lage tafeltje voor hem neerzette. Ze schudde de hand niet af maar leek er ook niet blij mee te zijn. Ze liep zonder een woord te zeggen de kamer uit. Richie liet ijs in de beide glazen vallen en schonk er whisky overheen. Hij gaf er een aan Spandau.

'Jij,' zei hij tegen Spandau, 'bent een steenpuist die akelig dicht bij m'n reet zit.'

'Is dat een metafoor, of zo?' zei Spandau.

'Ik zal je zo meteen een metafoor vertellen. Wie denk je wel niet dat je bent, je zo met mijn zaken te bemoeien!'

'Ik wilde Bobby er enkel van weerhouden zijn leven te verruïneren. Jij kan me geen moer schelen.'

'Denk je dat het wel goed komt met 'm?' zei Richie oprecht ongerust.

'Hij gaat naar huis en slaapt z'n roes uit. Hopelijk komt hij morgenavond niet weer op dit idee.'

Richie ging op de bank zitten en sloeg zijn benen over elkaar. 'Wil jij voor me werken?'

'Nee.'

'Waarom niet?'

'Ik heb een ziektekostenverzekering en tandartsvergoeding nodig. Bovendien,' zei Spandau, 'mag ik je niet.'

'In het grote plan der dingen doet mogen of niet mogen er niet toe. Voor de superieure mens is de sleutel tot het succes de overwinning van het ego.'

'Sun-Tzu?'

'Mike Ovitz leest Sun-Tzu,' zei Richie. 'Ik ben meer van de zaken. Je kunt een hoop van die spleetogen leren. En tegenwoordig bulken ze van het geld.'

'Ga je een film met Bobby doen?'

'Als je dat maar weet,' zei Richie. 'Hij is mijn ster.'

'Weet zijn agent hiervan?'

'Ze kan m'n rug op. Zij werken voor hem, hij werkt niet voor hen.'

'Nou, dat is weer eens een heel frisse kijk op de zaken. Misschien nemen ze die wel over.'

'Het maakt geen enkel verschil,' zei Richie. 'Ik heb een script en de financiering is rond. Het enige wat ik nodig heb is een startdatum.'

'En een ster die voor je wil werken, laten we die niet vergeten.'

Richie lachte. 'Dat achterlijke klootzakkie wil me zogenaamd vermoorden. Hij weet niet wat goed voor hem is. Hij is een draaikont. Eerst zegt-ie dat-ie 't doet en dan ziet-ie me niet staan. En dan huurt-ie verdomme jou in, jezus!'

'Hij heeft me niet ingehuurd.'

'Nou, je bent hier, of niet soms, en je staat me verdomme in de weg.'

'Daar heb ik niks mee te maken.'

'Hij mag je. Dat zie ik zo. Hij heeft respect voor je.'

'Heb je een contract?'

'Als iemand me zijn woord heeft gegeven heb ik geen contract nodig.'

'Moet je horen – en ik bedoel dit zo aardig als maar kan – we zitten hier niet in *The Godfather* en schurken houden er geen romantische code op na. Dit is Hollywood en iedereen is een leugenaar tot de rekening vereffend is. Ik vind het vreselijk om je onschuld aan diggelen te helpen.'

'Als je niet voor 'm werkt, waarom ben je hier dan?'

'Zijn assistent belde me om te zeggen dat hij hierheen was gegaan om je neer te schieten. Normaal gesproken zou me dat een prima idee hebben geleken, maar dan zou wel zijn leven naar de ratsmodee zijn. Hij lijkt me een aardige knul, tenminste, totdat jij en die klotestudio's er met hem vandoor gingen. Laat 'm met rust. Hij heeft al genoeg shit in zijn leven zonder dat de zoveelste aasgier op 'm zit te azen.'

Richie deed alsof hij die laatste zin niet had gehoord. Hij pakte de telefoon en toetste een nummer in. 'Hoe gaat het met 'm?' zei hij in de hoorn. Na een stilte hing hij op en zei tegen Spandau: 'Hij is op de achterbank in slaap gevallen.' Hij zuchtte. 'Aan de zorgen van een filmmaker komt ook nooit een einde.'

Spandau sloeg zijn whisky achterover en stond op. 'Volgens mij zijn jullie allemaal compleet gestoord,' zei hij, 'en ik ga naar huis.'

'Weet je zeker dat je niet voor me wilt werken?'

'Als ik voor je ga werken zou onze vriendschap in gevaar komen.'

'Mooie babbel heb je. Blijf uit m'n buurt. Tegenstand moet in de kiem gesmoord worden.'

'Sun-Tzu?'

'Nee, mijn ouwe baas, Vinnie de Knevel. Beste wurgartiest ooit. Ik heb z'n nummer nog.'

Richie keek hem met een wolfachtige glimlach aan. Spandau zette zijn lege glas neer en ging naar huis.

De volgende middag, goddank een rustige zaterdag, was Spandau in de tuin aan het werk. De wasberen leken de goudvissen een poosje met rust gelaten te hebben. Het was aangenaam rustig en hij voelde zich voor het eerst in zijn vakantie ontspannen. In huis ging de telefoon. Hij nam niet op, liet het aan het antwoordapparaat over. Hij probeerde er niet naar te luisteren. Hij maakte de pomp op de bodem van de vijver schoon en gaf de vissen te eten. Ze leken wel een stel honden, elke keer als ze hem zagen verzamelden ze zich. Hij strooide de korrels in het water, ze aten en kronkelden uitgelaten. Hij dacht opnieuw na over een manier waarop hij de goudvissen tegen de wasberen kon beschermen. De vijver ergens mee afdekken, dat was het enige wat hij kon verzinnen. Hij dacht er weer over om de wasberen af te maken. Maar dan had je het probleem wat je met die dode wasbeer moest doen en er kwamen altijd weer nieuwe. Zijn gouden moment was bedorven en hij liep het huis in om zijn bericht af te luisteren.

'Hoi, met Gail. Een bericht van Bobby Dye. Hij wil dat je 'm belt. Zijn nummer is…'

Spandau krabbelde het nummer neer. Hij wilde eigenlijk niet bellen. Het was dom om hier nog verder bij betrokken te raken, duidelijk een verlies-verliessituatie, zoals Coren hem als eerste onder de neus zou wrijven. Dit werk was al moeilijk genoeg zonder dat je voor een klant werkte die verdomme niet wist wat hij wilde. Spandau verfrommelde het stukje papier en gooide het in de prullenbak. Hij ging naar de keuken en maakte een biertje open, liep toen naar zijn kantoor terug, viste het papiertje weer tussen de prullen uit en belde. Hij kreeg een antwoordapparaat. Vogellawaai en gorillageluiden, toen de piep.

'Met David Spandau...'

Bobby nam onmiddellijk op. Hij klonk nuchter en bij de tijd. 'Hé, man, bedankt dat je terugbelt. Kun je alsjeblieft naar me toe komen? Ik moet met je praten. Ik woon boven aan Wonderland...'

Ga oostelijk over Sunset Boulevard, te beginnen bij de Beverly Hills-wegwijzer, en je ziet het beroemdste woonoord ter wereld.

Je bent nu een aardig eindje bij de zee vandaan, en het bruisende Santa Monica is nog maar een herinnering. Je hebt het kronkelige, teleurstellende geplaveide gedeelte voorbij UCLA doorstaan (ze bulken van het geld, dan zou je toch denken dat ze die gaten in de weg wel eens zouden repareren) en inmiddels leg je je neer bij het feit dat de huizen in Beverly Hills voor geen meter lijken op dat van de Beverly Hillbillies, aangezien de tuinen piepklein zijn en er nergens een Southern Revival landgoed te bekennen is. Zijn we daarvoor helemaal hierheen gevlogen? vraag je je af. Je bent ook langs Bel Air gekomen, de prachtige, protserige, particulier onderhouden buurt, die gesloten is voor het gewone volk, waar O.J. Simpson al dan niet zijn vrouw en haar minnaar heeft vermoord en waar Ray Bradbury een keer is gearresteerd omdat hij er alleen maar rondwandelde. (Rij maar gewoon door, want ze laten je er toch niet in. Normen en waarden, weet je wel. Verwaande kakkers.)

Ten slotte kom je bij het bord dat er om een of andere reden niet helemaal zo uitziet als op de foto's. (Dat komt omdat het bord waar jij aan denkt, dat grote, dat echt beroemde exemplaar, feitelijk een paar blokken verderop op Wilshire staat. Dit is het op een na beste bord, dat je het maar weet, want anders zou je je mooi op je pik getrapt voelen, toch?) Je tienerdochter achterin wil dat je stopt want ze wil onder het bord op de foto. Maar een stuk of vijf mensen zijn dat al aan het doen en je kunt nergens de auto neerzetten zonder dat je wordt overreden of een bon riskeert zoals toen je in Westwood wilde parkeren. En je vrouw is moe en ze wordt gek van haar loopneus. Misschien komt het door de bloemen. Je zegt nee tegen je dochter en je rijdt door, en nu haat ze je, net zoals ze je al haatte sinds je van huis wegging. Zij haat je. Je vrouw haat je. Je bent bang dat je op het punt staat te verdwalen. Je hebt een kaart, maar behalve jij is niemand bereid om kaart te lezen en jij kunt 'm niet lezen tenzij je iedereen omver rijdt of aan de kant gaat staan, en je kunt nergens langs de kant van de weg gaan staan. Er zijn te veel te hard rijdende auto's en de mensen in die auto's haten jou kennelijk ook.

Rij door.

Je komt nu bij Sunset Trip. De Lamborghini-dealer geeft je een hint dat je verderop misschien glamour te wachten staat. Maar dat stelt ook al teleur. Dit zou overal kunnen zijn en het ziet er een beetje prullerig uit, als je het mij vraagt. In zo'n wijk bij jou in de buurt wil je nog niet dood gevonden worden. Moet je die reusachtige billboards zien, respectabele gebouwen die over de hele lengte uitpuilen van de tieten en kruisen! Goeie hemel! Restaurants, hotels en nachtclubs waarvan je je vaag herinnert dat je de naam hebt zien langszeilen, maar die er niet zo uitzien als je je had voorgesteld. Kijk! Daar is de Whiskey A Go Go, waar Jim Morrison en The Doors vroeger speelden, hoewel behalve jij niemand in de auto weet wie The Doors waren en het kan ze geen moer schelen ook. Je vrouw zegt tegen je dat zij denkt dat je langs Rodeo Drive kwam, maar je verdomt 't om om te keren, niet met dit verkeer, en trouwens, dat krijg je ervan als ze 't verdomt om kaart te lezen. Je dochter denkt dat ze die club zag waar die beroemde jonge acteur een overdosis nam en op straat doodging. Ze wil weer stoppen zodat ze op precies die plek op de foto kan. Ze kan de klere krijgen, gewoon doorrijden.

Je rijdt langs clubs en bistro's. Langs Chateau Marmont, die gotische olifantenbegraafplaats waar sterren naartoe gaan om zelfmoord te plegen. Blijf doorrijden tot de dubieuze geschiedenis en vulgaire glamour van de Strip helemaal lijkt uit te doven en de wereld wederom plaats moet maken voor winkelstraten en tacotentjes, het domein van het gewone volk zoals jij en ik. Dit moet Laurel Canyon Drive zijn. Geef de hoop niet op. Je hebt de geschiedenis en glamour toch niet helemaal achter je gelaten. Sla links af Laurel Canyon op en je betreedt de Hollywood Hills, waar het leven van LA wérkelijk interessant begint te worden.

Aan de andere kant, niets van dit al gaat jou ook maar ene moer aan.

Want jij, omdat je een van die kloothommels bent zoals wij, een van de niet-bevoorrechten, van het gepeupel, krijgt dat never-nooit-niet te zien.

Want waar het in deze wereld om draait is, voor het geval je daar nog niet achter bent, jou buiten te sluiten.

Wonderland Avenue kruipt langs de oostelijke zijde van de Santa Monica Mountains omhoog, sukkelt als een vermoeide en besluiteloze pakezel van Laurel Canyon vandaan. Je ríjdt niet zozeer naar Wonderland als wel dat je je erheen voortsleept, want het is steil, bochtig en zelfs de paar wegwijzers lijken alle hoop te hebben opgegeven. Er zijn zo veel plotselinge kruisingen, dat het zinloos is om de weg te wijzen en de populairste reisgidsen vermelden ze niet eens, maar bevelen toeristen in plaats daarvan aan om een plattegrond aan te schaffen en het beste er maar van te hopen. Natuurlijk maakt precies die verwarring de plek zo aantrekkelijk voor de mensen die er wonen. Het is alsof je helemaal achter in een reusachtige groene doolhof woont en slechts een paar mensen weten hoe je er moet komen. Wie heeft er nou zin in om in een ommuurde wijk te wonen wanneer niemand je überhaupt weet te vinden? Resultaat is een gesloten wijk, een wijk vol geheimen, terwijl die er ogenschijnlijk uitziet als de zoveelste afgelegen buurt. Musici en acteurs waren er altijd al dol op, vanwege de onuitgesproken regel dat iedereen zijn mond dichthoudt en zich met zijn eigen zaken bemoeit. Deze omerta heeft interessante gevolgen. Door de afzondering werd het er aantrekkelijk voor de creatieve rockrevolutionairen uit de jaren zestig, een plek waar ze zich konden verschansen, LSD-trips namen, verliefd werden op elkaars partners en de loop van de populaire muziek konden veranderen. Aan de andere kant, in 1981 was pornoster John Holmes betrokken bij een van verdovende middelen druipende deal die helemaal misging, op 8763 Wonderland, waarbij de politie een huis aantrof dat in zijn geheel met bloed en darmen was beschilderd. Privacy heeft zo z'n schaduwzijden.

Spandau dacht aan de Wonderlandmoorden toen hij door de exclusieve buurt omhoogreed. Hij dacht aan opgroeien in Arizona, waar het een droom was om hard te werken en genoeg geld te verdienen om je in te kopen in een buurt waar alles gegarandeerd schoon en veilig was. Het was een wereld waarin alleen geld het geteisem eruit kon werken. Een wereld waarin je buurman in het grote glanzende huis naast je dokter of advocaat werd, geen succesvolle drugdealer, pornoster of een stelletje verslaafde en psychotische dieven. In LA wist je het nooit zeker. Dat kleine huis met het witte paalhek kan wel van de volgende Charlie Manson zijn, wachtend om jouw naam in bloed op te schrijven. Hier wist je nooit waar je stond. Spandau dacht eraan dat vijf mensen in de pan gehakt werden – een lawaaiige bedoening, zou je toch denken – terwijl tien meter verderop iemand zijn cornflakes zat te eten. In wat voor omgeving is een bloedstollende kreet de normaalste zaak van de wereld?

Spandau was vaak naar Wonderland gereden. De truc was om altijd rechts aan te houden. Algauw kwam hij bovenaan waar het iets minder steil werd, en daar had hij de keus uit een kleine selectie grote, stevig afgesloten hekken. Spandau reed naar de veiligheidspost bij Bobby's hek. Hij drukte op een knop en liet zich goed aan de camera zien. Hij wachtte, terwijl zij besloten dat een kerel in een Armani-pak en met een nieuwe BMW waarschijnlijk niet een nieuwe Jack the Ripper zou zijn. Maar zeker wist je het nooit. Het hek zoemde en gleed open. Spandau reed erdoorheen en parkeerde op een open plek voor de garage. Hij ving een glimp op van de Porsche en de Harley, die er niet naar uitzagen dat ze gebruikt werden. Je werd er een beetje bedroefd van: een kerel die dat soort speeltjes had maar nooit de kans kreeg ermee te spelen. Hij liep de heuvel op naar het huis.

Het huis van Bobby Dye – dat op advies van zijn accountant nog niet zijn eigendom was, maar dat hij voor een fiks bedrag huurde – stond op een stuk grond dat boven een steile afgrond uitstak als de mascotte voor op een Pontiac uit 1950, terwijl hij zijn kin over de droge vlakten van Los Angeles uitstak. Het huis was een en al natuurhout, glas, hoge plafonds, gebouwd door een rockster in de jaren zestig die het wel leuk vond om ergens in een hutje te wonen, maar die wel zijn manager of platenlabel nauwlettend in de gaten hield. Resultaat was wat iemand ooit een 'hippiewalhalla' had genoemd, en Spandau dacht dat het zijn naam eer aandeed. Om het huis heen was een terras, niet heel veilig tegen inbrekers, maar je had er wel een spectaculair uitzicht. Spandau vroeg zich af hoeveel dronkaards in het bos heuvelafwaarts waren gekukeld. Je kon er niet doodvallen, zo hoog was het niet, tenzij je ongelukkig terechtkwam of doorrolde. Hij liep over de rand en keek aan de achterkant. Een lange houten trap leidde naar een zwembad en strandhuisje. Een kortere trap ging naar wat waarschijnlijk een gastenverblijf was. Spandau draaide zich om en zag dat Bobby hem door het spiegelglas gadesloeg en toen de terrasdeur openschoof.

'Ik vind het echt fijn dat je kon komen,' zei Bobby, zijn hand uitstekend. Spandau schudde hem de hand. Dit was een andere Bobby dan die van gisteravond. Hij was rustig en zelfverzekerd. Zijn ogen stonden helder en alert en zijn handdruk was ferm. Zijn huid had weer kleur gekregen. Het was alsof gisteravond nooit was voorgevallen.

'Dacht je dat ik dat niet zou doen?' vroeg Spandau.

'Nee,' zei Bobby, 'niet echt.'

Bobby liet hem in de woonkamer. Een plafond zo hoog als een kathedraal en kilometers glas dat uitkeek over een groot deel van Los Angeles. Dus zo was het op de berg Olympus, dacht Spandau. Op het eerste gezicht leek het meubilair een allegaartje, maar de eettafel was van echte Spaanse makelij en de kinderlijke krabbel boven de bank bleek een Basquiat. Er stond een art-decobank, gered uit een oceaanstomer uit 1920 en de ernaast staande lamp was een Lalique. De kamer lag op het zuiden maar de zon scheen nooit rechtstreeks door het raam. Vanbinnen was het huis licht en koel, hoewel je met al dat hout het gevoel kreeg dat je ergens in een bos vertoefde. Een goed architect kan wonderen verrichten. Er zat geen samenhang in, maar de knul had smaak en een scherp oog, dat moest Spandau hem nageven. Hij kwam uit de arbeidersklasse, had Spandau gelezen. Misschien niet arm, maar zo veel geld moest een schok voor hem zijn geweest. Er slingerden een paar catalogi van veilinghuizen rond en Spandau stelde zich voor hoe hij er koortsachtig doorheen bladerde, namen onderzocht en wanhopig probeerde al die tijd dat hij het zonder had moeten doen goed te maken. De trailer was een onbeschreven blad geweest, maar hier was het anders. Spandau had het idee dat het hem nu begon te dagen. Ook hier waren nergens privékiekjes te bekennen, niets wat zijn verleden kon verraden, maar dat was op zichzelf al veelzeggend. Dit was een plek van een jonge man die zichzelf probeerde te herscheppen.

'Bedankt voor gisteravond,' zei Bobby. 'Misschien had ik hem wel neergeschoten.'

'Nee, hoor.'

'Hoe weet je dat verdomme zo zeker?'

'Je mag dan stom zijn, maar een écht achterlijke idioot ben je ook weer niet.'

'Wat bedoel je daarmee?'

'Ik bedoel dat je niet stom genoeg bent om een filmcarrière, die je miljoenen dollars oplevert, te vergooien door een wurm als Richie Stella te vermoorden, hoe kwaad je ook denkt te zijn.'

Bobby liet zich in een leren art-decostoel vallen. 'Denk je nou echt dat je me te pakken hebt?'

'Ik weet in elk geval dat je dat briefje hebt vervalst. En ook dat Richie Stella je chanteert.'

Bobby leek niet verbaasd. Hij haalde een pakje Franse sigaretten tevoorschijn en stak er theatraal een op.

'Je zou 'm ook gewoon kunnen betalen,' zei Spandau. 'Of beter nog: ga naar de politie. Ze hebben voor dit soort shit speciale teams. Ik weet dat we in Hollywood zitten, maar zelfs hier is chantage strafbaar.'

'Hij wil dat ik in die klotefilm speel. Hij wil de filmproducer uithangen, de lulhannes.'

'Oké, hij is een smerig en immoreel stuk vreten. Dus volgens mij is daartoe wel in staat. Hoe slecht is de film?'

'Het script is waardeloos. Annie wil absoluut niet dat ik me daarmee inlaat. Ik bedoel, ik zou me doodgeneren. Dat is het 'm nou juist met *Wildfire*. Dat wordt m'n doorbraak, man. Annie zegt dat ik met deze film op de A-lijst kan komen. Als ik deze prutfilm doe, vergooi ik dat allemaal. In *Wildfire* zet ik iets goeds neer, man. Het beste wat ik ooit heb gedaan. Echt acteren, verdomme. Als ik me met die bagger inlaat, wordt *Wildfire* gelijk een aanfluiting, weet je wel? Ik kan het niet doen.'

'Praat er met de studio over. Laten zij het maar oplossen.'

'Dat kan niet.'

'Hoe erg kan 't zijn?' zei Spandau tegen hem. 'Je bent een

goudmijntje voor ze, zij zullen alles doen om dat te beschermen.'

'O ja, precies wat ik nodig heb. Richie lozen en vervolgens die aasgieren vrij spel geven. Zij zijn nog erger dan hij.'

'Wat moet ik dan doen?'

'Ik wil dat je 'm uit mijn buurt houdt,' zei Bobby, plotseling bezield. 'Het maakt me niet uit hoe je dat doet. Ik meen het. Kan niet schelen wat het kost. Je moet alles doen wat nodig is, maakt me niet uit wat.'

'Bedoel je soms dat ik 'm om zeep moet helpen?'

'Hij is een gluiperd, verdomme. De wereld zal 'm heus niet missen.'

'Jeetje, Bobby, ik weet het niet, hoor. Daar moet ik over nadenken. Het is alweer even geleden dat ik iemand vermoord heb en ik weet niet wat 't tegenwoordig schuift.'

'Hij moet van m'n nek af. Wat mij betreft is-ie er geweest.'

'Het is maar goed dat je je eigen scenario niet schrijft,' zei Spandau. 'Je klinkt als een slechte imitatie van James Cagney.'

'Rot dan maar op!' riep Bobby. Hij stond op en begon te ijsberen. 'Dan zoek ik wel iemand anders, iemand die wel kloten heeft. Niet een of andere gesjeesde stuntman.'

Spandau ademde diep in. Hij hield die even vast en ademde toen langzaam uit. 'Nou moet je eens naar me luisteren, knul, en goed ook. Ten eerste ben ik het zat hoe jij en al die bobo's om je heen tegen me praten. In tegenstelling tot jou en al die andere door sterren platgeslagen ongelukkigen in deze stad moet ik ze niet en het kan me geen fuck schelen als ze mij niet moeten. Ik maal er niet om en knoop dat maar in je oren want ik sta op het punt iemands neus te breken tenzij de situatie verbetert. Ten tweede vind ik je een snotneus en een klootzakkie, maar ik ben ervan overtuigd dat dat vooral komt omdat je je plotseling als een volwassen kerel moet gedragen en je geen flauw benul hebt hoe dat moet.'

Bobby stond ruim een meter bij hem vandaan, met gebalde vuisten en de Gauloise bungelend in zijn mondhoek als was hij Jean-Paul Belmondo. 'Denk je soms dat ik bang voor je ben? Ik heb vroeger gebokst, man.'

'Nee,' zei Spandau, 'je klooide wat aan in een boksschool totdat iemand je een oplawaai verkocht en je die gebroken neus als handelsmerk bezorgde. Nou, misschien ben je voor miljoenen lulhannesen in het land die harde vent, maar je hebt meisjeshanden en je houdt het in de ring met niemand langer dan tien seconden uit, behalve Stephen Hawking en die geef ik dan nog het voordeel van de twijfel.'

Bobby schoot in een houding die moest doorgaan voor een vechtpositie. Hij keek Spandau aan en moest knipperen toen de rook van de Gauloise in zijn ogen kwam.

'Jezus,' zei Spandau en hij sloeg zijn ogen ten hemel. 'Wil je op de vuist? Kom maar op, snoepje, sla er maar op los. Maar met je voetenwerk is alles mis en zodra je die linkse schuinweg probeert te plaatsen, krijg je daar een oplawaai en raak je nog vóór je ook maar in mijn buurt bent uit je evenwicht. Bovendien ben ik vijfentwintig kilo zwaarder dan jij en is mijn bereik vijftien centimeter groter. En ook al zal ik proberen om je mooie gebeeldhouwde smoeltje te sparen, bij elke klap raak je toch beschadigd.'

Bobby dacht daarover na en liet zijn handen vallen. Toen stak hij ze weer omhoog en bekeek ze. 'Verdomme, je meisjeshanden,' zei hij lachend. 'Hoe dan ook, ik laat deze film niet verknallen omdat een of andere klotemacho een rake klap weet uit te delen.'

'Mooi zo. Je hebt tenminste de eerste les geleerd: ga nooit een gevecht aan tenzij je weet dat je gaat winnen. Heeft niemand je dat ooit verteld? De truc is om te wachten tot ik niet op m'n hoede ben en dan sla je m'n hersens in met een honkbalknuppel. Zo gaat 't er in de echte wereld aan toe. Zo doen kerels als Richie Stella dat.'

Bobby haalde de sigaret uit zijn mond en doofde die in een asbak van geslepen glas. 'So long en bedankt voor niks. Pas maar op dat als je naar buiten gaat de deur niet met een klap tegen je reet dichtvalt.'

'Oké, zware jongen,' zei Spandau. 'Wil je m'n hulp of niet?'

'Je hebt de ballen er niet voor. Hij houdt pas op als hij dood is.'

'Dat maak ik zelf wel uit. Ik moet weten waarmee hij je chanteert.'

'Dan kun jij me ook chanteren. Ik zit hoe dan ook in de shit.'

'Vroeg of laat zul je toch iemand moeten vertrouwen, knul. Hoe erg is het?'

'Erg.'

Hij liep de kamer door, pakte een houten kistje uit een kast en nam het mee terug naar de bank. Hij ging zitten, kruiste zijn benen als een brahmaan en draaide een joint. Hij aarzelde even voor hij begon. Toen haalde hij diep adem en begon te praten.

'Ik had dat meisje opgepikt… Echt een schatje, man. Hartstikke heet. Ze deed zo'n schoolmeisjesding, weet je wel, witte bloes en een leuk, kort geruit rokje. Ze had verdomme zelfs vlechtjes. Ze was de droom van elke vieze ouwe man. En ze wist ook precies wat ze deed.

Hoe dan ook, ik nam haar mee hiernaartoe. Ik was straalbezopen, ik weet niet eens meer hoe we zonder kleerscheuren de heuvel op zijn gekomen. Dus we waren hier, en we beginnen te fiezelevozen en toen zei ze tegen me: "Heb je niet iets lekkers voor me? Het gaat beter als ik high ben, dan ga ik uit m'n dak," zegt ze. En ik denk: jezus, te gek. En ik had nog wat rock, en zij zegt dat ze daar dol op is. Dus we zitten wat rock te roken en dan komt ze weer naar me toe en wriemelen we weer wat, en dan zegt ze: "Wacht, ik moet even naar de wc", dus ze neemt dat tasje van haar mee en gaat naar boven naar de badkamer.

Dus zij naar de wc en ik blijf rustig zitten, maar dan slaat de crack toe en ben ik een tijdje min of meer buiten westen, ik weet niet hoe lang. Zo'n golf, weet je wel? Maar na een paar minuten ben ik weer terug op aarde en is zij er nog steeds niet. Dus word ik ongerust en ga naar boven…

Ik controleer de badkamer. Ik klop, niks. Ik doe de deur open. Hij is niet op slot. En daar zit ze, op het toilet, voorovergebogen, haar panty op haar voeten, met die klotenaald die uit haar dij steekt. Ze is verdomme blauw. En ze ademt niet meer, en dan al die spullen op de wastafel, man, ze heeft heroïne gechineesd en een overdosis genomen. Ik zit met dat dode kind in mijn badkamer…

Ik raak in paniek. Weet je wel? Die klotecrack helpt ook niet mee. Ik ren het hele huis door en timmer met mijn vuisten op mijn hoofd, huil als een klotebaby, verdomme… Ik weet niet wat ik moet doen. Ik bedoel, dat dode meisje. Ik weet niet wat ik moet doen. En dan denk ik aan Richie.'

'Hoezo Richie?'

'Omdat Richie zulke dingen doet, man. Daar draait het bij Richie allemaal om. Hij is de grootste regelaar aller tijden. Als je iets wilt, ga je naar Richie. Als je iets geregeld wilt hebben, Richie zorgt ervoor. Hij is verdomme beroemd. Richie de Fikser. Half LA spant Richie voor zijn karretje.'

'Dus je belde Richie…'

'Ik bel 'm op, ratel een eind weg, en Richie zegt tegen me dat ik moet kalmeren, praat tot ik rustig ben. Zo is Richie, daar is-ie goed in. Hij heeft zo'n stem, weet je. Echt kalm als dat nodig is. Je vertrouwt hem. Hoe dan ook, hij weet me tot bedaren te brengen en ik vertel 'm wat er is gebeurd. Oké, geen paniek, blijf kalm, geen probleem, hij regelt alles. Maar dat duurt wel een paar uurtjes. Dus hij zegt tegen me dat ik als de donder het huis uit moet, naar een hotel of naar vrienden, dat ik de rest van de nacht uit het zicht moet blijven terwijl hij alles voor elkaar brengt. Zegt dat ik de benen moet nemen en niet moet afsluiten. Zegt dat als ik de volgende ochtend terugkom, het nooit is gebeurd.'

'Waar ben je naartoe gegaan?'

'Ik ben in de auto gestapt en de woestijn in gereden. Ben in een motel gaan zitten, heb me lam gezopen en ben van m'n stokje gegaan. Toen ik eindelijk de moed had om de volgende dag hierheen te gaan, was het allemaal weg, maar die klootzakken die hij had gestuurd waren die spullen vergeten. Man, als m'n schoonmaakster die had gevonden... Ik belde Richie, vroeg hem wat er was gebeurd. Hij zei niks. Hij zei dat er niks was gebeurd, en zo moest ik het maar zien. Er was niks gebeurd. Het was nooit voorgevallen. Ik vroeg hem wat hij van me kreeg, en toen deed hij echt alsof hij diep beledigd was. Sodemieter op, zei hij, we zijn vrienden, zei hij. Dit soort shit doen vrienden voor elkaar.'

'En jij tuinde erin.'

'Wat moest ik verdomme anders? Er zat een dood meisje in mijn badkamer, en toen niet meer. Ze was er, en nu is ze weg. Ik vind het triest voor dat kind, maar ik heb haar niet vermoord en ik laat dit niet de rest van mijn leven verkloten. Ik heb niks verkeerds gedaan. Ik wilde alleen maar van alles af. Ik wilde dat het allemaal weg was.'

'Maar het was niet weg.'

'Nee. Het was niet weg. Een paar weken later komt Rich met dat script naar me toe. Hij wil het produceren, wil dat ik de hoofdrol speel. Ik leg hem uit dat ik dat niet kan doen. En toen herinnerde hij me aan wat ik hem schuldig ben. Hij zegt dat als ik eraan herinnerd moet worden, hij nog wel wat foto's heeft.'

'Heeft hij foto's van dat dode meisje?'

'Ja. Zegt dat je kunt zien dat 't bij mij thuis is, geen twijfel mogelijk. Zegt dat iedereen die ze ziet precies weet waar het is en wat er is gebeurd. Daar zit dat leuke kleine meisje op mijn toiletpot dood te wezen, met haar panty op haar enkels en een naald in haar been. Zegt dat een jury geen medelijden zal hebben, dat iedereen zal denken dat ik haar heb vermoord. Dat ik haar die dope heb gegeven, dat ik misbruik van haar heb gemaakt...'

'Hoe goed kende je dat meisje?'

'Dat heb ik je al gezegd. Ik kende haar nog maar net.'

'Uit Richies club. Komt dat even mooi uit. Hoe heette ze ook weer?'

'Weet ik niet. Sally nog wat, of zo. We hebben niet veel beleefdheden uitgewisseld.'

'Heeft iemand gezien dat je met haar wegging?'

'Een van die kerels heeft ons door de achterdeur naar buiten gelaten, achter de viproom.'

'Krijg je de crack soms ook van Richie? Is dat een van zijn andere diensten?'

'Ja.'

'Weet je zeker dat je niet nog iets mee naar huis hebt genomen? Een tasje slechte smack, bijvoorbeeld?'

'Verdomme, nee, man. Ze had het zelf bij zich. Ik bedoel, ik wist niet eens dat ze 't had.'

'Maar je rookte dope met haar, voordat ze naar boven ging.'

'Ik zie niet wat dat nou uitmaakt.'

'Dat maakt zeker uit. Ze was voordat ze daar naar binnen ging al opgefokt, wat misschien verklaart hoe ze is gestorven. Heb je iets anders dan crack met haar gebruikt?'

'Man, wat probeer je eigenlijk, wil je het er laten uitzien dat ik haar verdomme heb vermoord? Dat is niet zo, oké?'

'We hebben te maken met een minderjarige, Bobby. Een kind. Iemands lievelingetje, iemands kleine meid. Ze is in jouw badkamer gestorven. Het maakt geen reet uit of je die naald wel of niet in haar hebt gestoken, het ziet er alleen wel zo uit. Als dit voor de rechter komt, gelooft niemand op deze planeet dat je haar die fatale dope niet hebt toegediend.'

'Ik was het niet, ik zweer het. We hebben alleen een beetje crack genomen, dat was alles. Ik was even van de wereld, duurde effetjes, maar toen ben ik haar gaan zoeken en vond ik haar daar met die klotenaald in haar been. Maar ik heb 'm daar niet in gestoken, man. Echt niet.'

'Wist je zeker dat ze niet meer leefde toen je haar vond?'

'Ik heb haar pols gecontroleerd, weet je wel, vingers op de hals, maar ik voelde niks. Ze zag er dood uit. Wat wil je nou? Weet ik veel, voor mij zag ze er verdomd dood uit. Ze was blauw en koud en ademde niet.'

'Heb je overwogen om een ambulance te bellen?'

'Ja. Heb ik overwogen, ja. Pakte de telefoon en wilde bellen.'

'Maar niet gedaan.'

'Ze was dood.'

'Maar zeker weet je dat niet, wel? Toen was je er niet zeker van, toch? Je vreesde voor je carrière.'

'Je bent een gore klootzak, weet je dat!'

Hij kwam op Spandau af, maar niet erg overtuigend. Spandau nam hem in een houdgreep en Bobby verslapte en begon te huilen. Spandau liet hem uithuilen en zette hem weer op de bank terug.

'Denk je dat ik er trots op ben? Denk je niet dat ik 't gevoel heb dat ik haar heb vermoord?' zei Bobby.

'Hoe ben je aan dat meisje gekomen?'

'Richie heeft haar gestuurd.'

'Dat klopt wel, ja. De crack die je gebruikte, hoe kwam je daaraan?'

'Van Richie.'

'Ook al een van zijn diensten? Alleen crack, of kun je ook ander spul bij hem krijgen? Denk je dat dat meisje de heroïne van hem heeft?'

'Ik weet niet hoe ze eraan gekomen is. Ik zei al dat ze het zelf had meegenomen. Ik wist verdomme niet eens dat ze het had. Ja, Richie zal 't haar wel hebben gegeven. Hij levert je alles wat je maar wilt. Soms moet je een paar dagen wachten. Maar hij heeft altijd een mooie voorraad rock in huis. Je hoeft maar te bellen en binnen een kwartier krijg je zo veel je maar wilt.'

'Heeft hij ooit gezegd waar hij het vandaan haalt?'

'Grapje, zeker?'
'Dus je hebt geen idee hoe hij eraan komt, wie zijn leverancier is?'
'Dat klotespul krijg je heus niet met een niet-goed-geld-teruggarantie. Het enige wat ik weet is dat als je iets wilt, Richie ervoor zorgt. Die crack was snel en goedkoop. Hij had ergens een lijntje lopen. Richie vindt het heerlijk om ermee rond te strooien, alsof hij snoep uitdeelt. Hij is verdomme de crackkoning van West-LA.'
Bobby hield plotseling zijn mond, alsof hij tegen een muur aan was gelopen en niet verder kon. Toen zei hij: 'Denk je dat ze misschien niet dood was? Dat ik haar heb laten doodgaan? Denk je dat dat misschien is gebeurd? Denk je dat ze nog leefde?'
Spandau had met hem te doen. 'Nee. Ik denk dat ze dood was.'
'Maar je weet het niet, hè? En ik ook niet.'
'Nee,' zei Spandau zachtjes tegen hem. 'Dat weet je niet.'

6

Pookie zat haar nagels zwart te lakken toen Spandau maandagochtend binnenkwam. Vandaag zag ze eruit als een vampier. Ze had haar normaal gesproken kastanjebruine haar zwart geverfd. Ze droeg een strakke, laag uitgesneden zwarte jurk die zicht gaf op een adembenemend paar jonge en pronte borsten. De mouwen waren kunstig gerafeld, daar had iemand vast een halve nacht aan gewerkt. Haar make-up hield het midden tussen kabuki en een lijk. En toch, als je haar zag sloeg je hart een slag over. Een dure opvoeding doet een hoop, maar onderschat nooit de waarde van goede genen. Haar moeder leek op Grace Kelly.

'In de rouw?' vroeg Spandau aan haar.

'Ik heb vanavond een gothic feest,' zei Pookie, haar linkerringvinger aflakkend. 'Alles is zwart, zwart en nog eens zwart.'

'Ik wist niet dat je daarvan hield.'

'Doe ik ook niet. Maar ik ben uitgenodigd door dat schatje van een muzikant. Hij lijkt op Marilyn Manson, als Marilyn Manson op Tom Cruise leek en niet dat ooggedoe zou hebben.'

Spandau knikte naar het kantoor. 'Is hij er?'

'Als je je benzinebonnen niet bij je hebt, kun je beter niet naar binnen gaan. Hij is op oorlogspad vandaag.'

'Eens kijken. Eerste van de maand. Ex-vrouw. Eerste of tweede?'

'Mevrouw Twee. Hij weigert de alimentatie te betalen en zij sleurt hem weer voor de rechter. Intussen heb je een bericht van ene Frank Jurado.' Ze gaf hem het briefje. 'Is hij net zo belangrijk als hij denkt dat hij is?'

'Het spant erom,' zei Spandau. 'Hij is belangrijker dan jij denkt, maar minder dan hij zou willen.'

'God, wat zijn we vandaag diepzinnig,' zei Pookie.

'Komt door de medicijnen,' zei Spandau. 'Vicodin haalt altijd de filosofische kant in me naar boven.'

'Het enige wat ik ooit van Vicodin heb gekregen,' zei ze, 'was een schimmelinfectie.'

'Fijn dat je me dat vertelt,' zei Spandau. 'Dat zal ik de hele dag koesteren.'

Coren had zijn ex-vrouw aan de telefoon toen Spandau binnenliep. Corens gezicht zag paars en hij had de telefoon in de ene hand terwijl hij met de andere een dop van een potje bloeddrukpillen probeerde open te maken. Spandau pakte het potje, maakte het open en gaf het terug. Coren slikte een pil door terwijl hij ondertussen doorpraatte.

'Moet je horen,' zei Coren in de telefoon, 'ik betaal je al drieduizend per maand. Ik heb die verdomde schoonheidssalon voor je gekocht, die nu al meer geld oplevert dan ik verdien. Ik schuif niet nog meer geld om je dagtripjes met geile zenboeddhisten vanaf Mount Baldy te bekostigen. Waarom kun je niet met beachboys neuken, net als elke andere gescheiden vrouw van middelbare leeftijd...? Ja, ja...'

Ze verbrak de verbinding. Coren legde de telefoon neer en keek ongelukkig naar Spandau.

'Ze neukt verdomme een zenboeddhist,' zei Coren tegen hem. 'Die vent komt elke donderdag uit zijn klooster naar haar toe. De buurman naast haar zag die kerel in zijn kimono door de voordeur paraderen. Niet te geloven, toch?'

'Misschien is hij alleen maar haar geestelijk leider,' opperde Spandau.

'Ja, en misschien heeft de buurman hem niet als een leeuw

horen brullen. Wat wil je verdomme? Heb je je benzinebonnen bij je?'

'We werken nu voor Bobby Dye. Ik dacht dat je dat wel wilde weten.'

'Fantastisch. Wat doen we voor hem?'

'Hij wordt gechanteerd.'

'Ik dacht dat zijn leven werd bedreigd.'

'Dat was gisteren,' zei Spandau. 'Vandaag wordt hij gechanteerd. Je kent dat wel, showbizz.'

'Wil je er iets over kwijt?'

'Nee.'

'Mooi,' zei Coren. 'Ik heb m'n eigen problemen. Maak een verslag en regel die benzinebonnen, wil je!'

Spandau liep naar buiten en zag dat Pookie de lak van haar nagels aan het wegpoetsen was.

'Niet goed?' vroeg hij haar. 'Heeft-ie afgezegd?'

'Het is eigenlijk meer iets ethisch, weet je. Ik kan dit niet. Het is te Columbine, als je begrijpt wat ik bedoel. Ik heb hem gebeld en gezegd dat ik niet meeging.'

'Jammer voor je,' zei Spandau. 'Blijf je thuis en warm je een kippenpasteitje op?'

'Ik ga naar de opera,' zei ze. Ze stak haar handen op met de nagels naar hem toe en wiebelde met haar vingers. 'Welke kleur past bij *Madame Butterfly*?'

7

Guttersnipe Productions hield kantoor in een prachtig oud gebouw op Melrose. Er was veel geld aan de glorie uit 1920 besteed en als je er naar binnen liep, stond het er vol antiek uit die periode. Niets bewijst zo veel succes als een kamervol oud meubilair waarop je niet durft te gaan zitten. Het enige wat misstond waren de ultramoderne Apple-computer en het prachtige meisje achter het kennelijk napoleontische bureau. Ze stond op toen Spandau binnenkwam. Ze was bijna net zo lang als hij, met een perfect lichaam, het soort meisje dat Spandau, toen hij nog een wellustige tiener in Arizona was, nooit dacht te zullen tegenkomen. Hier waren ze overal en het duurde altijd even om eraan te wennen. Ze had lang blond haar dat als een perfect gechoreografeerde metgezel meedanste en nooit uit de pas liep. Een model. Een actrice. Thuis de plaatselijke schoonheidskoningin in afwachting van de grote doorbraak, waar ze alleen al door haar perfectie recht op had. Op een dag zouden ze hier binnenwandelen en haar ontdekken. Vergeet even de andere anderhalf miljoen die net als zij door de stad lopen, of het merkwaardige feit dat sommigen van onze succesvolste actrices in levenden lijve op pizzadienstertjes lijken. Als het alleen om de mooiigheid ging, dan zouden de plastisch chirurgen nog duurder zijn. Wat je echt nodig had, was *soul*, of beter nog, in staat zijn om de camera ervan te overtuigen dat jij het helemaal bent, of je het nu wel of niet hebt gedaan. Spandau keek naar het perfect geproportioneerde gezicht, de lichtblauwe ogen. Zij had het niet, ook al had ze meer dan genoeg van al het andere, en het tragische was dat niemand het haar ooit ging vertellen. Niet wanneer je er zelf zo veel voordeel van had.

'Meneer Spandau?'

'Dat ben ik.'

'Ik ben Marcie Whalen. Franky is momenteel nog even bezig. Als u daar wilt plaatsnemen, dan haal ik iets te drinken voor u.'

'Heb je absint?'

'Daar zijn we net doorheen,' zei Marcie met een stalen gezicht. 'Is een Perrier ook goed?'

Ze glimlachte stralend en haalde een Perrier uit de keuken.

'Mooi optrekje. Degene die het heeft gerestaureerd heeft een knap staaltje werk geleverd.'

'Allemaal Franks werk. In de jaren dertig van de vorige eeuw waren dit allemaal appartementen. Bing Crosby woonde hier als hij in de stad was.'

De telefoon op het bureau zoemde. Ze nam op en zei: 'Ik stuur hem meteen door.' Ze wendde zich tot Spandau. 'Frank zegt dat u naar binnen mag.'

Ze gaf een klop op een grote eiken deur en duwde hem open. Frank Jurado lag op een tafel, naakt, voor een deel bedekt door een dun laken terwijl hij door de vuisten van een reusachtige Samoaan werd bewerkt. Marcie liep naar buiten en deed de deur dicht. Los van een bureau zo groot dat er een Cessna op kon landen, leek de rest van de ruimte op een appartement. Er was zelfs een open haard.

'Niet gek, hè?' zei Jurado tussen twee slagen door. 'In de jaren dertig woonde Bing Crosby hier.'

'Dat heb ik gehoord, ja. Ikzelf woon in de oude kennel van Rin-Tin-Tin.'

'Bedankt voor je komst. Sorry dat ik je zo moet ontvangen, maar het is een lange dag. Als ik niet gemasseerd word, eindig ik op de schroothoop. Wil jij gemasseerd worden? Heb je ooit de *lomi-lomi* gehad? Dat is een traditionele Hawaïaanse massage. Onze Fidel kalefatert je weer helemaal op.'

'Nee, dank je wel. Als ik te veel ontspan ga ik huilen.'

'Ik weet precies wat je bedoelt,' zei Jurado, hoewel Spandau dat niet geloofde.

Fidel ging verder met het bewerken van Jurado's bilpartij. Jurado bleef met gesloten ogen liggen en Spandau mocht toekijken hoe zijn reet gemasseerd werd. Toen zei hij: 'Ik hoor dat je nu voor Bobby werkt.'

Spandau gaf geen antwoord.

'O, kom nou toch,' zei Jurado. 'Tegen mij kun je het wel zeggen. *Wildfire* is mijn film. Bobby is een vriend van me.'

'Sorry, maar als je iets te weten wilt komen, moet je maar met Bobby praten.'

Jurado wuifde Fidels handen van zijn achterste en ging rechtop op de tafel zitten. In zijn laken gewikkeld leek hij wel op een Romeins heerser. Hij sprong van de tafel af, liep naar een kleine koelkast en haalde er een groene smoothie uit. Fidel klapte de tafel in en sloop weg. Jurado dronk van de Soylent Green milkshake en liep een poosje rond, negeerde Spandau en deed alsof hij op zijn bureau naar iets zocht. Spandau bedacht dat hij dat laken om zich heen alleen maar lekker vond.

Ten slotte zei Jurado: 'Moet je horen, we willen allemaal het beste voor Bobby, toch? Ik kan 'm niet helpen als ik niet weet wat er aan de hand is. Vertel me hoe 't zit met dat briefje.'

Spandau zei niets.

Jurado zei: 'Ik betaal je wat Bobby je betaalt, het enige wat je hoeft te doen is me op de hoogte te houden. Allemaal zwart, cash, je baas hoeft er zelfs niks van te weten. Het enige wat ik wil is dat ik bijgepraat word. Verder niks.'

'Zo werkt 't niet.'

'*Wildfire* is mijn film,' zei Jurado. 'Bobby is mijn ster. Ik geloof niet dat je beseft wat er op het spel staat. Ik heb recht op alle informatie die invloed kan hebben op Bobby of de film. Ik doe alles wat nodig is om mijn film en mijn ster te beschermen. Begrijp je dat?'

'Ik denk het wel. Ik word bedreigd, of zo, hè?'

'Niemand bedreigt jou. Ik som alleen de feiten op zoals ze zijn.'

'Oké,' zei Spandau.

'Wat oké?'

'Oké, ik denk dat ik het plaatje nu duidelijk voor me zie, over wat je bedoelt te zeggen.'

'Mooi zo,' zei Jurado. 'Ik ben blij dat we elkaar begrijpen. Ga je me dan nu bijpraten?'

'Nee. Maar ik zie nu helder voor me wat je bedoelt.'

Even dacht Spandau dat Jurado in zijn smoothie zou stikken. Hij morste een beetje op het laken, waar het prachtig mooi kleurde.

'Neem me niet in de zeik, meneer Spandau. Ik ben niet vanzelf zover gekomen. Zakkenwassers als jij moeten me niet in de weg lopen. Als je met mij kloot, roep je de toorn van een wraakzuchtige god over je af.'

'Mooie tekst. Daar ben je heel goed in. Maar ik denk dat de wraakzuchtige god door Tarantino is afgetroefd.'

'Ik kan je laten schaduwen.'

'Dan zou Bobby gek worden. En ik ook, nu ik erover nadenk.'

'Je stopt je lul in de mangel, maat. Let op m'n woorden.'

'Waarom praat iedereen deze week alsof-ie in een ouwe Ronald Reagan-film speelt? Ik begin bijna terug te verlangen naar een paar echte bajesklanten. Die lullen niet zo veel en als ze dat doen, weten ze wanneer ze hun kop moeten houden.'

'Wat jij wil,' zei Jurado tegen hem. 'Maar begrijp me goed. Als er iets gebeurt, bij ook maar de minste hobbel tussen mij en mijn film kun je erop rekenen dat ik je te gronde richt. Ik zal je ruïneren, ik pak je alles af, ik zal je klotekinderen en hun klotekinderen in de ergste armoede storten. En dan praat ik alleen nog voor mezelf. Er zijn ook nog zo'n tweehonderd advocaten, een riante filmstudio en een heel verdomd media-imperium die me daarbij gaan helpen. Denk daar maar over na. Die mensen weten met hele regeringen te schuiven als waren ze meubilair. Stel je maar eens voor wat ze met jou zouden kunnen doen.'

Jurado zocht kennelijk naar zijn broek. 'Mag ik me even aankleden?'

'Sorry. Ik wist niet zeker of je klaar was. Het moment ging even met me op de loop.'

Spandau liep naar een stoel waarachter Jurado's broek gevallen was. Hij raapte hem op en gaf hem aan Jurado. 'Je bent echt een grapjas,' zei Jurado.

'Ik wil ook je sokken wel helpen zoeken,' bood Spandau aan.

'Jij blijft uit mijn buurt,' zei Jurado tegen hem. 'Als je me voor de voeten loopt, ga je voor de bijl.'

Maar uit de mond van een in een beddenlaken gehulde man was het een nogal slap dreigement, en dat wisten ze allebei. Spandau glimlachte naar hem en liep de deur uit. Toen hij die dichtdeed, hoorde hij Jurado vloeken. Spandau wist niet of het tegen hem was of tegen de sokken die hij niet kon vinden.

Richie Stella woonde in een mooi oud huis in Echo Park. Tegenwoordig wemelde het er van de yuppies en flikkers, maar het was een goede buurt, stijlvol en sinds Richie daar woonde, waren de huizenprijzen omhooggeschoten. Maar hij streefde uiteraard naar Bel Air. Het leek een groot onrecht dat een moorddadig iemand als O.J. Simpson wel in Bel Air kon wonen en hij niet, maar daar zou gauw genoeg verandering in komen. Richie zat achter in de grote zwarte Audi terwijl Martin die door de buurt naar zijn straat manoeuvreerde. De Audi reed naar de kant van de weg en kwam daar tot stilstand. Richie wierp nog een blik op het scherm van de laptop die hij altijd bij zich had. Hij glimlachte en stapte voor Martin uit de auto. Martin wilde ook uitstappen maar Richie zei dat hij een paar blokjes om moest rijden.

'Waarom?' vroeg Martin.

'Omdat ik dat verdomme zeg, dombo.'

Martin liet zich enigszins beduusd weer achter het stuur vallen. Richie liep de trap op, maakte de deur open en ging naar binnen. Hij gooide zijn sleutels in een kom op het gangtafeltje en liep naar de woonkamer. Daar zat Spandau in een van de stoelen.

'Wat doe je verdomme in mijn huis?' vroeg Richie aan hem.

'Wil je niet weten hoe ik binnen ben gekomen?'

'Ik vind het interessanter,' zei Richie, 'hoe je denkt weer buiten te komen. Dit is huisvredebreuk. Hier worden mensen voor doodgeschoten.' Richie liep naar de bar en schonk zichzelf een glas witte wijn in. 'Van gedachten veranderd en wil je toch voor me werken?'

'Handen af van Bobby Dye, dat wil ik.'

'Je hebt absoluut kloten, man. Dat moet ik je nageven.'

'Ik weet dat je hem chanteert, en ik weet waarom. Ik wil dat je ermee ophoudt.'

'Hoor eens, ik waardeer de moeite die je erin stopt, echt waar. Maar je bent bij mij aan het verkeerde adres en ik ben bovendien gewelddadig. Heeft niemand je dat verteld?'

Richie ging op een kruk zitten en nipte van zijn wijn.

'Dit is iets tussen Bobby en mij en jij hebt hier niets mee te maken,' zei hij tegen Spandau. 'Sterker nog, de enige reden waarom je nog niet bloedend uit elk gat dat je hebt in een of andere vuilcontainer bent beland is omdat Bobby je schijnt te mogen. Ik wil alleen maar dat we allemaal vriendjes zijn.'

'Hoeveel kost dat?'

'Het gaat niet om geld.'

'Hij gaat je film echt niet doen, hoor,' zei Spandau. 'Dat

weet je net zo goed als ik en het is niet eens zijn beslissing. Momenteel is hij niets anders dan een zoethoudertje voor zijn impresariaat, de studio en Frank Jurado. Ze laten je in de verste verte niet bij hem in de buurt komen. Dus misschien willen ze je afkopen. Gaat het daar soms om? Zeg dat dan, dan regel ik wel een deal met Jurado voor je. Ze willen geen rotzooi en ze zorgen dat het de moeite waard is. Pak dat geld aan en koop een heel nieuwe cast voor jezelf.'

'Je snapt er echt geen hout van, hè? Je denkt dat ik een of ander goedkoop gangstertje uit het oosten ben die effe wil scoren. Dit is mijn droom. Ik moet en zal een film maken.'

'Ik zeg alleen maar dat je een film met iemand anders moet maken. Pak dat verdomde geld aan en vertrek.'

'Dat gaat niet. Ik moet Bobby hebben. Bobby ís de verdomde film.'

Spandau lachte.

'Weet je wat zo verdomd angstaanjagend is, ik geloof je. Wat is er in godsnaam met bewoners van deze stad aan de hand? Volkomen normale, weldenkende mensen komen vanuit de hele wereld hierheen en worden gek.'

'Dat is de magie, babe. De magie van het films maken. Zoals Orson Welles zei: het is de grootste elektrische treinset ter wereld.'

Spandau wierp zijn handen in de lucht alsof hij tot de hemel smeekte.

'Jezus,' zei hij. 'Er ís geen magie! Het is een business, net als toiletpotten maken of zoiets. Alleen de mensen die er feitelijk mee te maken hebben, denken dat het magie is. Daarom noemen ze het de filmindustríé, snappie? Het is verdomme geen sprookje.'

'Je bent bitter, man,' zei Richie. 'Het systeem heeft je aangevreten. Je kon er niet mee overweg.'

'Zo is het. Denk jij dat je een spat beter bent? Het systeem slurpt iedereen op. Daar is het het best in. De enige magie is dat mensen terug blijven komen.'

Richie keek op zijn horloge.

'Blijf je nog even? Martin is over een paar minuten terug en hij popelt om je een pak slaag te geven. Ik zou het voor geen goud willen missen.'

'Hoe verleidelijk het ook klinkt,' zei Spandau, 'ik ben bang dat ik dat moet laten passeren.'

'Maar alle gekheid op een stokje, ik heb er een bloedhekel aan als je in mijn huis komt. Ik hou niet van geweld. Je hebt je punt gemaakt. Als je denkt te pas en te onpas bij me binnen te kunnen vallen, oké, je bent er. Maar je moet nog altijd de deur weer uit zien te komen.'

Richie trok een automatisch .25 pistool uit zijn jaszak en schoot. Spandau dook op de grond, hoewel de kogel in de bank terechtkwam en hem op dertig centimeter miste. Richie stopte het pistool weer in zijn zak.

'Relax,' zei Richie. 'Ik had je al kunnen neerschieten toen ik binnenkwam. Ik heb overal kleine videocamera's hangen. Ik zie ze op mijn computer. Verdomde moderne technologie. Denk je dat ik achterlijk ben? Ik hou niet van verrassingen. Laat me nu met rust, anders word ik echt kwaad.'

Toen Spandau het huis uit liep zette Martin net de Audi aan de kant van de weg. Hij zag Spandau zonder Richie naar buiten komen, sprong de auto uit en stormde op Spandau af. Ze rollebolden samen over de straat. Richie kwam woedend boven aan de trap naar buiten.

'Kunnen jullie dat niet ergens anders doen? Mijn buren kijken mee verdomme!'

Spandau en Martin stonden op. Martin keek verward en schaapachtig.

'Sorry, Richie. Ik dacht niet na.'

'Als je hem een pak slaag wilt geven, prima,' zei Richie tegen hem. 'Doe het alleen niet onder de neus van de buren. Ik heb hier een reputatie hoog te houden. Weet je dat die vent van de overkant een Oscar heeft gewonnen? Ik geloof voor het beste geluid of een van die andere categorieën. Dit is een goede buurt.'

Spandau klopte zichzelf af en liep de heuvel af naar zijn auto.

Richie riep hem achterna. 'Als je hier terugkomt, schiet ik je neer, al is 't in mijn eigen voortuin!'

Toen Spandau Meg Patterson belde, zat ze aan haar bureau in de verslaggeverscel van de *LA Times.* Ze zat al twaalf jaar bij de krant, had twee keer de Pulitzerprijs gewonnen en zat nu in een van de zelf verkozen werkhoeken, vlak bij een raam en veilig weggestopt van de entreedeuren en het kantoor van de hoofdredacteur. Ze was een kleine, donkerharige schoonheid van begin veertig, had zich acht jaar geleden weten te bevrijden van een echtgenoot die een alcoholische scenarioschrijver was en woonde nu in Los Feliz met honden, katten en alle andere dieren die kwamen aanlopen – met twee of vier poten – en verzorging nodig hadden. Ze hield van mannen en mannen hielden van haar, maar een combinatie bleek bijna altijd fataal. Het grootste compliment dat ze ooit had gehad was vorig jaar geweest, van een vooraanstaande madam die ze had geïnterviewd. De oude dame had Meg van top tot teen bekeken en gezegd: 'Weet je, een jaar of wat geleden hadden jij en ik een hoop geld kunnen maken.' Het was het aardigste wat ooit iemand tegen haar had gezegd en Meg overwoog om dat op haar grafsteen te laten uithouwen.

'Wat dacht je ervan om met een superknappe cowboy te gaan lunchen?'

'Hebben we het hier over George W. Bush?' vroeg ze hem.

'Nee,' zei Spandau. 'Ik ben langer en ik weet waar Frankrijk ligt.'

'Hoe is het met je, knapperd? Word je nog steeds van de pony's afgegooid?'

'Ja, en nu heb ik ook nog aan m'n eigen duim gehangen. Hij ziet eruit als een aubergine. Ik laat hem je zien als je mee gaat lunchen.'

'Aanlokkelijk aanbod, maar ik zit tot mijn nek in het werk.

En iets vertelt me dat het niet helemaal alleen voor de leuk is.'

'Ik wil weten wat je over Richie Stella weet, die eigenaar van de Voodoo Room op Sunset.'

'Heb je een paar dagen? We hebben een hoop over hem, maar alleen geruchten, niks wat je kunt publiceren. Anders zou hij nu al in San Quentin zitten. Hij is net teflon. Zo glad als een aal. Wat moet je in godsnaam met Richie Stella? Geen lieverdje, hoor.'

'Een klus waar ik aan werk. Puur routinewerk.'

'Sodemieter op met je routine. Ik zit aan jouw kant van de stad. Kom over een uur naar Barney's. Dan sluiten we een deal.'

'Ik heb niks te bieden.'

'Dat zien we wel.'

Barney's Beanery is nog zo'n LA-instelling, evenals een spoeling van de dikke darm en op vrijdagavonden langzaam over Sunset rijden. Het is gesitueerd op Hollywood Boulevard, parallel aan Sunset maar wel zo dichtbij om een identiteitscrisis te veroorzaken. De chili is er goed en ze hebben er driehonderd soorten bier. Je kunt er uitgebreid, en bovendien niet slecht, ontbijten, een van die zeldzame plekken waar je net zo makkelijk een kater kunt opdoen als kwijtraken. Het was absoluut geen kroeg, want dan zou niemand erheen gaan. Je kon er geweldig poolen en doen alsof je Jim Morrison was, die daar veel kwam. Spandau vond het er fijn omdat hij graag Jim Morrison nadeed.

Hij zat aan een tafeltje toen Meg binnenkwam.

'Lijk ik op Jim Morrison?' vroeg hij haar.

'Nee, maar je lijkt wel op Morris Cochrane, mijn chiropractor.'

'Je krijgt nooit een vriendje als je die kleine hints niet oppikt.'

'Als ik met informatie over de brug moet komen, had ik absoluut in een duurdere tent moeten afspreken,' zei ze.

'Je stelde het zelf voor.'

'Alleen maar omdat ik weet dat je graag Jim Morrison nadoet. Ik ben trouwens überhaupt veel te makkelijk. Ik zou waarschijnlijk nog voor een bord ravioli met je naar bed gaan. Zoals het er nu voor staat, kan ik me nauwelijks inhouden tot de hamburgers arriveren.'

'Vertel me over Richie Stella en ik zet een milkshake in.'

'Ik heb maar een kort advies voor je als het om Richie Stella gaat: niet doen. Hij is een wurm, maar ambitieus en hij heeft een stel akelige vrienden.'

'Zoals?'

'Banden met een hoop latino's en motorbendes. Ze doen allerlei klussen voor hem en knappen het vuile werk op. Maar er is één die me me echt zorgen baart: Salvatore Locatelli.'

'De maffiabaas?'

'Inderdaad. Richie hoort er niet echt bij, maar hij werkt voor Locatelli en geniet zijn bescherming, anders had iemand die rat al lang om zeep geholpen. Daarom kan hij rustig zijn gang gaan met die bendes, zelfs zij zijn niet zo stom dat ze Sal tegen de haren in strijken, en Richie heeft zijn kleine veiligheidsnet omgebouwd tot een lucratieve relatie met hen.'

'Ooit gearresteerd?'

'Nee. Een paar keer opgepakt. Het is algemeen bekend dat hij dealt, maar Sal heeft een lange arm. Hoe dan ook, hij heeft een Richie zonder strafblad nodig om zijn clubs te runnen. Als hij veroordeeld wordt, raakt hij zijn vergunning kwijt.'

'Hoeveel clubs?'

'Drie. In het centrum zit nog een populaire homoclub, en een andere zit in het dal. De huurcontracten staan op Richies naam, maar ze zijn van Locatelli. Richie is wel de eigenaar van de Voodoo Room, maar je kunt er wat onder verwedden dat Sal een gezond stuk van de winst pakt. Richie doet het goed, maar hij wordt er niet echt rijk van. Daar zorgt Locatelli wel voor, en het gerucht gaat dat Richie ongeduldig wordt.'

'Hoe zit het met de drugs?'

'Locatelli kijkt de andere kant op zolang Richie niet te overijverig wordt en zich op zijn territorium begeeft. Niemand weet hoever Sal hem laat begaan voor hij Richie op de knieën dwingt. En vroeg of laat doet hij dat zeker. Sal is niet zover gekomen door zijn rivalen aan te moedigen. Ooit zal Sal Richie terugfluiten en Richie weet dat.'

'Denk je dat Richie een soort machtsbasis aan het opbouwen is om Locatelli uit te dagen?'

'Jezus, nee. Wat de maffia betreft heeft Sal Locatelli Los Angeles in zijn zak, met huid en haar. Moet je horen, zelfs de FBI wil niet achter Sal aan. Ze zijn als de dood voor wat ze aan zullen treffen. Het is zo geregeld dat Sal alles kan uitvreten wat hij wil, maar wel stilletjes en zodanig dat hij niemand tot last is. Richie zal nooit dwars gaan liggen.'

'Waarom niet?'

'Omdat Richie uit het verkeerde hout gesneden is en hij nooit de volledige steun van de maffia krijgt. Voor hen is hij een nobody, iemand die ze kunnen gebruiken. Aan de andere kant heeft Locatelli de familiebusiness geërfd. Zijn vader was zo'n type uit de Mario Puzo-tijd in de jaren veertig, vijftig en zestig.'

'Waar is Richie dan op uit?'

'Richie is gek van filmsterren. Wat dat betreft is hij net een kind. Hij is dol op films, dol op de sterren. In zijn kelder heeft hij verdomme een huisbioscoop, hij nodigt mensen uit om klassieke films te komen kijken. Hij wil niets liever dan dat zijn kop in de *People* naast een stelletje beroemde filmsterren prijkt. Richie wil erbij horen. Ik denk dat hij een grote slag wil slaan en dan uit de business wil stappen. Hij wil films maken. Hij weet dat hij 't binnen de maffia nooit zal maken, die steun krijgt hij gewoon niet, en op een bepaald moment worden er grote wapens ingezet en wordt hem alles weer afgepakt. Maar als hij genoeg tijd kan rekken om zijn eigen kleine imperium op te zetten, dan kan hij dat óf aan de maffia verkopen óf stukje bij beetje veilen. Maar eerst moet hij zo sterk zijn dat hij ze ervan kan overtuigen dat het minder gedoe is om hem uit te kopen dan te vermoorden.'

'Lekker spelletje is dat.'

'Niemand heeft Richie ooit beticht van gebrek aan ballen. En in die rattenkop van 'm zit een vlijmscherp stel hersens, dat altijd bezig is zijn kansen te berekenen. Intussen probeert hij zich in de filmwereld te wringen. In de stad loopt hij met een paar scripts te leuren.'

'Neemt iemand hem serieus?'

'Dit is Hollywood, liefje. Iedereen kan producer worden als ome Herman doodgaat en hem maar genoeg geld nalaat. Naar verluidt heeft Richie banden aangeknoopt met de Chinezen. Poen zorgt voor zijn eigen geloofwaardigheid. Als je geld hebt, maakt het niemand ene moer uit wie je bent, want je hebt dat ene wat iedereen in deze stad nodig heeft. Richie staat er ook om bekend dat hij dingen voor elkaar krijgt, ook al is het nog zo akelig. Ik wil niet eens weten hoeveel mensen bij hem in het krijt staan.'

'Dus jij denkt dat hij een poging gaat wagen?'

'Ben je soms net van een knollentruck gevallen? Jij hebt in de business gewerkt. Hoe denk je dat de helft van de mensen hier in de stad aan de bak komt? Denk je dat de mensen je geld toewerpen als je van de universiteit van Zuid-Californië komt? In de jaren zeventig werd de helft van de onafhankelijke films gefinancierd door de Japanse maffia, toen de Japanners bereid waren hun geld overal in te steken als ze hier maar voet aan de grond kregen. Je moet weten hoe je aan deals komt. Richie Stella is heel goed in het sluiten van deals. Is dat een antwoord op je vraag?'

'Je bent echt een heldin. Ik neem alle vreselijke dingen die ik in de afgelopen jaren over je heb gezegd terug.'

'Ik wil het verhaal,' zei ze.

'Er is geen verhaal. Zoals ik al zei, ik doe alleen navraag.'

'Je liegt dat je barst. Uiteindelijk wil ik hier het exclusieve verhaal van.'

'Ik geef je wat ik kan.'

'Exclusief, Roy Rogers. De hele mikmak, of ik ga zelf een beetje navraag doen.'

'Dat zou nog 'ns wat zijn.'

'Als je dat maar weet.'

'Ik voel me gekwetst,' zei Spandau terwijl hij zijn droevige Walter Matthau-gezicht opzette. 'Laat ik nou altijd hebben gedacht dat er een soort chemie tussen ons was.'

'O, lieveling, maar die is er, hoor!' zei ze terwijl ze hem zacht in de hand kneep en hem in de ogen keek. 'Voor mij blijf je altijd de enigszins achtergebleven broer die ik nooit heb gewild.'

'Dat ouwevrijstersgedoe, daar word je bitter van.'

'Door dat ouwevrijstersgedoe heb ik alle tijd voor mijn werk,' zei ze terwijl ze het menu bekeek.

'Oké,' zei hij. 'Je krijgt het. Als er een verhaal is, tenminste.'

'Dat is het enige waar elke achtenswaardige journalist om kan vragen,' zei Meg. 'Helaas heb je met mij te maken en zul je je kans moeten wagen. Trakteer je me nog op een hamburger, of hoe zit 't?'

In de jachthaven van Venutura Harbor stak Spandau de BMW in een parkeerplaats van een restaurant en liep naar de boten. Het was een kleine, maar vriendelijke haven waar mensen van boten hielden, in tegenstelling tot een plek als Rio del Mar, dat een soort St. Tropez was geworden als het ging om drijvende statussymbolen. Hier gingen mensen ook echt varen met hun boot.

Terry McGuinn woonde op zijn Catalina-zeilboot van dertig voet, die hij derdehands voor een prikkie had gekocht van een Ierse landgenoot die de stad voor de immigratiedienst moest ontvluchten. De boot heette de Galadriel, naar de elfenkoningin van Tolkien, en Terry, een Tolkienfan, dacht dat dit duidelijk een teken Gods was, ondanks het feit dat hij nauwelijks iets van boten of varen af wist. Hij was net uit een hut in Topanga gegooid, waar hij vier hele weken had gewoond met een zangeres die naar de naam Gooch luisterde. Ze had hem op straat gezet nadat hij met z'n dronken kop op haar gitaar was gaan zitten. Ze legde geduldig uit dat ze het lekker vond om met Terry te neuken en zo, maar dat hij een dronkenlap was en dat hij nergens aan mee betaalde en dat de kapotte gitaar de laatste druppel was. Nu had ze huur, noch een gitaar. Vaarwel, het ga je goed.

Terry verkocht zijn auto in Woodland Hills en liftte naar de boot, waar hij Boylan zijn ontsnappingsgeld betaalde, een ligplaats huurde en erin trok. Hij zette zijn verzameling hardcovers van J.R.R. Tolkien op de kleine plankjes boven zijn brits en plakte zijn poster van Gandalf op de scheidingswand erboven. Hij haalde een dronken ouwe zeeman over om hem op de kop van de haven in een gammele praam te leren varen. Terry bleek een niet onverdienstelijk zeeman en hij haalde zijn vaarbewijs. Hij vond het verschrikkelijk toen hij hoorde dat de ouwe man op een avond overboord was geslagen en verdronken, hoewel Terry zonder meer verwachtte dat hem dat ook ooit zou overkomen. Er waren ergere manieren om te gaan.

Terry McGuinn was een meter vijfenzestig lang. Hij had helderblauwe ogen en bruine krullen, en Tolkien was een van de weinige dingen die er in zijn leven toe deden. Mensen zeiden inderdaad wel eens dat hij op een hobbit leek. Afhankelijk van hoe dronken Terry was, liepen mensen soms een gebroken neus op. Spandau werd op hem gewezen door een vriend, een andere privédetective, die Terry bezig had gezien tijdens een klus in een wegrestaurant in de buurt van Wrightwood. Terry was aan het poolen, bemoeide zich met niemand, toen drie dronken houthakkers uit Oregon besloten dat hij er grappig uitzag, en aanstoot namen aan de merkwaardige manier waarop hij zijn kont uitstak wanneer hij zich vooroverboog om te stoten. Terry bleef er bewonderenswaardig koel onder, totdat een van de houthakkers de fout maakte om Terry met een keu tussen de billen te porren, toen Terry net weer een bal wilde stoten. Zonder zich om te draaien stootte Terry het uiteinde van zijn poolkeu in de maag van die vent. Daar bleef het niet bij: Terry liet de drie kerels in een serie samoerai-achtige slagen met de keu alle hoeken van de ruimte zien. Ze hadden alle drie hulp nodig gehad om bij hun truck te komen. Een verbazingwekkend optreden, helemaal als je bedacht dat het drietal minstens dertig centimeter langer was dan hij en dat geen van hen ook maar één klap aan Terry had kunnen uitdelen. De detective had hem ter plekke werk aangeboden.

Spandau had een vergelijkbaar incident gezien op de set van een muziekclipopname in Compton. De jonge regisseur had besloten 'op straat te filmen', maar had geen idee hoe ingewikkeld dat was. De ster was Raissha Bowles, een klein en pijnlijk verlegen meisje dat Coren had ingehuurd om een agressief ex-vriendje bij haar vandaan te houden. Het vriendje was op een middag met een paar maatjes komen opdagen en eiste met Raissha te spreken. Normaal gesproken zou het niet veel problemen opleveren, maar het vriendje maakte er een hele heisa van en zijn vrienden jutten de menigte op en begonnen'Breng ons bij Raissha! Breng ons bij Raissha!' te scanderen. De zaken gingen er nu akelig uitzien en Raissha stortte in haar trailer in. Het vriendje beende brutaal door het beveiligingshek terwijl de bewakers naar Matt Kimons keken, degene die die dag de leiding had over de beveiliging. Spandau vroeg Matt wat hij verdomme nu zou gaan doen, en Matt lachte en zei: 'Moet je kijken.' Matt keek naar Terry McGuinn, die rustig en onopvallend in een hoekje een boek had staan lezen. Matt gebaarde naar hem en Terry kwam naar hem toe. Matt zei tegen hem: 'Doe hem geen pijn.' Terry knikte en liep naar het vriendje op het moment dat hij door het kordon brak. Terry ging voor het vriendje staan en keek naar hem op. Het vriendje was minstens dertig centimeter langer en vijftig kilo zwaarder dan Terry. Die vent leek wel een blok beton. Hij keek op Terry neer en lachte, keek naar de mensenmassa en de massa lachte. Lol alom. Het vriendje deed nog een stap naar voren alsof hij Terry opzij wilde vegen. Op het moment dat hij Terry aanraakte, greep Terry hem bij zijn shirt en zijn riem, in de meest precieze, kleine aikidobeweging die Spandau ooit had aanschouwd, walste hij het vriendje in het rond en weer terug naar de andere kant van het kordon. Het vriendje wist niet wat hem overkwam. Sterker nog, bijna niemand wist dat. Het ging allemaal zo snel en gladjes dat het wel tovenarij leek. Het vriendje probeerde het nogmaals, en weer gebeurde precies hetzelfde. Toen haalde hij een paar keer naar Terry uit, die volkomen buiten westen zou zijn geslagen als hij geraakt zou zijn geweest, maar op een of andere manier gebeurde dat niet. De klappen leken recht door dat kleine klootzakkie heen te gaan. Het vriendje bleef dit keer op keer doen, maar het resultaat was steeds hetzelfde. Inmiddels stond de menigte hém uit te lachen. Het zag er belachelijk uit. De enige aanwezige, gepensioneerde agent had om versterking gevraagd en nu waren de sirenes te horen. Zijn makkers grepen Raissha's vriendje beet en schoven hem de menigte door. Tegen de tijd dat de politie er was, was alles achter de rug.

'Waar heb je dat verdomme geleerd?' vroeg Spandau aan Terry.

Terry zei alleen maar: 'Verrotte jeugd,' en liep terug naar zijn hoek, waar hij een paperback van Tolkiens *Nagelaten vertellingen* tevoorschijn haalde en verder las alsof er niets was gebeurd.

'Is-ie niet schitterend?' zei Matt tegen Spandau. 'Als iemand anders dat had geprobeerd, zouden we nu met een opstootje zitten. Het is vreemd, maar hij weet het feit dat hij zo klein is in zijn voordeel om te buigen. Hij neemt het op tegen een krachtpatser van honderdvijfentwintig kilo en als die vent hem voor geen meter kan raken, lijkt die grotere vent wel een verdomde idioot. Ik ken echte rouwdouwers die het niet met 'm aandurven omdat hij ze compleet voor lul zet. Ze worden liever in elkaar geslagen door iemand van hun eigen omvang dan om Terry heen te dansen. Het lijkt verdomme wel ballet.'

Dat was de spijker op zijn kop en Spandau schakelde Terry veelvuldig in. Tenminste, als Terry zin had om te werken. Maar Coren mocht hem niet. 'Hij is een lastpak, die kleine dronken moerasbewoner,' zei Coren tegen Spandau. 'Als je hem wilt, dan is hij jouw verdomde verantwoordelijkheid. Maar ik waarschuw je, op een dag krijg je er spijt van. Die gast is verzot op rotzooi.'

'Ik heb hem zo bezig gezien dat hij dat juist weet te voorkomen.'

'Ja, maar hij is er altijd bij als het begint, waar of niet? Die drie kerels waarmee hij in Wrightwood de vloer heeft aangeveegd, is het ooit bij je opgekomen dat hij ook gewoon naar buiten had kunnen lopen? Dat hij wachtte tot een van hen hem aanraakte zodat hij het op zelfverdediging kon gooien? Heb je ooit wel eens bedacht dat hij erop heeft staan wachten? Nee,' zei Coren, 'daar krijgen we nog gelazer mee, let op mijn woorden. Intussen wil ik 'm niet in mijn buurt zien.'

Spandau liep naar Terry's zeilboot en hoorde binnenin een vrouw schreeuwen die even later over het dek stampte. Ze was prachtig en jong. Terry was dol op actrices. Deze was halfnaakt en bezig haar kleren aan te trekken. Ze was geen boot gewend en struikelde over van alles en nog wat. Ten slotte probeerde ze op de kade te klimmen, maar dat redde ze niet. Ze keek besmuikt naar Spandau.

'Nou, blijf je daar als een idioot staan of ga je me nog helpen?'

Spandau hielp haar van de boot af en ze trok haar kleren aan.

'Terry is zeker thuis?' vroeg hij aan haar.

'Ben jij soms een vriend van dat kloterige stuk vreten? Of zo'n deurwaarder? Hij heeft bij iedereen in het land schulden. Van mij mag je zijn benen breken. Mag ik toekijken? Nee, jezus, breek me de bek niet open. Het enige wat ik kan zeggen is dat als je hem kent en je gaat nog naar hem terug ook, je je verdiende loon krijgt.'

Terry dook aan dek op.

'Eve, lieveling van me,' zei hij met een dikke Ierse tongval, 'ga je alweer weg?'

Eve keek om zich heen alsof ze iets zocht om mee te gooien. Ze trok haar schoen weer uit en gooide die naar hem. Hij dook, maar ze gooide snel de andere erachteraan en die was raak.

'Au!' Terry greep zijn voorhoofd vast, waar de schoen een rode plek had achtergelaten.

'Ha! Jammer dat je niet blind bent.'

Eve hobbelde op blote voeten over de verweerde kade naar de parkeerplaats.

'Een kleine huiselijke twist,' zei Terry. 'Beschuldigde me ervan dat ik met haar beste vriendin naar bed ging. Stel je voor.'

'En?'

'O, natuurlijk. Maar ik vind het van verdomd slechte manieren getuigen dat dat kreng 't haar verteld heeft.'

Spandau werkte zich op de boot en ging in een tuinstoel zitten. Terry krabde zich op de blote borst en keek Eve na die richting zonsondergang wegliep. Terry had een romantische inslag en was makkelijk en vaak verliefd. Vrouwen hielden ook van hem, hoewel ze hem nooit echt aardig vonden. Hij leek ze te verzamelen, net zoals hij de banden verzamelde van verschillende obscure oosterse vechtsporten.

'Ik heb een klus voor je,' zei Spandau tegen hem.

'Ik wil geen klus,' zei Terry. 'Die laatste, die kerel met de honkbalknuppel. Ik heb een nieuwe kroon op mijn rechterkies moeten laten zetten.'

'Eigen schuld. Ik had je gewaarschuwd.'

'Ja, maar wel op een ongelukkig moment. Je zou toch verwachten dat je van tevoren wordt gewaarschuwd en niet achteraf.'

'Je hebt zijn arm gebroken.'

'Ja, ik moest die knuppel van hem afpakken, toch? Nee, David, vriend van me, je gaat met de verkeerde mensen om. Volgens mij krijg je daardoor een verdraaide kijk op de wereld. Maar pak evengoed een borrel en ga dan maar gauw naar huis. Eves vriendin is als volgende aan de beurt.'

Spandau liep achter Terry aan naar de kajuit. Spandau was een grote kerel en hield niet van boten. Hij wrong zich in allerlei bochten op zoek naar een zitplaats waar zijn hoofd niet in gevaar was. Terry schoot als een watergeest heen en weer en haalde een fles Jameson's tevoorschijn. Hij dribbelde nog wat rond en vond twee kristallen glazen. Terry nam zijn borrel serieus.

'Hoe kun je hier in hemelsnaam leven? Het lijkt wel een schoenendoos.'

'Hij is afbetaald en goedkoper dan een appartement. En bij de eerste tekenen van woedende echtgenoten of al te agressieve schuldeisers ben ik zó het zeegat uit! Proost!'

Ze namen een slok.

'Een cliënt van me wordt gechanteerd.'

'Een interessant iemand?'

'Bobby Dye.'

'Allemachtig,' zei Terry opgetogen.

'Ik heb je hulp nodig. Ooit gehoord van ene Richie Stella?'

'Van gehoord ja, maar nooit ontmoet. Chanteert hij Dye?'

'We moeten een filmrolletje zien terug te krijgen.'

'Ik stel voor dat je een beleefde manier gaat zoeken om je cliënt voor de wolven te gooien. Richie zit bij de maffia. Maar dat wist je natuurlijk al, want je trekt zo'n sip smoelwerk.'

'Jij bent de enige die ik kan vertrouwen.'

'Wat betekent dat een of andere stomme Ier zijn nek voor je moet uitsteken.'

'Het is een hoop geld.'

'Wat heb je aan een hoop geld als je geen rust hebt, vraag ik je. Dit klinkt vreedzaam noch gezond. Je hebt jezelf in een behoorlijk akelige positie gewerkt.'

'Eh-eh.'

'Je kunt net zo goed de heilige paus in eigen persoon vervloeken om alle kopieën terug te krijgen.'

'Eh-eh. Twee keer zo veel geld als de laatste keer, trouwens.'

Terry glimlachte. 'Komt het door de drank of is het gesprek plotseling een stuk interessanter geworden?'

'En misschien een gezonde bonus als we de hele zaak naar tevredenheid kunnen afronden.'

'Heb je enig idee wat je gaat doen? Of mag ik dat niet vragen?'

'Nou, ik broed op een sluw plan.'

'Ah. En zit bij dit sluwe plan ook de trots van de McGuinns?'

'Inderdaad.'

'Laat 't me dan maar horen, voor ik beleefd weiger. Ik ben tenslotte ambteloos burger.'

'Zoals je al zegt, met een beetje geluk krijgen we alle kopieën terug. Aan de andere kant, Richie zit op een goudmijntje en hij zal er niet zomaar mee rond staan te zwaaien. Hij zal ze niet allemaal willen afgeven, maar hij zal ze ook niet aan iedereen laten zien. Onderbreek me als ik onzin verkoop.'

'O, lieve god, als ik me daaraan zou houden, zou je geen woord meer kunnen uitbrengen.'

'Hoe dan ook, alleen Richie kan Bobby aan het dode meisje linken, ja?'

'Is er een dood meisje?' vroeg Terry.

'Een heel erg dood meisje.'
'Net als in een detective,' zei Terry. 'Ga alsjeblieft verder.'
'Dus we moeten een manier zien te bedenken waardoor Richie de foto's nooit zal gebruiken.'
'Ah, schitterend. Dus nu krijg je met moord en doodslag te maken. Terwijl ik me hier maar zit te vervelen.'
'Stel dat wij hem terugchanteren?'
'Ja hoor,' zei Terry, 'en jij hebt foto's van hem terwijl hij de gezinshond neukt?'
'Nog niet. Maar hij roert in allerlei smerige zaakjes. Er moet toch ergens wat vuiligheid te vinden zijn waar we wat mee kunnen.'
'Sorry dat ik het zeg,' opperde Terry, 'maar waarom schieten we de schunnige klootzak niet gelijk door zijn knieschijf, wikkelen we hem in prikkeldraad en gooien we hem van een brug af? Je vindt me misschien sentimenteel, maar zo deden we dat in de Old Sod.'
'Dat was plan B.'
'Jullie yanks missen elk gevoel voor verhoudingen. Jullie hebben geen gevoel voor efficiency of wanneer iets politiek onvermijdelijk is. Dat koude bier van jullie, dat is fataal.'
'Hoe dan ook, we moeten het een of ander over Richie Stella zien op te graven.'
'En dan haal je er dus iemand bij die zijn neus in zijn zaakjes gaat steken?'
'Ja.'
'Ik begin het door te krijgen. Maar zodra iemand vragen begint te stellen, zou meneer Stella daar dan geen lucht van krijgen en zijn maatregelen treffen?'
'Is dat erg?'
'Alleen wanneer je het niet erg vindt als je zelf door een knieschijf wordt geschoten en van een brug af wordt gegooid.'
'Nee, Richie is geen moordenaar. In laatste instantie misschien. Hij vindt dat maar gedoe en trouwens, het is zijn stijl

niet. Hij zou eerst de druk opvoeren.'

'Maar als hij ertoe wordt gedwongen? Misschien raakt hij dan in paniek.'

'Daar kun je alleen maar op hopen.'

'O, dus dat is het snode plan, hè? Zorgen dat Richie over zijn toeren raakt en hopen dat hij iets stoms doet waarop we hem kunnen pakken? Hem net zo lang provoceren tot hij jou probeert te vermoorden? David, ouwe gabber van me, voor jou is geen diplomatieke carrière weggelegd.'

'Eigenlijk dacht ik meer in de richting dat hij jou probeert te vermoorden. Terwijl ik andere onderzoekswegen ga inslaan.'

'Zo is het maar net, offer de arme ouwe moerasduiker maar op. De geschiedenis herhaalt zich.'

'*Erin go bragh*, oftewel: Ierland voor altijd,' zei Spandau.

'Stik erin, akelige slijmbal. En waar moet ik deze zelfmoordmissie uitvoeren?'

'De club wordt door een meisje gerund. Misschien dat je met haar moet beginnen.'

'Denk je dat ze met me praat?'

'Nee, maar als ze er met hem over begint, zal het 'm niet lekker zitten.'

Terry hief proostend zijn glas. 'Op de gezegende Sint-Teresa van Avilar en de zielen van alle gevallen krijgers!'

'Daar ga je!'

'En op dat smerige zwijn van een Richie Stella, dat God hem niet meer verstand geeft dan hij nu heeft.'

Daar dronken ze op.

8

Terry en Eve stonden in de rij buiten de Voodoo Room.

'Waarom ben ik hier? Zeg het me nog een keer,' vroeg Eve op dwingende toon.

'Omdat je prachtig bent, liefje. En als we eenmaal binnen zijn, ga je een hoop belangrijke mensen ontmoeten. Je bent zo vrij als een vogeltje in de lucht, pakt de hele hofhouding van Hollywood in met je charme en ten slotte word je de ster die je hoort te zijn. Ik doe dit omdat ik gek op je ben.'

'Je doet dit omdat je een lelijke kleine trol bent en ze je er anders niet in laten.'

'Dat snijdt me door het hart, maar ik kan je niet tegenspreken,' zei hij.

'Als je maar weet dat ik je in de steek laat zodra ik een regisseur tegenkom.'

'En dan zal ik de vluchtige momenten die we achter ons laten koesteren.'

'Ik kan niet geloven dat ik in dit soort shit tuin.'

'De heiligen zij geloofd. Laat een beetje decolleté zien, ja, we komen in de buurt van de deur.'

Het was er als altijd propvol. Terry haalde drankjes en hij en Eve stonden bij de bar om zich heen te kijken. Terry keek uit naar het blondje dat Spandau had beschreven. Eve keek uit naar een gouden kans. Eve had meer geluk.

'O, mijn god,' zei ze. 'Volgens mij staat Russell Crowe daar.'

Ze draaide zich naar Terry. 'Hoe zie ik eruit?'

'Als een goudappeltje onder de zon,' zei hij afwezig terwijl hij zijn ogen niet van de menigte afhield.

'Verdomd als 't niet waar is,' zei ze en ze stevende op haar prooi af.

Terry was ooit één keer eerder in de Voodoo Room geweest. Het was precies het soort plek waar hij een bloedhekel aan had: lawaaiig, onpersoonlijk en ongelooflijk pretentieus. Vol showbizztypes en wannabe's, en onder de muziek en de perfect pulserende lichamen broeide een soort wanhoop. Net als in de rij buiten hoorde je er zelfs hier wel of niet bij. En het was belangrijk om er wel bij te horen. Terry nipte van zijn Jameson's en vroeg zich af hoe lang dit zou gaan duren. Misschien was ze er niet. Dan zou hij een keer moeten terugkomen. En nog een keer. Jezus, dacht hij, ik had me nooit door die klootzak van een Spandau moeten laten overhalen.

Hij hield zijn oog op het kantoor gericht. Personeel liep daar in en uit. Hij zag niemand die voldeed aan Richies beschrijving en hij zag de blondine nergens. Een kleine ravenzwarte schoonheid liep naar de bar en bestelde een drankje. Ze schonk Terry een glimlachje. Geen ring, ze bestelde een drankje voor zichzelf. In haar eentje, of in elk geval beschikbaar. Terry glimlachte terug. Nee, klootzak, dacht hij, je bent aan het werk.

'Wauw,' zei het meisje tegen hem, 'het is hier te gek!'

De eerste uit de stad, dacht hij, eentje die niet op zoek is naar Russell Crowe, maar gewoon een leuke vent wil ontmoeten. Ik zou de 'ik-weet-hier-ook-de-weg-niet-benadering uit de kast kunnen halen en ontdekken dat we gelijkgestemde geesten zijn. Ze zal zich niet bedreigd voelen, ze zou bagger schijten als ze een acteur tegenkwam. Romantiek in de Stad der Engelen. Laat haar morgen La Brea Tarpits zien en 's avonds een etentje in het havenrestaurant, handig vlak in de buurt van de boot. En dan.

Hij had dit zo vaak gedaan dat alles onmiddellijk op zijn

plek viel, als een ponskaart in zo'n ouderwetse machine. Het meisje wachtte tot hij iets zou gaan zeggen. O, hij wilde wel wat zeggen. Hij bedacht waarover ze zouden praten, hoe ze in bed zou zijn. Hoe haar huid zou voelen en smaken. En de volgende ochtend, of eerder nog, zou ze naar het motel oprotten en de middagvlucht naar Nebraska nemen. Terug naar haar vriendje van de middelbare school, haar verloofde, haar ouders, haar dikke kleine zusje met de beugel. Vijf jaar later zou ze een keer dronken worden van de wijn en een van haar vriendinnen over Terry vertellen. Ze zouden giechelen.

Het meisje kreeg haar drankje. Terry had nog steeds niets gezegd. Het meisje keek gekwetst. Als je eens wist, dacht Terry. Het was afschuwelijk dat hij in een oogopslag alles van haar wist. Ooit zou er weer eens een mysterie zijn. Daar bad hij dagelijks voor. Het meisje pakte haar drankje, glimlachte weer een beetje onbeholpen en verdween in de menigte.

Na middernacht zag hij de blondine uit het kantoor komen. Ze bleef boven aan de trap staan, keek met een directeursblik de ruimte rond en baande zich toen een weg naar de bar. Ze praatte met de barman, informeerde naar voorraad, omzet. Ze maakte een rondje, maakte een babbeltje met de serveersters, keek of er problemen waren en loste die op. Ze was goed. Serieus, glimlachte geen moment. Een taaie. En slim. Ze was geen spetter, maar ze had iets aantrekkelijks. Spandau had gezegd hoe Richie zijn hand op haar heup had gelegd. Richies vrouw? Spandau dacht van niet. Maar Terry kon zich voorstellen dat een man als Richie iets wilde wat hij niet kon krijgen, wat hij niet kon begrijpen. Klasse, dacht Terry. Dat zou Richie boven alles willen hebben.

Hij sloeg haar gade terwijl zij haar rondjes maakte en weer naar het kantoor terugging. Oké, ze was er. Wanneer zou ze weggaan? De tent ging om twee uur dicht. Dan zou ze misschien nog wat administratie te doen hebben. Dan naar huis rijden. Of zou ze door een vriendje worden opgehaald? Nee, Terry had geen ring gezien. Waarschijnlijk wel ergens een vriendje, maar die zou haar niet komen ophalen. Dat zou Richie niet fijn vinden. Ze zou zelf naar huis rijden. Zo'n type was ze wel.

Even na de laatste ronde kwam Eve weer naar hem toe. Ze was boos.

'Hij was het niet, de klootzak,' zei ze.

Terry luisterde maar half. 'Wat?'

'Het was Russell Crowe niet. Het was verdomme de setklusjesman. Hij heeft tegen me gelogen, de lulhannes.'

'Zei hij tegen je dat hij Russell Crowe was?'

'Nou, dat ook weer niet. Maar hij zei ook niet dat hij het niet was.'

Terry lachte. 'Het leven is een tranendal, zoals mijn oude moeder placht te zeggen. Maar het had altijd erger gekund. Hij had je ook staande in de wc een beurt kunnen geven.'

Ze keek hem kwaad aan, want dat was precies wat er was gebeurd. Plotseling zei Terry: 'We gaan.' Hij pakte haar elleboog vast en nam haar mee naar de deur.

'Wat is dit verdomme?' zei Eve. 'Ik wil een borrel.'

'Je gaat rouwen omdat je je eer bent kwijtgeraakt en ik zou niet durven je daarin te storen,' zei Terry tegen haar.

Hij nam haar mee naar buiten, bracht haar naar een taxistandplaats verderop in de straat en zette haar in de auto.

'Jullie mannen zijn allemaal klootzakken, wist je dat? En die Ieren, die oetlullen, die zijn het ergst van allemaal...'

De taxi reed weg. Terry zwaaide haar na terwijl hij haar lippen zag bewegen.

Het blondje kwam pas tegen drieën naar buiten. Ruim een uur had hij in zijn donkere auto gezeten, die hij in de schaduw in de straat had geparkeerd terwijl hij vaste klanten, dronken en nuchter, met z'n tweeën of in hun eentje, uit de club had zien wankelen. Hij doodde de tijd door naar zijn iPod te luisteren en aan het ravenzwarte meisje te denken in plaats van het blondje. Hij keerde steeds weer naar het blondje terug.

Hij piste in een plastic bidon en vroeg zich niet voor de eerste keer af of hij wel goed bij zijn hoofd was.

Hij stelde zich de ravenzwarte naakt in zijn bed voor, maar in zijn hoofd slipte de versnelling en merkte hij dat hij met het blondje in een postcoïtale tederheid lag opgekruld. Dat was een slecht teken. Het was bijna een geruststellend idee dat ze naar alle waarschijnlijkheid een vriendje thuis had zitten. Een acteur of muzikant. Met een lul zo groot als een clydesdalepaard en een graad in de medicijnen. En hij was vast lang. Ze zou hem aanbidden en Terry zou never-nooit-niet een kans maken, Terry kon naar haar toe gaan en haar zijn klotevragen stellen en dan zou zij dat doorbrieven aan Richie en Terry kon zijn geld beuren, aftaaien en ergens een stuk in zijn kraag zuipen. O ja, dacht Terry, ik had wel iets tegen die kleine ravenzwarte meid moeten zeggen.

Het blondje was makkelijk te volgen. Ze reed in een oude felgele VW kever en stopte bij alle stoplichten, stopborden, spoorwegovergangen en gaf rechts ruimhartig voorrang. Terry had haar op een fiets nog kunnen bijhouden en kon op een veiliger afstand blijven dan normaal. Het was niet ver. Ze stopte bij een bungalow in West-Hollywood en liet de motor draaien. Ze liep naar het portiek en klopte aan in plaats van aan te bellen. Een ogenblik later deed een vrouw van in de vijftig de deur open. De blonde ging niet naar binnen. Ze praatten. De vrouw leek haar een standje te geven, maar op een vriendelijke manier. De blonde bleef maar met haar hoofd schudden. Ten slotte ging ze mee naar binnen. Een paar minuten later kwam ze terug met een slapend kind in haar armen, zo te zien een jongetje, misschien een jaar of drie, vier. Ze zette het knulletje op de achterbank en sjorde hem vast, terwijl ze voortdurend tegen hem praatte. Ze stapte achter het stuur en reed weg. De vrouw in het huis bleef de hele tijd bij de deur staan kijken. Toen de VW uit het zicht was verdwenen, deed ze de deur dicht.

Terry reed achter haar aan over Sunset en in noordelijke

richting naar de 405. Hij bleef minstens driehonderd meter achter haar. Bij Ventura Boulevard sloeg ze af en Terry minderde vaart zodat hij niet in het licht terecht zou komen. Hij bleef op ruime afstand achter haar, net toen ze Ventura op draaide en hij weer op veilige afstand kon volgen. Hij had geen haast. Het was alsof hij een yeti achtervolgde, maar hij moest wel voorzichtig zijn.

Haar huis stond in Sherman Oaks, niet ver van Sepulveda vandaan. Net zo'n soort huis als waar ze vandaan kwam: oud, klein, redelijk betaalbaar. Een achtertuin voor het kind. Ze parkeerde op de oprit en droeg het jochie naar het portiek, zocht naar haar sleutels, liet ze vallen en moest goochelen met het slapende kind terwijl ze knielde om ze op te rapen. Terry weerstond de neiging om haar de helpende hand te bieden. *Ik kwam toevallig langs, zag je benarde situatie en wil je met me uit eten?* Ze deed de deur open en ging naar binnen.

Mooi zo, zijn werk zat erop, hij kon het voor gezien houden, ergens gaan ontbijten en thuis instorten. Maar hoe zat het met het vriendje? Er stond geen andere auto op de oprit. Niemand kwam haar bij de deur begroeten, kwam naar buiten gerend om haar met het kind of de sleutels te helpen.

Dit, moest Terry zichzelf toegeven, is waar de waanzin begint.

De straat was donker en verlaten. Terry stapte uit zijn auto. Hij liep een eindje in tegengestelde richting, stak toen over en ging weer terug. Hij liep naar de zijkant en zocht een weg naar een verlichte kamer aan de achterkant. De slaapkamer van het jochie. Terry keek toe hoe ze op de rand van het bed zat en hem onderstopte. Hij kon niet meer slapen, zei hij. Ze zong, zachtjes, een oud liedje. 'Raglan Road', in hemelsnaam. Ze gaf het jong een kus, deed het licht uit en verliet de kamer.

In de woonkamer schonk ze van het hoektafeltje een borrel voor zichzelf in. Ze ging op de bank zitten – stortte feitelijk in – en zette de tv aan. De tv stond een poosje aan, maar ze keek er niet naar, alsof hij niet bestond. Misschien hield het geluid op zichzelf haar al gezelschap. Ze nam een slok en staarde de ruimte in, en toen ze haar glas leeg had, stond ze op en wilde nog een glas inschenken. Ze bleef bij het tafeltje staan, maar schonk de borrel niet in. Terry dacht: goed zo, meissie, het is de weg naar de hel. Ze zette het glas neer en liep weer naar de bank, waar ze haar hoofd achteroverlegde, haar ogen sloot en stilletjes huilde. Voordat Terry bij de auto terug was, had hij besloten om Spandau 's ochtends te bellen om te zeggen dat hij de hele zaak in zijn reet kon steken.

9

Bobby was iemand aan het uitfoeteren toen Spandau naar de trailer toe liep. Je kon hem halverwege het terrein al horen.

'Ja, verdomme, kom erin!' zei Bobby toen Spandau aanklopte.

Bobby was in kostuum en zat op een stoel. May, zijn *make-up artist*, boog zich over hem heen en paste hier en daar zijn haarextensies nog wat aan. Ginger stond achterin in een mobieltje te praten. Hij zwaaide naar Spandau toen die binnenkwam.

'Shit!' Bobby maakte een sprongetje in zijn stoel.

'Sorry,' zei May verontschuldigend. 'Maar dit moet echt. Anders vallen ze er in de hitte af.'

'Mijn hoofd is helemaal rauw door die dingen.'

'Ik weet het, liefje, ik weet het. Iedereen klaagt erover. Maar aan mij ligt het niet. Ik doe het zo voorzichtig als ik kan.'

Spandau ging op de bank zitten.

'Moet je kijken,' zei Bobby tegen Spandau. 'Kloterige haarextensies. Mijn eigen haar is niet goed genoeg. Ik zie er verdomme uit als een flikker.'

'Hé,' riep Ginger van achteren. 'Ik ben een flikker, dus let op je woorden.'

'Jij bent een valse kleine relnicht, dat ben je,' zei Bobby tegen hem.

'Nou, ik ben al voor van alles en nog wat uitgemaakt. "Relnicht" vind ik wel leuk.'

Ginger wachtte bij de telefoon. Bobby schokte nog een paar keer terwijl May zijn hoofd fatsoeneerde.

'En?' zei Bobby over zijn schouder naar Ginger.

'Liefje, ik doe m'n best.'

'Praat je met de manager?'

'Hij is er niet. Ik moet bij hem langs.'

'Niet te geloven. Gaan die klootzakken wel eens naar de film? Ongelooflijk gewoon, ik kom verdomme niet eens een restaurant in.'

'Nee,' zei Ginger, 'je kunt niet zomaar met een man of twintig in het hipste restaurant van de stad binnenvallen. Dat lukte zelfs Jack L. Warner op zijn geluksdag nog niet.'

'Het is een klotedag geweest, en ik bedacht om iedereen uit te nodigen, weet je? Iedereen is moe, niemand wil thuis nog staan koken.'

'Schatje van me, niemand gaat thuis staan koken. Denk je nou werkelijk dat Sir Ian zichzelf naar huis sleept om nog wat ham op een kookplaatje op te warmen? Dacht het niet.'

'Het is verdomme maar een gebaar.'

'Ja, en een heel leuk gebaar. Maar als je denkt dat je zomaar ergens met twintig man of meer kunt komen opdagen – het zijn er veel meer dan vijftien, liefje, ik weet niet hoe je aan dat aantal komt – dan hebben we een probleem. Aan de andere kant, als je met een paar mensen ergens heen wil, kan ik je overal binnen krijgen. Iedereen is dol op je, je bent het snoepje van het jaar, ze zullen je te eten geven en als je wil mag je nog met de maître naar bed ook.'

'Zorg dan maar ergens voor een plek. Voor Irina en mij.' Tegen Spandau zei Bobby: 'Ga je ook mee? Je mag iemand meenemen. Of nee, we kunnen Heidi uitnodigen. Heidi is vast dol op hem.'

'O, god, niet Heidi. Wat heeft die arme man je ooit aangedaan?'

'Wie is Heidi?' vroeg Spandau.

'Nee, Heidi pakt 'm helemaal in.'

'Ik weet het, liefje, maar laat die arme man nou maar, ja? Niet iedereen is uit op instantseks.'

May zei: 'Volgens mij heeft Heidi het druk. Maar hij is precies haar type.'

'Iedereen is Heidi's type,' zei Ginger.

Bobby lachte. 'Volgens mij moeten we hem aan Heidi koppelen.'

'Wie is Heidi?' vroeg Spandau.

'Maak je geen zorgen,' zei Bobby. 'Je bent dol op Heidi.'

'Heidi is niks voor jou,' zei Ginger tegen Spandau.

'In godsnaam, verkloot het nou niet, het wordt fantastisch.'

'Kloten, dat is precies waar het mij om gaat, ben ik bang,' zei Ginger.

Met een weids gebaar legde May de laatste hand aan Bobby's haarextensies. 'Klaar,' zei ze tegen hem. 'Je ziet er schitterend uit. Je lijkt op Lord Byron.'

'Op de klompvoet na,' voegde Ginger toe.

'Had Lord Byron een klompvoet?' vroeg Bobby.

'O, liefje,' zei Ginger, 'het leek wel de hoef van een schaap.'

'Jezus,' zei Bobby.

'Wie is Heidi?' vroeg Spandau.

Het mobieltje ging. Ginger nam op. May zwaaide naar Spandau en liep de trailer uit.

'O, hoi, Benny!' zei Ginger in de telefoon, zo hard dat Bobby het kon horen. Ginger keek naar Bobby. Bobby schudde driftig nee met zijn hoofd.

'Hij is nu op de set. Ze laten dat arme ding zich dood werken. Zal ik vragen of hij terugbelt als hij klaar is? ... O, natuurlijk, dat zal ik 'm zeggen. Doei.' Ginger stak de telefoon omhoog. 'Dit is al de derde keer dat hij belt vandaag.'

'Ik heb geen zin in die shit,' zei Bobby. 'Het lijkt verdomme wel of ik niks beters te doen heb dan zijn kloteleven gladstrijken.'

'Hij zegt dat het goed gaat met je moeder.'
'Hij wil meer geld. Hoeveel wil hij deze maand?'
'Hij had het niet over geld.'
'Heb je ooit meegemaakt dat hij belde en dat het niet over geld gaat? Het gaat altijd over dat klotegeld. Ik heb verdomme een huis voor hem gekocht. In Ohio is dat een landhuis, een Taj Mahal, godbetert. Het enige wat hij hoeft te doen is ervoor te zorgen dat mam niet dronken van de trap dood neervalt. Dat is alles. Daar krijgt hij een landhuis en een vorstelijk directeurssalaris voor.'
Een PA klopte op de deur en stak haar hoofd om de hoek. 'Tijd.'
'Ja, ja...'
De PA vertrok weer. Bobby zei tegen Spandau: 'Ga je vanavond mee uit eten? Met Irina en mij?'
Spandau keek naar Ginger en toen weer naar Bobby.
Bobby zei tegen Ginger: 'Zeg maar tegen ze dat ik eraan kom.'
Ginger sloeg zijn ogen ten hemel maar vertrok.
'Iets van Richie gehoord?' vroeg Spandau aan Bobby.
'Niets, geen woord. Denk je dat hij het opgeeft?'
'Nee. Hij heeft geen haast.'
'Moet je horen,' zei Bobby. 'Ga nou mee eten. Dan voel ik me beter.'
'Natuurlijk. Zonder Heidi.'
'Zonder Heidi,' herhaalde Bobby. Hij stond op. 'We moeten gaan. Wil je me zien spelen?'

De *Wildfire*-set was feitelijk een reeks kleinere sets in een spelonkachtige opnamestudio. Ze zouden hier de binnenopnamen schieten en over twee weken naar Wyoming verhuizen voor de buitenopnamen. Tot nu toe zaten ze op schema en de producers en regisseur wilden dat absoluut zo houden. Het weer in Wyoming was wisselvallig en iedereen verwachtte dat ze daar achter op schema zouden raken, maar niemand was zo stom om dat hardop te zeggen. Intussen was het van belang dat ze op schema bleven of als het even kon er zelfs op vooruitliepen.

Dit was met name belangrijk voor Mark Sterling, de regisseur. Sterling was een Engelsman die naam had gemaakt met een serie Britcomfilms met een bescheiden budget. Dit was zijn eerste grote-geldfilm, voor het eerst geen comedy, de eerste waarin voornamelijk Amerikaanse acteurs meespeelden, zijn eerste die in de States werd opgenomen. En het was een western, godbetert. Eigenlijk wilde niemand hem voor deze film en hij wist verdomd goed dat hij hem alleen maar mocht doen omdat de vorige regisseur het bijltje er op het laatste moment bij neergegooid had, en Sterling door zijn agent praktisch als contractarbeider in de aanbieding was gedaan. Hij werkte voor de helft van het salaris van zijn vorige film, en ook al zou de film het goed doen (moge God ons bijstaan!) dan was Sterlings winstaandeel nog praktisch nihil. Maar als hij zou slagen, dan zou Sterling eindelijk op de A-lijst terechtkomen met de kans dat hij nooit meer in de mistroostige, ellendige en astma-verwekkende studio's van Shepperton hoefde te filmen. Hollywood was beter en als het even kon wilde Mark Sterling in Hollywood blijven.

Ze waren nu al twee weken met de opnamen bezig en alles was goed gegaan, hoewel de studiopennenlikkers nog steeds rondhingen om er elk moment de stekker uit te kunnen trekken. Niemand vertrouwde hem. De klootzakken hingen op de achtergrond rond als een stel kaailopers uit Battersea, altijd in zijn ooghoeken aanwezig, altijd met elkaar fluisterend. Sterling wilde dolgraag iedereen gelukkig maken, of in elk geval zo gelukkig dat ze hem respijt gaven als de zaken in Wyoming er minder rooskleurig voor kwamen te staan. Maar het rommelde in de verte: zo goed ging het helemaal niet.

Vandaag speelde de set zich af in de salon van de grote

ranch van een geslaagde landbaron in Wyoming rond 1900. De zorgvuldig authentiek gehouden kamer baadde in een poel van hemels licht dat van boven kwam, alsof God in eigen persoon het naar het midden van een vliegtuigfabriek straalde. Eromheen stonden de onhandige, maar onafwendbare accessoires die nu eenmaal bij een filmset horen: camera's, reusachtige spots, geluidsmasten, eindeloze rollen kabels, technici, assistenten, geldschieters, zenuwachtig personeel en, uiteraard, acteurs. Tussen de opnamen door rende iedereen door elkaar daarbij proberend niet te struikelen en niemand omver te lopen. Dat kostte veel meer tijd dan je voor mogelijk zou houden.

Bobby en Spandau liepen de set op. Bobby was al sinds zes uur 's ochtends aan het filmen geweest en zijn haar deed pijn. Hij liep naar zijn stoel en ging zitten. Spandau ging naast hem staan en keek om zich heen. Dit was hem allemaal zo vertrouwd en hij miste het een beetje. Wanneer je aan een film werkte, werd iedereen voor een poosje je familie. Voor hem was het beter toen hij nog met Beau en zijn mensen werkte, dat die draad er altijd was, aan welke film je ook werkte. Maar ook al wilde hij terug, nu was hij verdomme te oud, vanbinnen en vanbuiten te breekbaar. En Beau was er niet meer. Zonder Beau zou het nooit meer hetzelfde zijn. Beau was een van de laatste oldtimers, de echte cowboys, die tegen een regisseur of de Krijtstrepen in het geweer kwamen als een stunt te gevaarlijk was of als ze overhaast te werk wilden gaan. Elke stunt bracht gevaar met zich mee, maar Beau wist wanneer je het risico kon nemen en wanneer niet. Zo niet, dan zat Beau er niet mee om zijn jongens van de set weg te sturen. Beau zei gewoon nee en wandelde als de laatste gentleman weg. 'Het is verdomme geen spelletje,' had Beau een keer tegen hem gezegd. 'Het is óf shit óf je komt ermee weg. Zo simpel is het. Dat geldt voor de meeste dingen.' Maar Beau was dood, en vandaag de dag zou je waarschijnlijk moeten werken met een of andere lefgozer die zou zwichten voor een bonus die hem onder tafel werd toegeschoven of die zelf een oogje op de regisseursstoel had. Of je ervoor kon zorgen dat mensen niet omkwamen was van minder belang dan degenen met wie je lunchte. Tegenwoordig was alles een carrièremove, zelfs als je verdomme van een gebouw af viel. Spandau miste de tijd toen iedereen nog gewoon voor de kost werkte.

Bobby zag er nerveus en verveeld uit. De assistent-regisseur kwam naar hem toe.

'We wachten op Sir Ian,' zei de AR.

Bobby knikte. De AR liep weg.

'We moeten altijd op Sir Ian wachten,' zei Bobby tegen Spandau. 'Sir Ian wil graag als laatste op de set verschijnen. Hij maakt graag een uiterst theatrale entree. Man, godzijdank heb ik nooit in het theater gestaan. En dan denk je dat filmacteurs een ego hebben.'

Bobby stak afwezig een sigaret op. De AR haastte zich naar hem toe.

'Bob, eh, we hebben 't over dat roken gehad. Dat hele veiligheidsgedoe, en dat verdomde vakbondsgejeremieer, je weet wel.'

'Oké,' zei Bobby.

'Sorry, aan mij ligt het niet.'

'Ja, ja.'

Bobby gooide de sigaret op de grond en trapte hem met veel misbaar uit.

'Zie je wel?' zei hij tegen de AR. 'Bobby heeft alles uitgetrapt.'

'Dank je wel,' zei de AR en hij liep weg.

'Lul.'

'Hij doet alleen maar zijn werk.'

'Hij geniet van macht. Hij droomt verdomme van het moment dat dit alles van hem is.' Toen ongeduldig tegen zichzelf: 'Kom op, kom op... Jezus, iemand moet die ouwe klootzak uit zijn trailer sleuren.' Toen zei hij plompverlo-

ren: 'Ik wil dat je bij me komt wonen.'
'Een beetje overhaast, vind je niet?' zei Spandau. 'Ik bedoel maar, we hebben elkaar nog niet eens gekust.'
'Krijg de klere,' zei Bobby. 'Ik meen het. Ik heb meer dan genoeg ruimte, je hebt het zelf gezien.'
'Waarom?' zei Spandau. 'Weet jij iets wat ik niet weet?'
'Dan voel ik me beter. Ik heb een raar gevoel. Alsof er iets staat te gebeuren. Als het misgaat, wil ik dat je daar bent.'
'Wat kan er misgaan?'
'Hoe moet ik dat nou weten? Misschien besluit Richie me om te leggen. Weet jij veel?'
'Je bent zijn goudhaantje, Bobby. Richie zal nog eerder zijn eigen moeder omleggen. Richie is dol op je.'
'Richie is een vals sujet. Weet jij wat hij van plan is?'
Op dat moment ontstond er een zenuwachtige bedrijvigheid op de set. Sir Ian Whateley was gearriveerd.
'Zijne Hoogheid is aangekomen,' zei Bobby.
Sir Ian en een paar leden van zijn gevolg bleven aan de rand van de in het licht badende set staan, alsof het inderdaad een vijver was en ze onzeker over het water waren. Sir Ian, en zijn gevolg, wachtte.
'Zie je dat?' zei Bobby. 'Hij weigert naar Mark toe te gaan, hij wacht tot Mark naar hem toe komt. Verdomd machtsspelletje.'
'Hoe zit het met jou?' vroeg Spandau.
'Jezus, denk maar niet dat ik als eerste daarheen ga.'
'Grapje, zeker?'
'Zeker niet. Moet je kijken, dit is verdomme een enorme scène. Dit is de shit waar Oscars van gemaakt worden. De vader en de zoon die elkaar de hersens inslaan, elkaar willen vernietigen. Verdomd adembenemende scène. Nou, die ouwe klootzak weet dat ik zal vechten om stand te houden. Hij zal proberen ermee weg te komen, maar hij weet dat ik tegen hem op zal staan, en hij wil alle voordeel die hij kan krijgen. Hij haalt nu alles uit de kast en ik ben van plan mijn

eigen spel te spelen, en dat weet hij. Dit is verdomme oorlog, man. Nou, moet je naar Mark kijken, die schijt bagger, probeert uit te vissen met wie van ons hij het eerst moet gaan praten.'

Mark liep naar Sir Ian. Het was alsof hij op audiëntie ging bij prins Albert. Ze praatten. Of liever gezegd, Mark praatte. Sir Ian knikte alleen maar. Sir Ian nam zijn plek in op de set.

Mark stak de set over naar Bobby.

'Moet ik voor jullie twee soms een borderterriër laten aanrukken?' vroeg Mark aan hem.

'Ik heb geen idee waar je het over hebt,' zei Bobby.

'Nee, dat zal wel niet. Moet je horen, hij gaat proberen de boel naar zijn hand te zetten. Ik heb er geen zin in als jij hetzelfde doet. Ik wil dat jij de toon zet. Als hij gaat beginnen, wil ik dat jij het netjes en langzaam speelt, en hem vervolgens inpakt.'

'Dat is mijn taak niet. Jij bent de regisseur.'

'Je weet net zo goed als ik dat het hier lijkt alsof je een stel stampende olifanten staat te regisseren. Ik heb je hulp nodig. Ik wil dat je hierin het morele voortouw neemt.'

'Het morele voortouw,' herhaalde Bobby. 'Oké, ik snap 't.'

'Wil je me alsjeblieft helpen? Dan hebben we dit gehad voordat de seniele dementie toeslaat. Bij mij, bedoel ik.'

Bobby knikte. Mark klopte hem op de schouder en ging weer naar Sir Ian terug.

'Je vraagt je af wat hij tegen Sir Ian over mij heeft gezegd, hè?' zei Bobby tegen Spandau, en hij liep naar de set.

Spandau drentelde naar Bobby's trailer terug. Ginger was daar thee aan het zetten.

'Vreselijk, hè?' zei hij tegen Spandau. 'Mensen denken altijd dat het zo romantisch is op een filmset. Op twee minuten per uur na verveelt iedereen zich volgens mij ongans, en zweten ze als een otter óf hun neus vriest eraf. Geef mij Cabo San Lucas maar. Wil je een kop thee?'

'Ja, lekker.'

Ginger zette twee porseleinen kopjes klaar en schonk thee uit wat Spandau een ouwe, keramische Staffordshire-theepot leek.

'Koekje erbij?'

'Graag.'

'Zolang we nog een fatsoenlijke kop thee kunnen krijgen, zal het imperium nooit te gronde gaan.' Hij nipte van zijn thee en sloeg zijn ogen rollend ten hemel. 'Ik heb dit nodig. De jonge meester Robert komt straks als een woedende helleveeg door die deur.'

'Hoe weet je dat?'

'Omdat,' zei Ginger, 'Sir Ian uit zijn wagen is gevallen en er onmogelijk met hem te werken valt. Inside-information. Wij persoonlijk assistenten zijn net kinderjuffen, we ontmoeten elkaar in het park en hebben het over onze bloedjes van kinderen. In dit geval hebben we via *The Sun* vernomen dat Sir Ians aantrekkelijke jonge vrouw heel Londen afstruint met een zekere, niet nader bekende jonge acteur. Sir Ian is toch al geen kampeerder, en hij is aan de whisky geweest. Dat is zijn manier om te vluchten, daar staat hij om bekend, hoewel hij tegenwoordig droog zou staan. Dat doet prille liefde nou met je.'

Alsof het was afgesproken, hoorden ze Bobby ruzieachtig in de richting van de trailer komen. De deur vloog open, Bobby stormde naar binnen en sloeg een paar keer met de deur, hard, tot die dichtviel. Ginger en Spandau keken elkaar aan en Ginger sloot zijn ogen terwijl hij een laatste slok thee nam.

'Hij kan naar de hel lopen, naar de hel met die klootzak!'

'Wat is er aan de hand, liefje?'

'Hij is dronken, verdomme! Alsof die klotepepermuntjes zelfs maar iets van een drankkegel kunnen verdoezelen. Zijn ogen zwemmen alle kanten op. Wat moet ik daar verdomme mee? Hoe moet ik daarmee acteren?'

'Kalmeer een beetje, je krijgt nog een rolberoerte. Hoe dan ook, hij is niet jouw probleem, hij is Marks probleem. Laat die 't maar oplossen.'

'Wie ben jij helemaal?' zei Bobby zich plotseling naar hem toe kerend. 'Lee Strasberg, wat weet jij nou van acteren? Ga de plee schoonmaken of zo.'

'Nou, sorry hoor.'

'Verdomme, verdomme, verdomme!' jammerde Bobby. 'Ik ga naar huis, ik ga me ongelooflijk bezatten, kots alles er weer uit, val in katzwijm en dan in coma tot het allemaal over is.'

'Zo lossen we de dingen op een natuurlijke manier op,' zei Ginger.

'Ben je er nog steeds?' zei Bobby tegen hem. 'Ga werken voor de kost. Zoek een klusje. Doe alsof je tenminste íéts doet voor je geld.'

'Neem een kop thee.'

'Ik wil geen thee. Ik wil een heroïnenaald van anderhalve meter. Ik wil dood.'

Ginger gaf hem een kop thee. Bobby nam er een slokje van. En nog een. Hij zette het kopje neer. Sloot zijn ogen en leunde met zijn hoofd achterover.

'Shit. Shit, shit...'

'Wil je een warme handdoek? Ik kan er een in de magnetron doen,' zei Ginger.

'Ik heb m'n make-up nog op. Erger nog, ik moet zo weer op. Niet te geloven, toch?'

Annie klopte op de deur.

'Wat is er?' vroeg Bobby toen ze binnenkwam. 'Macy's verdomde dankbetuigingsparade?'

'Kom ik ongelegen?' zei ze terwijl hulpzoekend om zich heen keek. Niemand zei wat.

'Hoe dan ook, het kan wachten,' zei Bobby.

'Ik hoorde dat hij dronken was,' zei Annie. 'Is dat zo?'

'Zijn ogen rolden alle kanten op,' zei Bobby.

'Ik ga met Mark praten,' zei Annie.

'Nee, je gaat verdomme niet met Mark praten.'

'Nou, hoe moet je dan werken?'

'Ik heb er geen zin in dat Mark pissig op me is.'

'Liefje, Mark moet zijn werk doen.'

'Laat nou maar, ja. Anders zitten we hier de hele avond nog.' Tegen Ginger zei hij: 'Bel Irina. Zeg tegen haar dat ik later kom. Nee, laat dat maar zitten, zeg tegen haar dat ik niet weet hoe laat ik er ben, zeg maar dat ze zonder mij moet gaan eten.'

'Wil je niet dat ik met Mark ga praten?' zei Annie nogmaals.

'Nee.'

'Moet je horen, er is nog iets...'

Bobby sloot zijn ogen, gooide zijn hoofd achterover en jammerde tegen het plafond. 'O, klote, klote, klote...'

'Niks ergs, hoor,' vervolgde Annie, 'alleen, Jurado komt zo meteen hierheen en hij wil dat je wat voor hem doet.'

'Zeg tegen 'm dat daar een prijskaartje aan hangt,' zei Bobby met een gestoorde uitdrukking in zijn ogen. 'Zeg tegen 'm dat ik een rib uit zijn lijf wil, dat ik ervoor betaald wil krijgen, ik wil verdomme een villa in Toscane...'

'Het gaat om de voorzitter van de Teamsters-vakbond. Zijn dochter wil je ontmoeten. Ze is een enorme fan van je.'

'Dat meen je niet.'

'Je maakt het haar dertig seconden naar de zin, gaat met haar op de foto en klaar is Kees.'

'Nee,' zei Bobby. 'En trouwens, je bent ontslagen.'

'Moet je horen, Jurado heeft problemen met de vakbond, hij heeft het nodig.'

'Jurado kan m'n rug op. En die pokdalige meid van 'm ook.'

'Voor hetzelfde geld is ze een stoot van een meid, weet jij veel.'

'Ik ga met een supermodel uit. Ik ben niet geïnteresseerd in de dochter van een of ander vet varken van een gangster.'

'Jezus,' zei Annie. 'Dat heb je niet gezegd. Zeg alsjeblieft dat je dat niet hebt gezegd. Wil je soms dat we nooit meer aan het werk komen? Of wil je dood? Dit soort mensen moet je niet tegen de haren in strijken.'

Een klop op de deur, Jurado kwam binnen met een Burt Lancaster-achtige grijns op zijn gezicht.

'Gegroet,' zei hij.

'We hebben een probleem,' zei Annie tegen hem.

'We hebben geen probleem,' sprak Bobby tegen.

'Waarmee?' zei Jurado.

'Kunnen we die afspraak met die vakbondsman uitstellen?' vroeg Annie aan hem. 'Het is echt een rotdag geweest. Ik hoorde dat Sir Ian 'm om heeft.'

'Dat is niet zo,' zei Jurado op scherpe toon. 'Ik heb 'm net nog gesproken.'

'Hij is stomdronken,' zei Bobby.

'Dit is nou precies waar ik geen behoefte aan heb,' zei Jurado tegen Bobby. 'Als je dit soort dingen zegt, rollen binnen de kortste keren de advocaten over je heen wegens smaad. Het is pertinent niet waar.'

'Wedden van wel?' vroeg Bobby hem.

'Kunnen we het uitstellen?' vroeg Annie.

'Nee,' zei Jurado, 'hij is op de set.'

'Ooit aan gedacht te vragen wat ik ervan vind?' vroeg Bobby.

'Ik hoef het jou niet te vragen,' zei Jurado, nu kwaad.

'Frank...' begon Annie.

'Moet je horen,' zei Jurado, 'hij is niet de enige die een zware dag heeft gehad. Ik ben moe. Ik wil ervan af.'

'M'n reet,' zei Bobby.

'Zeg 'm dat hij zijn contract erop na moet slaan,' zei Jurado tegen Annie.

'Waar staat in mijn verdomde contract dat ik te pas en te onpas moet komen opdraven als jij daar zin in hebt?'

'Zeg het 'm,' zei Jurado nogmaals. Plotseling keek hij om zich heen. 'Wat doen al die mensen hier? Die hebben hier niks te zoeken. Waarom is hij hier?' zei hij alsof Spandau plotseling uit het niets was opgedoken.

'Omdat ik 'm hier wil,' zei Bobby. 'Hij blijft. Misschien laat ik 'm jou wel helemaal in elkaar slaan.'

'En hij?' zei Jurado, naar Ginger knikkend.

'Ik wilde net weggaan,' zei Ginger kil.

'Nee,' zei Bobby, 'ik wil getuigen.'

'Bobby, dit schiet niet op,' zei Annie tegen hem.

'Opschieten? Ik wil ook niet dat het opschiet. Ik probeer een beetje respect te krijgen.'

'Jezus,' zei Jurado. 'Vertel het hem, Annie.'

'Het staat in je contract,' zei Annie.

'Gelul.'

'Het staat onder "publiciteit" en "actief promoten van de film". Ik wist dat je woedend zou zijn en heb het door Robert laten controleren. Hij zegt dat de kool het sop niet waard is, en dat is ook zo.'

'Voor wie ben je eigenlijk?' zei Bobby tegen haar.

'Voor jou, liefje, maar daar gaat het hier juist om.'

Jurado zei: 'Over vijf minuten, oké? Dan stuur ik ze naar je toe.'

'Als dat kleine meisje die deur door wandelt,' zei Bobby tegen hem, 'dan bespring ik haar. Dan zwaai ik met m'n lul in haar gezicht. Ik zweer het je.'

'Ja,' zei Jurado, 'schitterend. Vijf minuten. Ik stel dit echt op prijs, jongens.'

'Stel het op prijs,' zei Bobby terwijl hij zijn kruis greep en ermee naar Jurado schudde.

'Nou, dat ging aardig goed,' zei Annie toen Jurado weg was.

Bobby stond op en kondigde op orerende toon aan: 'Ik ga een reusachtige hoop schijten. Met een beetje geluk is de lucht niet te harden als ze hier zijn.'

Bobby sloot zichzelf in de badkamer op. Annie keek naar Spandau.

'Ga je dit allemaal opschrijven?' zei ze in een poging tot

sarcasme. 'Je hebt toch wel een geheimhoudingscontract getekend, hè? Wat hier gebeurt, blijft hier ook.'

'Wil je m'n referenties controleren?' zei Spandau. 'Ik doe dit heus niet voor het eerst, hoor. Voor mij is dit niks nieuws.'

'Ik zeg alleen maar dat als hier een woord van uitlekt, één woord, je in de goot belandt.'

'Jij en Jurado zouden eens wat nieuws moeten proberen.'

'Jij en Bobby zijn plotseling verschrikkelijk dik met elkaar.'

'Ik moet zijn lijfwacht spelen. Dan zit je meestal op elkaars lip.'

'En waarom heeft-ie verdomme een lijfwacht nodig, dat zou ik wel eens willen weten. En dan jij nog wel. Weet je zeker dat je geen nestje voor jezelf aan het bouwen bent?'

'Zo zou je 't kunnen zien, wie weet.'

'Wat bedoel je daar nou weer mee?'

'Ik bedoel dat ik jou geen hol hoef uit te leggen. Ik bedoel dat zelfs als ik dat wel zou doen, je er hoogstwaarschijnlijk geen snars van zou begrijpen. Buiten Hollywood is er nog een hele klotewereld, dame. Niet alles op de planeet wordt door aasgieren gerund. Nu in elk geval nog niet. Als je van me af wilt, dan praat je maar met Bobby. Dit is zijn zaak. Intussen hou je je gedeisd. Ik heb je al eerder gezegd dat het me tot hier zit.'

Annie glimlachte koeltjes naar hem, liep toen weer naar de badkamer en klopte op de deur.

'Ik ga weer, liefje. Mij heb je hiervoor niet nodig.'

'Ja, ja,' zei Bobby vermoeid vanaf de andere kant.

Annie liep langs Spandau de deur uit. Een minuut later werd er doorgetrokken en kwam Bobby uit de wc.

'Hebben jullie het goedgemaakt?' zei Bobby tegen hem.

'Als je dat maar weet.'

Weer een klop op de deur. Jurado was er met de gasten. Hij stak zijn hoofd om de deur.

'Permissie om aan boord te komen?'

Bobby stak hem zijn kruis toe.

'Pas op het afstapje!' zei Jurado over zijn schouder. 'Nu ga je in levenden lijve een glamourster zien, ha ha!'
Jurado kwam binnen met achter zich een dertienjarig meisje met haar vader. De vader grijnsde van oor tot oor en het meisje was van opwinding een appelflauwte nabij.
'Bobby, dit is meneer Waller en zijn dochter Tricia.'
Bobby glimlachte vriendelijk. 'Leuk je te ontmoeten, Tricia.'
'O... mijn... god...'
Meneer Waller stak zijn hand naar Bobby uit. Ze schudden elkaar de hand.
'Leuk u te ontmoeten, meneer Dye. Mijn dochter Tricia is uw grootste fan. We zijn allemaal dol op uw films, met inbegrip van mevrouw Waller en ikzelf.'
'... dat jij het bent. O, mijn god,' zei Tricia nog een keer.
'Hoe gaat 't, Tricia?'
'Ik kan niet geloven dat je 't echt bent.'
'Ja hoor. Is iedereen aardig voor je? Ben je al op de set rondgeleid?'
'Ik ben wel eerder op filmsets geweest. Ze zijn walgelijk.'
'Maar het gaat om het resultaat op het scherm, wat jij?'
'Je bent niet zo lang als ik dacht,' zei Tricia tegen hem.
'Heb je Tiffany Porter al ontmoet?' vroeg Bobby aan haar. 'Zij speelt ook in deze film. En Sir Ian Whately, wauw.'
'Hij is een beetje oud. Hij lijkt op mijn grootmoeder.'
'Wat dacht je van een foto met handtekening?' stelde Bobby voor. 'Ik moet hier nog ergens een foto hebben.'
Meneer Waller haalde een camera tevoorschijn. 'Nou ja, we dachten, als u het niet erg vindt...'
'Nee, natuurlijk niet, prima.'
Bobby ging naast Tricia staan en legde zijn arm om haar schouder. Tricia legde haar arm om zijn middel en drukte zich dicht tegen hem aan. Heel dicht. Ze duwde zijn been zowat weg en glimlachte in de camera.
Klik.

'Nog eentje?' vroeg meneer Waller.

'Ja, hoor,' zei Bobby bereidwillig.

Bobby probeerde een beetje afstand van het meisje te houden, maar ze nestelde zich nog dieper in zijn arm en haakte haar vinger in een lus aan de voorkant van zijn broek zodat haar hand op zijn gulp rustte.

Klik.

'Nou, dat was geweldig!' zei Jurado.

'Dank u wel,' zei meneer Waller tegen Bobby.

'Graag gedaan, hoor.'

'Wil je je handtekening op mijn schouder zetten?' zei Tricia tegen Bobby.

'Tricia!' reageerde meneer Waller geschokt.

'Nou ja,' zei Tricia, 'het is alleen maar een schouder.'

Bobby keek hulpzoekend naar Jurado. Jurado keek hem meevoelend aan maar haalde zijn schouders op.

'Jeetje, Trish,' zei Bobby slecht op zijn gemak, 'misschien moeten we het aan je vader vragen.' Maar er tolden duizenden krantenkoppen over pedofilie door zijn hoofd.

'Nou ja,' zei meneer Waller, 'wat zij wil...'

Tricia ontblootte haar schouder en gaf Bobby een viltstift. Hij tekende.

'Waarom heb je Shania Fox voor dat Russische grietje gedumpt?' vroeg ze terwijl hij zijn handtekening zette.

Bobby zei: 'Leuk je ontmoet te hebben, Tricia. Dank je wel voor je komst.'

Jurado zei: 'Nou, nu moet Bobby weer aan het werk. Dit is een grote film, die kunnen we niet te lang stilleggen.'

Jurado werkte ze naar buiten. Bij het weggaan draaide hij zich naar Bobby om en mimede: 'Sorry.' Bobby stak zijn middelvinger naar hem op.

'Zag je dat?' zei Bobby tegen Spandau. 'Geloof je zoiets nou?'

'Je grootste fan,' opperde Spandau.

'Gelul, gelul, gelul...'

Geklop. Het was de PA.
'Je bent weer aan de beurt.'
Bobby zei tegen Spandau: 'Ik schiet m'n verdomde kop d'r af. Let maar op. Dit is 't niet waard. Dit is niets waard.'
En hij liep naar buiten.

10

Tegen tien uur 's ochtends ging Allison Graff met haar vier jaar oude zoon Cody naar Denny's restaurant in Sherman Oaks. Het was er druk maar voorin was een tafeltje vrij en daar streken ze meteen maar neer. Ze waren vaste klant en Cody keek er graag uit het raam. Een serveerster kwam naar hen toe, glimlachte naar Cody en gaf ze een menukaart.

'Ik wil de Grand Slam,' zei Cody. Hij wist precies wat hij wilde.

'Dat krijg je nooit helemaal op,' zei Allison.

'Welles,' zei hij. 'Ik heb honger.'

'Dan eet je 't ook tot de laatste kruimel op.'

De serveerster liep met hun bestelling weg. Cody ging met waskrijt zijn placemat inkleuren en Allison staarde uit het raam naar het verkeer. Terry kwam binnen. Achter Cody kwam net een tafeltje vrij en daar ging hij zitten.

Dit zou Terry's tweede ontbijt worden. Hij had die ochtend om zes uur ook al ontbeten in een vergelijkbaar vierentwintiguurstentje in Newbury Park, waar hij anderhalf uur had zitten worstelen met zijn geweten en dat kleine flintertje hersens waar het gezonde verstand resideerde. Het flintertje verloor, en dat was niet voor het eerst. Terry reed terug naar Sherman Oaks en parkeerde om de hoek van haar huis. Hij luisterde op zijn iPod naar Lightnin' Hopkins en zo nu en dan stapte hij uit de auto en keek door de straat naar waar ze woonde of hij reed een blokje om. Dat deed hij drie uur lang tot hij haar met het jochie uit het huis zag komen en in haar auto zag stappen.

Terry bestelde zijn tweede ontbijt en Allison zei tegen Cody: 'Blijf hier zitten, ik ga even een krant kopen,' en ze liep het restaurant uit. Cody keek zijn moeder na, ging op zijn knieën op de bank zitten en gluurde over de rugleuning van zijn stoel naar Terry. Terry glimlachte naar hem. Cody keek hem wantrouwend aan. Terry stak zijn tong naar hem uit. Cody draaide zich om en ging weer zitten. Allison kwam terug met haar krant en Cody fluisterde iets tegen haar. Allison keek naar Terry en glimlachte naar hem.

'Nou, misschien ergerde je hem,' zei ze tegen Cody.

Allison ging haar krant lezen en Cody draaide zich weer om om naar Terry te kijken, en deze keer stak híj zijn tong uit. Terry trok een gekke bek naar hem waar Cody om moest lachen.

'Wat doe je?' vroeg Allison aan Cody. 'Laat die meneer met rust.' Tegen Terry zei ze: 'Valt hij u lastig?'

'Het is prima, hoor,' zei Terry tegen haar. 'Het is leuk om met iemand van mijn eigen leeftijd te spelen.'

Allison lachte. Misschien had Terry er nog uit kunnen stappen als ze dat niet had gedaan.

'Je praat grappig,' zei Cody tegen hem.

'Ik ben een Ier. Weet je waar Ierland ligt?'

Cody schudde zijn hoofd.

'Nou, stel je eens een land voor waar iedereen gek praat en voortdurend gekke bekken trekt. Dat is Ierland. Echt iets voor jou.'

Terwijl Terry dit zei, liepen Rosie Villano en nog een meisje op weg naar de uitgang langs hen heen. Rosie stond achter de bar in de Voodoo Room en had gewerkt op de avond dat Terry daar was.

'Hé, Allison,' zei Rosie, 'welkom in Chez Denis.' Tegen Cody zei ze: 'Hé, Cody, grote man.' Ze glimlachte naar Terry, die snel teruglachte en zich toen omdraaide en uit het raam ging staren.

Allison was aardig, maar van beide kanten zat er iets kils aan de beleefdheden die werden uitgewisseld. Het was duidelijk dat ze elkaar niet mochten. 'Hallo, Rose. Ja, god, we komen hier bijna elke dag. Ik voel me een beetje betrapt. Ik zou thuis havermoutpap voor hem moeten klaarmaken, of zo.'

'Havermoutpap?' zei Rosie. 'Jak! Je hebt vast veel liever opgebakken aardappels, hè, Cody?' Tegen Allison: 'Werk je vanavond?'

'Ja. Ik ben er.'

'Hou je taai,' zei Rosie. 'Braaf zijn, hoor, Cody.'

Rose keek opnieuw naar Terry, glimlachte kort naar hem en ging weg met haar vriendin.

Het eten kwam en niemand zei meer iets tegen Terry. Allison leek hem niet meer te willen aankijken. Ze aten en toen ze klaar waren stonden Allison en Cody op, glimlachten in het voorbijgaan naar Terry, betaalden en vertrokken.

Terry had contact gemaakt en meer wilde hij niet. Als hij er meer druk op zou zetten, zou hij haar maar afschrikken. Hij wist nu waar ze woonde en genoeg van haar dagelijkse routine om haar op te zoeken als hij daar behoefte aan had. Als dat gedoe met Rosie er niet tussen was gekomen, was hij misschien wat verder opgeschoten, maar waarschijnlijk niet veel. Nu was hij een bekend gezicht, niet meer bedreigend. De volgende keer dat hij haar hier zou tegenkomen, zou hij het joch groeten en een praatje met haar aanknopen. Terry zou al zijn charme inzetten en haar aan het lachen maken. Kerels die een vrouw wilden versieren, gedroegen zich als James Bond. Maar de waarheid was dat in deze klotewereld iedereen voor iedereen bang was terwijl iedereen zich alleen maar veilig wilde voelen. Een vrouw als Allison – hij wist nu hoe ze heette – voelde zich voortdurend kwetsbaar. Als je zorgde dat ze zich veilig voelde, haar aan het lachen kon maken, dan stond je vooraan in de rij. Ooit had een vrouw aan Terry verteld dat hij een gezicht had alsof dat tussen de lift was gekomen, maar dat hij de enige man was die ze ooit had ontmoet die wist hoe hij in bed moest lachen.

Terry ging een paar minuten na hen weg. Op het parkeerterrein zag hij haar naast haar auto met een lange blonde vent staan praten. De vent leek op een sportfreak, iemand die úren in een sportschool trainde of een atleet. Hij drukte haar met de rug tegen de auto en ging boos tegen haar tekeer. Cody zat in de auto en keek door het raam naar wat er allemaal gebeurde.

'Ik heb een brief van die kloteadvocaat van je gekregen,' zei de kerel tegen haar.

'Ik heb je niets te melden, Lee. Ga weg en laat me met rust.'

'Nou, ik heb jou een hoop te melden. Denk je dat ik die shit pik? Waar denk je dat ik dat verdomde geld vandaan moet halen?'

'Jeetje,' zei Allison, 'misschien van dezelfde plek als toen je de helft van de tienermeisjes in Santa Monica hebt geneukt.'

Ze probeerde langs hem heen in de auto te komen, maar hij greep haar bij de arm.

'Dat straatverbod is nog niet helemaal tot die kippenhersens van je doorgedrongen, hè?'

'We zijn nog steeds getrouwd,' zei hij. 'Je kunt me niet bij mijn kind weghouden.'

'Ik probeer ten minste nog iets te redden,' zei ze. 'Nou, sodemieter op.'

Ze probeerde de autodeur open te maken, maar Lee greep haar bij de arm en gooide haar tegen de auto. Ze worstelde om los te komen maar hij kneep zo hard in haar arm dat ze ineenkromp.

'Neem me niet kwalijk,' zei Terry, 'maar weet u ook hoe laat het is?'

'Wat?' zei Lee.

'Hoe laat het is,' zei Terry. 'Mijn horloge staat stil.'

'Nee,' zei Lee.

'Maar u draagt een horloge,' zei Terry.
'Hé,' zei Lee, 'rot op met je tijd. Ik ben bezig.'
'Is dat een Omega? Verdomd mooi horloge,' zei Terry. 'Dat is dat James Bond-horloge, hè? De Seamaster. Of is het de Rolex?'
'Hoor 'ns even, Ierse trol,' zei Lee tegen hem, 'ik weet niet hoe laat het is en mijn verrekte horloge interesseert me geen bal. Maak dat je wegkomt.'
'Kabouter,' zei Terry.
'Wat?'
'Ik geloof niet dat u "trol" bedoelde, maar "kabouter", toch? Kleine kereltjes met grappige mutsjes op. Net als de advertenties van Lucky Charms, ja? Mensen halen ze vaak door elkaar. Trollen komen voor in *De ban van de ring*. T-R-O-L-L-E-N. Dubbel l.'
Lee keek naar Allison. 'Ken je hem?'
'Nee,' zei Allison en ze keek Terry waarschuwend aan.
'Sodemieter op,' zei Lee tegen hem en hij draaide zich naar Allison om.
'Je bent behoorlijk groot, sorry dat ik het zeg,' zei Terry. 'Indrukwekkende spierbundels. Doe je aan gewichtheffen?'
'Wat ben jij eigenlijk, een homo of zo?'
'Ik dacht alleen maar dat ik het me zo kan voorstellen dat deze jongedame behoorlijk bang moet zijn omdat je zo groot bent. Jezus, ik ben al bang voor je. Ik denk dat we allemaal bang voor je zijn.'
'Nou, zorg maar dat je bang bent, stuk Iers strontvreten. Sodemieter op, zei ik je.'
'Ik wil niet doordrammen, maar zoals ik al zei, maak je deze jongedame en haar kind bang. Volgens mij moet je desisteren.'
'Wat?' zei Lee. 'Desisteren?'
Hij keek naar Allison, die begon te lachen.
'Dat betekent stoppen,' zei ze tegen Lee. 'Hij zegt dat je moet stoppen.'

Lee staarde naar Terry. 'Is die vent soms een vriendje van je?' vroeg hij aan Allison.

'Hé, ik ken hem niet, hij wil me alleen maar helpen. Laat hem met rust.' Tegen Terry zei ze: 'Ga nou maar.'

'O, natuurlijk. Maar hij moet eerst je arm loslaten.'

Lee liet haar arm los.

'Kijk eens aan. Die lulhannes vraagt me of ik los wil laten en dan doe ik dat. Verder nog iets?'

'Nee, dank je wel. Momenteel niet.'

'Momenteel niet,' herhaalde Lee. Hij zei tegen Allison: 'Ben je hiervoor bij me weggegaan? Dit kloterige stuk onderkruipsel? Ben je verdomme zo wanhopig?'

Ze wilde in de auto stappen, maar Lee greep haar beet en sloeg haar opnieuw hard tegen de zijkant. Nu begon ze te huilen.

'Achteruit,' zei Terry.

'Me reet.'

'We kunnen dit als gentlemen oplossen,' zei Terry. 'Ik wil je niet in bijzijn van de jongen pijn doen.'

'Pijn doen? Jij mij?'

'Over tien seconden,' zei Terry, 'ga ik je rechterarm verdoven.'

'Grapje zeker, hè?'

'... Acht...' telde Terry af.

'Wie is die vent?' vroeg Lee aan Allison. Hij was nu geobsedeerd door Terry, die naar de secondewijzer van zijn eigen horloge stond te kijken.

'... Zes...'

'Lee, laat me los,' zei Allison, 'volgens mij meent hij 't.'

'O ja, ik schijt bagger.'

'... Drie... twee...'

Terry deed een stap in Lee's richting, die Allison losliet en zich naar hem omdraaide. Terry kwam dichterbij maar net buiten het bereik van Lee's armlengte, bleef toen staan en deed een paar stappen terug. Lee kwam achter Terry aan en

Terry lokte hem bij Allison vandaan zodat zij geen klappen kon oplopen. Terry liep nog een beetje verder achteruit terwijl Lee achter hem aan kwam en toen bleef Terry abrupt staan, haalde in gebogen houding, onder de uithaal van Lee door, naar voren uit. Hij greep Lee's linkerpols beet, draaide hem om en begroef een van zijn knokkels in de zenuwknoop achter Lee's linkerelleboog. Lee slaakte een kreet, Terry liet hem los en deed een paar passen achteruit. Lee sloeg dubbel terwijl hij zijn verdoofde arm vasthield.

'Ik loog over welke arm ik te pakken zou nemen,' zei Terry.

'Klootzak die je bent...'

'Wat heb je verdomme gedaan?' vroeg Allison geschrokken.

'Ik heb op een zenuw in zijn arm gedrukt. Over een paar minuten is het weer over. Denk ik.' Hij wendde zich tot Lee. 'Het doet pijn, maar het komt wel goed. Punt is dat ik hier nog de hele dag mee door kan gaan. Over je hele lichaam zitten dit soort plekken, de meeste doen trouwens verdomd veel meer pijn. En nu wil je je vast wel gedeisd houden. Je wil toch niet voor de ogen van de jongen afgaan? Toch?'

Lee knikte.

'Mooi. Nu gaan we ervandoor. En als ik je een raad mag geven voor de toekomst: pas op voor kabouters. Leugenachtige onderkruipsels zijn 't. Als je een Ier was, zou je dat weten.'

Cody huilde. Allison had het autoportier opengedaan, Cody was uitgestapt en had zich in haar armen vastgeklemd. Cody keek naar Terry, en Terry voelde zich nu een klootzak en wilde net iets tegen de jongen zeggen toen Lee met zijn goede rechterhand Terry een klap in het gezicht gaf. Terry wankelde verbijsterd achteruit, zijn neus bloedde.

Die klap had het gevaarlijke effect dat Terry's instincten in actie kwamen. Hij dacht nergens meer aan, vergat Allison en de jongen en richtte zich geheel en al op Lee. Hij wachtte niet tot Lee opnieuw uit zou halen, maar liet zich op de grond vallen en veegde in een draaiende beweging Lee's benen onder hem vandaan. Lee viel achterover op het asfalt op zijn hoofd. Terry stond plotseling over hem heen en zette zijn voet keihard op Lee's rechterelleboog, waardoor de andere arm ook verdoofd raakte. Terry ging op Lee's borst zitten. Hij greep 'm bij de haren, tilde zijn hoofd op, stak zijn vingers in Lee's slokdarm en kneep. Lee kokhalsde en haalde met zijn lamme handen naar hem uit. Terry kneep nog harder terwijl hij Lee lachend in de paniekerige ogen keek. Hij hield op toen hij voelde dat Allison aan hem trok, hem op de schouders sloeg. 'Je vermoordt hem nog, in hemelsnaam, geef hem lucht, geef hem lucht...'

Terry herinnerde zich weer waar hij was en het bekende misselijkmakende spijtgevoel maakte zich van hem meester. Hij liet Lee los en deed een stap achteruit. Lee omklemde zijn hals en haalde hees gierend adem door zijn bont en blauwe keel. Allison had Cody in de auto gezet en boog zich nu over Lee, die weer ademde en eerder geschokt dan gewond bleef liggen. Terry sloeg haar gade en opnieuw voelde hij een afkeer van zichzelf. Hij verwachtte dat ze zich nu naar hem zou omdraaien of van hem weg zou rennen, maar in plaats daarvan zei ze tegen hem: 'Snel, in de auto voor hij helemaal bijkomt,' en Terry stapte naast haar in de auto. Allison zette de VW onmiddellijk in de versnelling en reed van het parkeerterrein af. Cody zat achterin nog steeds te huilen.

'Praat met hem,' zei Allison onder het rijden. Terry wist niet wat ze wilde. 'Vertel 'm wat er is gebeurd, verdomme. Leg het 'm uit.'

Terry keek de jongen aan. De ogen van de knul waren rood en stonden vol tranen, snot liep uit zijn neus. Toen hij Terry aankeek, barstte hij weer in huilen uit, en Terry stak zijn hand uit en legde die op de wang van de jongen. Cody trok zich niet terug en Terry zei tegen hem: 'Het komt wel goed met 'm, ik heb hem geen pijn gedaan, het ziet er erger uit dan het is. Oké? Kijk me aan, kijk me aan.' De jongen keek Terry in de ogen. 'Hij is in orde. Ik heb hem geen pijn gedaan.' Terry liet zijn hand daar en voelde het hart van de jongen als een razende in zijn hals kloppen. De knul snoof en hield op met huilen.

'Ga door,' zei Allison. 'Dat ben je hem schuldig.'

'Ik was bang dat hij je moeder pijn zou doen,' zei Terry tegen hem. 'Sorry. Ik weet dat hij je vader is. Ik had iets anders moeten bedenken, maar ik wist niet wat. Zo ben ik opgevoed, weet je. Het is niet goed en het spijt me. Wil je me vergeven?' vroeg hij aan het joch. 'Ik vraag je me te vergeven en niet boos op me te zijn. Kun je dat?' Cody zei niets maar huilde ook niet meer. Terry zei: 'Jézus, moet je kijken, er is een enorme groene slijmerige grote godsgruwelijke slak in je neus gekropen! Jak!' Terry deed alsof hij een paar keer moest kokhalzen. Het jochie lachte. 'Lieve god, vrouw, zet de auto stil, m'n pannenkoeken komen naar boven! Moet je dat zien! Hij klimt naar boven en heeft een feestmaal aan zijn hersens! Argh!'

Allison keek fronsend in de spiegel. Ze rommelde in haar tasje en gaf een zakdoek aan Terry, die hem aanpakte en Cody's neus afveegde. Cody lachte en probeerde nog meer snot uit zijn neus te blazen.

'Genoeg,' zei Allison in de spiegel. 'Als je dat nog een keer doet, word ik misselijk.' Cody bleef door zijn neus snuiten en algauw deden ze het allemaal, deden alsof ze moesten kotsen, en Cody moest steeds harder lachen.

Allison reed naar haar huis. Ze gingen naar binnen en Allison waste Cody's gezicht, nam hem toen mee naar de woonkamer, zette een tekenfilm op en installeerde hem op de bank. Ze nam Terry mee de keuken in, deed de deur dicht en zei: 'Ga je me nu vertellen waar al die shit over ging?'

'Sorry,' zei Terry. 'Echt.'

'Ik dacht dat je hem ging vermoorden. Jezus. Ik heb nog nooit iemand dat zien doen. Ik bedoel, je ziet die onzin wel op tv, maar nooit in het echt. Wat ben je, een of andere oosterse vechtsportinstructeur?'

'Nee,' zei hij. 'Vroeger was ik soldaat. Ik bedoel, je leert die onzin en je raakt het nooit meer kwijt.'

'Hé, je zou hem toch onder geen beding pijn doen, wel? Niet echt?'

'Nee,' loog Terry. 'Niet echt.'

'Je hele shirt zit onder het bloed.' En zo was het ook. Bloed klonterde in zijn neus en toen hij het wegveegde druppelde vers bloed warm over zijn vingers. 'Je bloedt nog steeds als een rund.'

Terry ging op een stoel zitten. Allison stopte ijsblokjes in een plastic zak en zei tegen Terry dat hij die tegen zijn hals moest houden, dat hij voorover moest buigen en met zijn andere hand in zijn neus moest knijpen. Terry deed wat hem gezegd werd.

'Hij heeft je behoorlijk te pakken gehad,' zei ze. 'Je hoofd moet wel van beton zijn, want ik heb hem grote jongens met minder bewusteloos zien slaan. Vroeger heeft hij gebokst. Strategisch was hij waardeloos, maar slaan kon hij nog als de beste.'

'En dat zeg je me nu pas,' zei Terry, klinkend als de underdog.

'Denk je dat je neus gebroken is? Ben je niet duizelig of zo? Moet je niet naar het ziekenhuis?'

'Nee,' zei Terry, nog steeds dat belachelijke geluid producerend. 'Dit gaat prima zo.'

'Ja, je voerde een mooie show op, zeg. Ik zou je eigenlijk moeten bedanken. Wil je dat? Dat ik je bedank en jij de ridder op het witte paard bent en zo?'

Terry liet zijn neus los. 'Oké, het ging me geen bal aan.'

'Nee, inderdaad.'

'Ik weet alleen dat hij dit soort dingen eerder heeft gedaan.'

'Vaak genoeg,' zei Allison. 'Hij heeft m'n kaak een keer gebroken.'

'Dus je vindt het vast niet erg als ik stop met die schijnheiligheid en verontschuldigingen.'

'Het ging je nog steeds geen bal aan.'

'Een paar dingen zijn me nog niet duidelijk,' zei Terry. 'Bedank je me nou, of scheld je me uit?'

'Allebei, denk ik. Je hebt gelijk. Het was heel aannemelijk dat hij me iets zou aandoen. Hij was er kwaad genoeg voor en hij heeft het vaker gedaan.'

'Verder weet ik niet goed wat ik hier doe.'

'Hoe bedoel je?'

'Ik had verwacht dat je ervandoor zou gaan.'

'O, dat,' zei ze. 'Dat was ook mijn eerste reactie. Maar Lee had je behoorlijk te pakken genomen, ik wilde je naar een ziekenhuis brengen en je daar achterlaten. Dat was nog het minste wat ik kon doen. Bovendien was ik bang dat de politie op zou duiken en daar had ik geen zin in.'

'Waarom heb je me dan niet bij het ziekenhuis afgezet?'

'Zit je verdomme te klagen, of zo?'

'Nee, ik ben gewoon nieuwsgierig. Je deed iets wat niemand gedaan zou hebben. Het sloeg gewoon nergens op.'

'Oké, wat je deed was echt ongelooflijk stom, maar ook wel lief. Ook al heb je ons allemaal de stuipen op het lijf gejaagd. En er was nog iets. Voordat je hem te grazen nam. Ik zag dat je hem wegleidde van mij. Want dat deed je, hè?'

'Ja.'

'En als je hem echt zwaar had willen verwonden, dan had je dat kunnen doen. Dat zag ik zo. Maar dat deed je niet. Toegegeven, je raakte even van de kaart, maar als je had gewild, had je hem kunnen vermoorden, toch?' Terry gaf geen antwoord. 'Dus dat betekent dat je geen moordzuchtige kungfu-freak bent of wat dat allemaal ook voorstelde. En in de auto heb je het met Cody goed gedaan. Het was beter dat jij 't hem zou uitleggen. Hij weet dat zijn vader een klootzak is, maar niemand vindt het leuk om te zien hoe zijn eigen vader in elkaar wordt geslagen.'

'Heb ik het erger gemaakt?'

'Tussen Lee en mij? Nee, slechter kan bijna niet. Hij heeft

een straatverbod, maar Lee luistert nooit ergens naar, is-ie nooit goed in geweest. Hoe dan ook, sinds de derde klas heeft nooit meer iemand voor me gevochten. Als ik een beter mens was geweest, zou ik me schamen, maar ik moet zeggen dat ik me wel gevleid voel. Probeerde je indruk op me te maken?'

'Is 't gelukt?'

'Weet ik nog niet. In elk geval zal het niet meer gebeuren. Toch?'

'Nee.'

'Maar in één ding heb je wel gelijk,' zei ze.

'Wat dan?'

'In het restaurant. Ik had niet met je gepraat als je niet aardig tegen mijn kind was geweest. Je bent trouwens niet de eerste vent die die benadering heeft geprobeerd. Kinderen en honden. Ik geloof dat 't in het *Handboek voor singles* staat.'

'Je hebt het allemaal al een keer meegemaakt, hè?'

'Ik mag er zijn en ben een mens van vlees en bloed. En jij bent een man.'

'Hij had je geslagen,' zei Terry.

'Misschien.'

'Nee.'

'Misschien heb je gelijk,' zei ze. 'En misschien zou ik met mijn ogen moeten knipperen, je bedanken en er een laagje testosteron over moeten smeren. Maar eerlijk gezegd ben ik je best dankbaar, min of meer, maar ik ben bang dat er uiteindelijk geen beloning voor je in zit. Ik heb het helemaal gehad met mannen en toevallig behoor jij tot die soort. Als je klaar bent met mijn keuken onder te bloeden, ga ik je vragen te vertrekken.'

'Mijn auto staat bij Denny's.'

'Dat is drie huizenblokken hiervandaan, jezus.'

'Zelfs geen kop thee?'

'Zelfs dat niet. Sorry. En ik stel voor dat je minder gewelddadige manieren zoekt om een vrouw te versieren.'

'Meestal gooi ik mezelf voor een trein, maar deze keer

deed de gelegenheid zich als vanzelf voor.'

'Je bent echt grappig en zo, maar je verspilt je tijd. Je lijkt me een aardige – mogelijk fataal – soort kerel. Maar momenteel heb ik het niet op dates. Mijn leven is zo al ingewikkeld genoeg.'

'Ik ben de meest ongecompliceerde vent die je ooit hebt ontmoet. Ik ben meneer Simpel ten voeten uit.'

'Volgens mij is dat een leugen, kan niet anders.'

'Hou je van zeevis?'

'Ja, maar ik ga niet met je uit eten. Je hebt net m'n ex-man in elkaar geslagen. Hoewel dat niet noodzakelijkerwijs verkeerd hoeft te zijn.'

'Ik weet een schitterend tentje in Ventura, vlak in de buurt van mijn boot. Hou je van boten?'

'Ja, ik hou van boten, maar zoals ik al zei...'

'We gaan niet naar de boot, tenzij jij dat wilt. Het is een zeilboot van tweeëndertig voet. Fantastisch om tijdens een zonsondergang aan dek een borrel te drinken. Je bent er volkomen veilig. Je vindt het vast geweldig. Kinderen zijn er ook dol op. Het is fantastisch, zonneschijn, picknicken. Weg uit de smog en wat frisse lucht in die kleine longetjes van ze.'

'Christus, je haalt wel alles uit de kast, hè?'

'Alleen diner. Je kunt daarnaartoe komen, als je wilt. Als je eraan twijfelt of ik wel goed bij m'n hoofd ben, kun je weer rechtsomkeert maken.'

'Ik twijfel nu al of je wel goed bij je hoofd bent. Maar van mezelf weet ik het ook niet meer zo zeker.'

'Volgens mij is het een win-winsituatie.'

'Oké, maar op één voorwaarde. Ik wil niet dat je hier ooit nog komt. Dat meen ik. We gaan een keer uit, maar daar blijft het bij, oké? En ik zal eerlijk zijn, de enige reden dat ik dit doe is omdat ik nieuwsgierig ben. Ik heb nog nooit iemand zoals jij ontmoet. En vat dat niet meteen op als een compliment.'

'Wat jij wil.'

'Dit slaat helemaal nergens op. Ik wil dat je dat weet.'

'Oké,' zei Terry.

'Ik meen het,' zei ze. 'O god, dit wordt een gigantische vergissing.'

'Het was een gigantische vergissing,' zei Allison.

Ze was voor de derde keer klaargekomen, had het de laatste keer letterlijk uitgeschreeuwd en de wereld werd even zwart voor haar ogen. Ze omklemde met haar vuist Terry's haar en kon het niet loslaten. 'Nog een keer?' zei hij.

'O god. O god, nee, alsjeblieft.'

'Was het niet lekker?'

'Ik weet niet hoe je het voor elkaar krijgt, maar de meeste mannen kennen dat plekje niet eens. En ik weet niet of ik nog een keer wel aankan. Echt.' Allison lag op haar rug met Terry naast haar, op een elleboog leunend. 'Dit is afschuwelijk,' zei ze.

'Waarom?'

'Moet je horen,' zei Allison, 'vind je het erg om een paar minuten niks te zeggen? Ik geloof dat ik in katzwijm ga vallen.'

Ze deed haar ogen dicht en glimlachte tevreden. Terry kuste haar.

'Dit is helemaal verkeerd,' zei ze. 'Dit hoorde helemaal niet te gebeuren. Ik zou zweren dat je me bedwelmd had, maar dat is niet zo. En ik ben ook niet dronken. Je vertelde dat je in Londonderry op straat speelde en we zaten kreeft te eten en het volgende ogenblik lagen we hier.'

Ze waren op zijn boot. Het water klotste een paar centimeter bij haar hoofd vandaan tegen de romp en de seks was wonderbaarlijk geweest, zelfs met die poster waarop Gandalf op hen neerkeek. Ze vond deze Ierse klootzak echt aardig, maar ze wist dat ze op een of andere manier weer moest opstaan, naar huis moest en hem nooit meer mocht terugzien.

'Ik bedoel, ik heb mezelf beloofd dat dit niet zou gebeuren. Je weet niet wat voor puinhoop mijn leven momenteel is.'

'Misschien kan ik helpen er wat orde in te scheppen.'

'Dat gaat jou veel te ver boven de pet. Moet je horen, we kunnen dit niet nog een keer doen. Ik wil je niet meer zien, ik wil niet dat je nog in mijn buurt komt, oké?'

'Was de seks zo slecht?'

'Ik meen het echt. Ik mag je graag, maar ik wil niet dat een van ons gekwetst raakt. Je moet me geloven.'

Ze maakte aanstalten om uit bed te stappen.

'Ga nog niet,' zei hij. 'Blijf nog een paar minuutjes.'

Hij nam haar in zijn armen. Ze lag dicht tegen hem aan, ogen dicht, zachtjes ademend. Niet in slaap, maar veilig.

Haar mobieltje ging over. Ze stak een hand uit, greep naar haar tas, viste het eruit en keek naar de nummermelding.

'Shit, dit moet ik opnemen.'

Ze keek hem aan met een blik dat ze wat privacy wilde.

'Ik ga wel aan dek,' zei Terry.

Terry trok een short aan en ging naar boven. Hij stak een sigaret op en liep op zijn gemak naar de zijkant van de boot waar hij door een open raam kon horen wat ze zei.

'Nee, ik ben niet thuis… Nee, verdomme, met een vriendin. Met Rima, je kent Rima wel. Nee, in godsnaam, je moet hiermee ophouden… ik zeg je dat ik dit niet wil, je zet me te veel onder druk… Ja, oké… Oké. Hoor eens, ik ga nu naar huis. Ik kan nu niet praten, Rima staat op me te wachten, ik sta in de badkamer, jezusmina.. Ja… Ja… Dag.'

Toen Terry in de kajuit terugkwam, stond Allison zich aan te kleden om te vertrekken.

'Als dat je ex was, zou ik me niet zo door hem laten koeioneren,' zei Terry tegen haar.

'Nee, het was niet mijn ex. Was dat maar zo. Hem kan ik aan.'

'Wie het ook is, ik kan je helpen.'

'Vertrouw me nou maar, dat kun je niet. Is er ook een badkamer op dit geval?'

Terry wees naar het vooronder. Toen ze daar was, pakte hij

het mobieltje uit haar tas en keek naar het laatst ontvangen telefoontje. Richie. Toen ze terugkwam, zat hij op bed.

'Sorry, ik moet echt gaan. Het was fijn. Ik wil dat je dat weet. Echt fijn.'

'Hij laat je heus niet gaan, hoor,' zei Terry tegen haar. 'Niet zonder hulp.'

'Waar heb je 't over?'

'Ik ken Richie Stella. Ik weet hoe hij is als hij zijn zinnen op iemand heeft gezet.'

Allison staarde hem aan. Haar mond stond open alsof ze iets wilde zeggen, maar dat deed ze niet. Ten slotte schudde ze haar hoofd en lachte sardonisch naar hem. 'Wat ben je,' zei ze ten slotte. 'Een smeris?'

'Ik ben geen smeris, maar ik kan je helpen. Ik kan zorgen dat hij je met rust laat.'

'Voor wie werk je?'

'Iemand zoals jij. Iemand die het niet best met Richie voorheeft.'

Ze ging aan de andere kant van de hut aan tafel zitten, zo ver bij hem vandaan als in de kleine ruimte maar mogelijk was. Ze legde haar gezicht in haar handen. 'Je bent echt goed,' zei ze. 'Je bent de beste. Ik ben wat leugenachtige klootzakken tegengekomen in mijn leven, maar jij spant absoluut de kroon.'

'Hij houdt niet op. Dat weet je best. Uiteindelijk heeft hij je in zijn zak.'

'Hij heeft me al in zijn zak,' zei ze vermoeid. 'Hoe dan ook, ik zie niet zo veel verschil met jou. Jullie zijn allebei een akelig stuk vreten. Jij gebruikt me voor het een en hij gebruikt me voor iets anders.'

'Hij is alleen maar een waardeloze plurk. Hij is niet onaantastbaar. Jij kunt helpen hem ten val te brengen.'

'Nee. Hou jij je maar met je eigen vuile klusjes bezig.'

'Hij hoeft niet te weten dat jij het was. Daar komt hij nooit achter. Hij legt de link niet eens. Je weet dat ik gelijk heb, hè?

Hier komt geen eind aan tot Richie onder de groene zoden ligt. Dat weet je.'

'En als ik jou niet help, wat gebeurt er dan? Met welke stok ga jij me dan slaan? Iedereen heeft toch een stok? Richie heeft een stok tegen me. Wat is de jouwe? Waarmee kom jij op de proppen?'

'Niets,' zei Terry. 'Helemaal niets. Maar er verandert niets. Jij denkt dat hij je nu in zijn zak heeft, wacht maar eens af. Wacht tot je hem gaat vervelen, wellicht. Je weet waar ik het over heb. Daar heb je vast al over nagedacht. Misschien wil hij dat je een paar klusjes voor hem opknapt. Misschien vindt hij het wel fijn als je lief bent voor een vriend van hem. En ga me niet vertellen dat ik iets zeg wat je niet al weet.'

'Ik mag die baan niet kwijtraken. Ik moet voor m'n kind zorgen, ik heb een huis.'

'Je denkt dat als je maar niks doet, je toekomst min of meer veilig is, hè? Jij denkt dat hij je gewoon maar met rust zal laten? Je wilt je kind blijven zien, maar wat gaat er met je gebeuren? Denk je dat Richie zo'n geweldig rolmodel zal zijn? Hoe dan ook, Richie gaat te gronde. Ik weet niet hoe diep jij erin zit, maar ik kan je erbuiten houden. Je kunt weglopen.'

'Jij bent al net zo erg als hij.'

'Je weet dat dat niet zo is.'

'Wat is jouw belang hierbij? Het gaat niet om mij, dat weet ik. Waarom al die moeite? Waarom zit jij achter Richie aan?'

'Richie Stella heeft een hoop mensen kwaad gedaan. Los van de drugs en zijn banden met de maffia is hij verantwoordelijk voor de dood van een jong meisje en hij chanteert de kerel voor wie ik werk. Dit blijft allemaal doorgaan tot Richie wordt afgestopt.'

'Voor wie werk je dan?'

'Je weet dat ik je dat niet kan vertellen. Maar ik kan je wel zeggen dat Richie deze keer zijn slachtoffer slecht heeft gekozen. Mijn vriend heeft het geld en de macht om hem onderuit te halen. Richie heeft zichzelf deze keer overschat. Hij is zwak en hij is kwetsbaar. Hij is arrogant geworden en kan dus onderuitgehaald worden. Jij moet me daarbij helpen.'

'Kun je me beschermen? Kun je mijn zoontje beschermen?'

'Ja, dat beloof ik je. Je kunt zo uit deze toestand weglopen en een nieuw leven opbouwen. Mijn vriend kan je daarbij helpen. Geld is geen probleem.'

'Misschien lieg je wel,' zei ze. 'Misschien kan ik niet alles geloven wat je zegt. Waarom zou ik?'

'Omdat,' zei Terry, 'omdat het uiteindelijk allemaal op hetzelfde neerkomt, toch? Welke keus heb je? Als je bij Richie blijft en hij is klaar met je, dan schuift hij je naar iemand anders door of nog erger. Denk je dat je bij Richie ontslag mag nemen? Hij heeft zijn leven lang nog nooit iets uit zijn greep losgelaten. Wil je soms dat hij jou goede referenties geeft om vakken te gaan vullen in de supermarkt? Hij heeft je in zijn zak, liefje, hij houdt je daar en dat weet je maar al te goed. Nu is hij nog verdomd lief voor je, maar wat gebeurt er als het hem gaat vervelen? Misschien schuift hij wel een kilo heroïne in je reet en moet je dat de grens over smokkelen? Of je belandt in een hotelkamer en moet een of andere latino drugdealer pijpen omdat Richie hem een poosje koest wil houden. Hoe langer je blijft, hoe meer macht hij over je krijgt en hoe moeilijker het wordt. Wat gebeurt er dan met jou en Cody?'

'Als hij erachter komt dat ik je heb geholpen...'

'Daar komt hij niet achter. Je kunt mij op geen enkele manier aan hem linken. Er is geen link. Dit gaat allemaal via mijn vriend. Ik sta er zelf min of meer buiten. Ik zet alleen maar de raderen in gang. Daarna zijn we er allebei vanaf.'

'Kun je me beschermen?'

'Ja.'

Allison dacht na. Ze zat aan het tafeltje, stak een sigaret op, inhaleerde diep en dacht na. Ten slotte draaide ze zich naar Terry om en zei: 'Als je me weer belazert, als je mijn kind verdomme in gevaar brengt, dan weerhoudt me niets om je te vermoorden. Dat meen ik. Begrijp je? Ik had nooit gedacht dat ik dit ooit zou zeggen, maar ik vermoord je als je me belazert. Dat zweer ik op mijn vaders graf.'

Terry stond op om naast haar te gaan zitten, maar Allison duwde hem weg. 'Raak me verdomme niet aan,' zei ze. 'Blijf uit mijn buurt. Zeg wat je weten wilt en als dit achter de rug is, wil ik je nooit meer zien.'

11

Dus daar hadden we Potts, bij de supermarkt.

Potts was in de Safeway, liep de gangpaden op en neer, duwde dat stomme klotekarretje voor zich uit, de kar met het onvermijdelijke kapotte wieltje, dat ene dat altijd voor Potts wordt bewaard zodat hij zich een nog grotere lulhannes voelde dan hij zich op dit soort plekken normaal altijd al voelde. Potts haatte het hier, haatte al die felle lampen, de keurige mensen en die wijsneuzige winkelbediendes die zo van de middelbare school kwamen en op hem neerkeken alsof hij een stuk stront was terwijl hij zijn klote-Cheerio's en zijn klote-Hamburger Helper en zijn kloterige hulpeloos uitziende rollen drielagentoiletpapier op de kassaband zette. Waar Potts naar verlangde was zo'n Mexicaans pap-en-mamzaakje in El Paso, zo'n donker winkeltje waar je geen middelbareschooldiploma nodig had om erachter te komen van welke kant-en-klaarmaaltijd je het minst waarschijnlijk doodging, waar je misschien uit maar twee dingen hoefde te kiezen: wilde je zwarte bonen of *pinto's*? Waar je snel naar binnen kon wippen en snel weer buiten stond, en je je geen zorgen hoefde te maken over een of ander Starbucks nippende, aan haar mobieltje gekluisterde yup die je nog voor je het parkeerterrein zelfs maar bent overgestoken met haar SUV vermoordt.

Potts was niet gelukkig.

Hij zocht naar de perziken in blik. De laatste tijd had hij

een perziken-in-blik-tic. Als kind was hij er dol op, zijn lievelingstraktatie. Zijn moeder zette hem een of andere armetierige maaltijd voor – kip of hamburger, allebei goedkoop – en dan glipte Potts naar buiten het donker in, waar hij een blik perziken op sap had verstopt dat hij uit een of andere supermarkt had gestolen. Hij had een zakmes met blikopener en dan wrikte hij het blik perziken open, dronk in het donker eerst de siroop, spietste dan de stukjes gesneden perzik aan zijn mes en liet ze zo in zijn keel glijden. Jezus, dacht Potts. Wat worden we van shit gelukkig. Er komt een punt waarop je je realiseert dat je nooit meer zo gelukkig kunt zijn en dat het vanaf dat moment alleen nog maar bergafwaarts kan gaan, broer. Hoe noemen ze dat ook alweer? Afnemende meeropbrengsten.

Het andere was dat ze de spullen hier voortdurend verplaatsten. Potts kon de verdomde perziken niet vinden en als je het aan een van die klootzakkies vraagt, lijkt het alsof je ze stoort bij een hersenoperatie of zoiets. Of je loopt achter zo'n stomme lulhannes aan die het net zomin weet als jij en voor je het weet wordt het een reusachtige toestand en loop je met een stuk of vijf lulhannesen inclusief de manager rond om één stom blikkie perziken te vinden. Aan de andere kant zou je die klotezooi gewoon dag in dag uit op dezelfde plek kunnen laten staan waar die de vorige keer stond. Er was duidelijk een of andere reden, geld ongetwijfeld, waarom die klootzakken een spelletje met ons speelden, waarom ze ons steeds in de war wilden brengen. En dat gebeurde aan de lopende band. Potts kon er gewoon geen touw aan vastknopen.

Dus, hoe dan ook, hier hadden we Potts. Hij stond met zijn krakkemikkige, lampotige karretje midden in het gangpad en probeerde te bedenken waar hij zou zijn als hij een blik perziken was. Potts voelde iets achter zich en draaide zich om. Hij zag dat een kleine vrouw met een prettig gezicht achter hem stond te wachten. Hij blokkeerde het gangpad. De vrouw glimlachte liefjes naar hem.

'O. Shit,' zei Potts. 'Sorry.'

'Sorry,' zei de vrouw op haar beurt terwijl ze bleef glimlachen.

Potts sleurde zijn kar aan de kant om haar erlangs te laten. Hij ging verder met zijn zoektocht naar de perziken en vond ze ook, maar ze hadden alleen hele perziken, of suikervrije perziken of plakjes perziken of perziken met iets anders. Potts gaf het op. Potts werd nergens meer wijs uit. De wereld was een tranendal en je kon er helemaal niets aan doen.

Potts zag de vrouw opnieuw bij de zuivel. Ze stond bij de yoghurt, van die kleine bakjes die je gezonde mensen op tv zag leegslurpen. Ze was ongeveer van Potts' leeftijd. Ze droeg een lichtblauwe doorknoopjurk en toen ze naar de yoghurt omhoog reikte, zag Potts dat ze een behoorlijk goed figuur had en mooie benen. Ze was klein en stevig, en ze had het gezicht van een middelbareschooljuf. Potts dacht er verder niet meer over na. Ze was zijn type niet. Maar ze deed hem denken aan al die leraressen op wie hij als kind was gevallen, de reeks niet-betoverende vrouwen in simpele jurken die hem elke keer als ze zich over hem heen bogen om zijn werk te corrigeren toch nog een stijve wisten te bezorgen. Potts stond nu op de vleesafdeling en bedacht welk soort gehakt hij wilde.

Hij kwam haar weer tegen bij het sanitaire spul. Ze pakte nonchalant een groot pakket wc-papier en liet dat in haar kar vallen, alsof het de gewoonste zaak van de wereld was, wat natuurlijk ook zo was. Potts daarentegen kon nog geen ról wc-papier pakken als dat verdomde gangpad niet helemaal verlaten was, en dan nog begroef hij die onder de andere spullen in de kar. Alsof in Potts' universum niemand ooit hoefde te poepen. Ze glimlachte nogmaals naar Potts terwijl ze met haar grote pak pleepapier langs Potts heen liep en Potts bewonderde haar, bewonderde het gemak waarmee ze zich door de wereld bewoog en dat hij nooit zou hebben. Potts snoof een soort parfum op toen ze passeerde of misschien was het wel zeep. Hij zag voor zich hoe ze over zijn tafeltje heen boog, hem vriendelijk uitlegde wat een lulhannes hij in wiskunde was, hoe hij haar geur inademde en zijn oor langs de stof van haar jurk streek en bad, bad, dat ze hem niet naar het bord zou roepen, vanwege zijn kleine, maar trotse en opvallende negenjarige stijve lul.

Hij zag haar niet meer in de winkel. Hij keek of ze bij de kassa stond, maar ze was al weg. Potts betaalde en liep met zijn paar boodschappen zonder perziken naar buiten, twee tasjes maar. Ernaast zat een Starbucks. Potts had niet ontbeten en had trek in koffie. Normaal gesproken wilde hij daar nog niet dood gevonden worden. Het zat er altijd vol middelbare scholieren, leuke meisjes die onthullende kleding droegen, en Potts voelde zich er altijd een viezerik. Ik bedoel maar, het was niet meer dan menselijk dat je keek, maar toch voelde je je een viezerik, en erger nog, je was ervan overtuigd dat ze wisten dat je keek en dat je absoluut een viezerik was. Potts ging er toch naar binnen omdat hij vergeten was koffie te kopen. Wat hij echt graag wilde was een simpele kop Folgers, maar hij gaf zich over aan een of andere kloterige koffienaziondervraging en kreeg uiteindelijk iets uit Sumatra in de maag gesplitst, in een driehoekige kegelvorm. Waar lag Sumatra trouwens? Nog zo'n plek die ze speciaal hadden uitgevonden om je onder de neus te wrijven dat je er niet thuishoorde. Hij keek of hij ergens kon zitten en zag de vrouw in haar eentje aan een hoektafeltje zitten. Ze zat een boek te lezen. Naast haar was een tafeltje vrij. Ze glimlachte hem breed toe. Potts ging zitten.

Ze zei: 'Hoe krijg je die boodschappen met die motor van je thuis?'

Potts was verbaasd. Hoe wist ze dat hij een motor had?

'Dat is een truc,' zei hij.

'Dat zal wel, ja. Je sjort ze op een of andere manier op je stuur?'

'Ik heb fietstassen – zadeltassen. Ik stop de boodschappen in die fietstassen.'

Ze lachte. 'Zo simpel dus. Ik had de fietstassen niet gezien. Mensen maken de dingen altijd ingewikkelder dan ze zijn.'

'Ja, dat zal wel,' zei Potts. 'Hou je van motoren?'

'Mijn broer hield ervan. Hij nam me soms mee achterop. Toen was ik nog klein. Destijds vond ik dat het opwindendste wat er was.'

'Dat is nog steeds zo. Wat is er met je broer gebeurd?'

'Nou denk je vast: tragisch motorongeluk. Maar nee, hij trouwde, kreeg verantwoordelijkheidsgevoel en stopte ermee. Ik geloof dat ik hem leuker vond toen hij nog wild en onverantwoord bezig was.'

'Niet alle motorrijders zijn wild en onverantwoordelijk,' zei Potts, hoewel hij zonder meer geloofde dat hij dat wel was.

'O, god, sorry. Zo bedoelde ik het niet. Wat stom van me.'

'Het geeft niet, hoor. Ik weet wat je bedoelde.'

'Dank je dat je het zo sportief opvat.' Ze keek op haar horloge. 'Ik moet ervandoor. Leuk om even met je gepraat te hebben.'

'Insgelijks,' zei Potts.

Ze schonk hem weer een van haar glimlachjes. Potts keek haar na toen ze het zonlicht in liep. Hij stelde zich zo voor, wat hij bijna bij ieder fatsoenlijk mens deed die hij tegenkwam, hoe haar leven er thuis uit zou zien. Hoe dan ook, bij Potts thuis ging het er heel anders aan toe.

12

Een tv-scherm. Een interview met Bobby Dye.

BEV METCALF *(in de camera)*: Hallo, ik ben Bev Metcalf, en vandaag zijn we op de set van *Wildfire*, de nieuwe film met in de hoofdrollen Bobby Dye, Amanda Redress en Sir Ian Whateley. En we praten nu met Bobby Dye... Bobby, we hebben je voor dit interview weten te strikken. Wauw, je hebt het hartstikke druk, hè?

BOBBY: Ja, we draaien nu een hoop scènes en ik maak lange dagen,maar ach, het is het allemaal waard. Het maakt veel uit wanneer je als acteur aan een film werkt waar je echt trots op bent. Dan geef je alles wat je hebt.

BEV: Kun je ons vertellen waar de film over gaat?

BOBBY: Nou, het is zo'n soort film die ze vandaag de dag niet meer maken, althans, niet meer sinds David Lean. Het is een episch verhaal, over een ranchfamilie in Montana rond de eeuwwisseling. Ik ben Chad Halliday, een rebelse zoon, en Sir Ian is mijn vader, een machtige rancher die niet alleen moet vechten om zijn ranch uit de handen van corrupte landontwikkelaars te houden, maar ook tegen een reusachtige bosbrand die hem van de kaart dreigt te vegen.

BEV: Dat klinkt symbolisch, zo'n om zich heen slaande bosbrand...

BOBBY: O ja. Dat was een van de dingen die me in het script zo aantrokken, die hele omgeving, de oprukkende industrie in de natuur, en de vernietiging van een complete manier van leven. Ik bedoel maar, dat gebeurt nu weer. Kijk maar eens naar de regenwouden.

BEV: Wauw!

BOBBY: En Amanda speelt uiteraard mijn halfzuster, op wie ik verliefd word...

BEV: Wat? O, dat klinkt behoorlijk pikant!

BOBBY: Nou ja, ik mag natuurlijk niet vertellen hoe het afloopt. Maar uiteindelijk komt alles goed. Ik bedoel, er gebeurt niets aanstootgevends. Dus de kinderen kunnen gewoon mee. Deze film is voor het hele gezin.

BEV: Hoe is het om met Amanda Redress te werken? Dit is haar eerste serieuze filmrol, hè, na haar fabelachtige carrière als popster.

BOBBY: Amanda is een pop, echt een lieverd. De pers haalde altijd zo hard naar haar uit, zo oneerlijk, dat je verwachtte met een arrogante diva te maken te krijgen. Maar zo is ze helemaal niet. Ze is zonder meer een prof, ze komt op tijd, kent haar tekst en ze heeft een enorme intuïtie. Ik vind het heerlijk om met haar te werken. En als mensen de film gaan zien, zullen ze heel iemand anders te zien krijgen dan ze in de pers wordt voorgespiegeld. Ik bedoel, als je een nul zou zijn, sleep je niet zo'n rol in de wacht. Het vergt veel concentratie en oprechte toewijding. Die heeft ze allebei.

BEV: En Sir Ian Whateley…

BOBBY: Wat moet ik van hem zeggen?

BEV: Was je zenuwachtig?

BOBBY: O, hemeltje. Zenuwachtig, daar komt het nog niet eens bij in de buurt. Verlamd misschien. Verstijfd, ik durfde geen woord uit te brengen. Daar is hij, die… legende. Ik ben met zijn films opgegroeid. Ik wilde Ian Whateley zíjn. Dus eigenlijk weet ik niets te zeggen en hij komt naar me toe en begint met die verbazingwekkende stem van hem tegen me te praten, je weet wel, met dat volle, bombastische Britse accent…

BEV: Onmiskenbaar…

BOBBY: En hij is de vriendelijkste, aardigste man die er op de wereld rondloopt. Je voelt je zo bij hem op je gemak, dat je dat hele 'Sir Ian'-gedoe vergeet. En hij is ongelooflijk grappig. Hij heeft een vulgair soort gevoel voor humor – o jeetje, misschien had ik dat niet moeten zeggen – maar hij is, nou ja, een jolige vent. Als we bij elkaar zijn, lachen we de hele tijd. We lijken wel twee schooljongens, Mark…

BEV: Mark Sterling, de regisseur…

BOBBY: Mark moet ons dan apart nemen en ons tot de orde roepen. Als we een scène doen en beginnen te grinniken, dan komt Mark met 'time out' en moeten we elk aan een kant van de set zitten tot we uitgegrinnikt zijn.

BEV: Het lijkt wel een droom.

BOBBY: O ja, het is ook een droom. Dat ik met al die fantastische mensen mag samenwerken, en dan dat briljante script van Denny Kessel, die een Oscar heeft gewonnen voor *Lowdown*, en Mark Sterling is een fantastisch regisseur... Ja, het is net een droom. Soms moet ik mezelf in de arm knijpen.

BEV: Denk je dat er een Oscar in zit? De geruchten zijn geweldig.

BOBBY: O jeetje. Daar wil ik niet eens over nadenken. Weet je, je gaat er gewoon naartoe, je doet je stinkende best, geeft alles wat je hebt. Ik bedoel, een Oscar... Allemaal leuke mensen, net als mijn werk, maar uiteindelijk gaat het er toch om dat je je fans tevredenstelt, hè? En dat je probeert een mooie film te maken.

BEV: Dank je, Bobby, dat je even met ons hebt willen praten.

BOBBY: Graag gedaan, Bev.

Bobby en Spandau waren in Bobby's huis. Ze zaten voor een reusachtige plasma-tv en aten Buffalo-kipvleugels die ze wegspoelden met een dure fles Napa-zinfandel.

'Ze is zo geil als boter,' zei Bobby om een kipvleugel heen. Hij zette de dvd achteruit en speelde het opnieuw af. 'Daar, zie je dat? Zoals ze daar lacht en naar voren buigt, dat giecheltje. Ze droeg geen bh. Op het scherm zie je het niet, maar die schatjes waren op de display. Ze heeft me haar telefoonnummer gegeven.'

'Je leven is echt één grote hel,' zei Spandau.

'Vind je dat deze wijn wel bij de kip past? Het is een zín.'

'Ik vind 'm prima, hoor.'

'Ik geloof niet dat Franse wijn het goed zou doen. Ik heb zo'n honderd Franse wijnen in de kelder. Ik ben er inmiddels aan verslaafd. Of zouden we er een biertje bij moeten nemen? Wijn met kipvleugels is behoorlijk kakkig, vind je ook niet?'

'Hé, het is prima zo. Ik weet niet wat de laatste trend is voor wijn en kip, maar mij smaakt het goed. Zit er maar niet over in.'

'Jezus, weet je dat mijn moeder in een fabriek heeft gewerkt? Ze heeft dertig jaar lang blikopeners gemaakt, je weet wel, waarbij je aan het vleugeltje moet draaien? Ik zit een mooie fles wijn te drinken en kan daar maar niet overheen komen.'

'Je hebt succes. Geniet ervan.'

'Nouveau riche. Ik denk dat iedereen naar me kijkt, wacht tot ze me op een fout kunnen betrappen. Dat ik de verkeerde wijn bestel, met de verkeerde vork eet. Verdomme, ze houden me echt in de gaten. Ik kan niet eens soep met crackers in het openbaar eten, weet je dat? Ik kan verdomme niet eens meer een schaal chili naar binnen werken, voor het geval ik mors en het uiteindelijk ergens in een krant terechtkomt.'

'Dat is nu eenmaal de prijs. Je bent niet zo naïef dat je dat niet wist.'

'Niet dat het zo erg was. En nu heb je al die mobieltjes met camera. Ik durf niet eens meer op een openbaar toilet te schijten, iemand schuift misschien zo'n ding onder het tussenwandje door en gaat er vervolgens mee op de loop. Een enorme foto op het internet van mij op de pot, met mijn broek op m'n enkels.'

'Er bestaan privacywetten.'

'Ga je een veertienjarige aanklagen? Tegen de tijd dat je er verdomme achter bent, is het al te laat.'

'Ooit in Mexico-Stad geweest?' vroeg Spandau aan hem. 'Rij maar eens door de buitenwijken. Daar zijn mensen die kunnen niet anders dan in de open lucht poepen, omdat ze nergens anders heen kunnen.'

Bobby gooide zijn kipvleugel neer. 'Jezus, wat ben jij eigenlijk? Een moraalridder? Mijn verdomde geweten? Ik vertel je hoe ik me voel en jij probeert het te bagatelliseren, er minder van te maken dan het is?'

'Bedaar een beetje, zeg.'

'Sodemieter op, man. Ik dacht dat ik met jou kon praten. Dat kan ik met niemand meer. Ik kan zelfs niet eens meer met mijn moeder praten, of met mijn verdomde broer. Dan komen ze altijd weer met dezelfde shit. Denk je dat ik niet weet hoeveel geluk ik heb? Maar denk je dat ik daardoor meer mensen kan vertrouwen? Hoeveel mensen kan ik vertrouwen, denk je? Hoeveel vrienden heb ik tegenwoordig, denk je?'

'Ik wilde het niet bagatelliseren. Ik wilde het alleen in het juiste perspectief plaatsen. Jij bent niet de enige met problemen.'

'Ja, maar die mensen in de sloppenwijken van Mexico-Stad, die hebben pas problemen. Maar zij hebben het ene soort problemen en ik het andere. Zij hebben elkaar tenminste nog. De plek waar ik zit, lijkt wel op een soort wespennest.'

'Ik heb met je te doen.'

'Ik wil niet dat je het vervelend vindt, ik wil dat je luistert.'

'Hé, misschien is dit gewoon mijn ding niet.'

'Hoezo? Waarom interesseert 't je verdomme niet? Wil je soms alleen maar je werk doen en naar huis gaan?'

'Tegen mij praat je omdat je denkt dat ik veilig ben, omdat je weet dat ik het niet kan rondbazuinen, omdat ik net zo goed met handen en voeten gebonden zit aan dat klotegeheimhoudingscontract dat iedereen hier moet tekenen. Waarom ik? Moet je horen, als je een hielenlikker zoekt, dan heb je nu de verkeerde voor je. Als je iemand in je buurt wilt die je vertelt hoe fantastisch je bent en je ook nog zielig vindt omdat je een bevoorrechte klootzak bent, dan ben je bij mij aan het verkeerde adres.'

'Ik dacht dat we vrienden waren.'

'Ik ben je vriend niet, ik ben gewoon iemand wiens hulp je hebt ingeroepen. Ik ben net als de dienstmeid of de tuinman. Ik ben ingehuurd en word daarvoor betaald. En eerlijk gezegd zou ik niet willen dat je doet alsof het anders is. Dat is beledigend.'

'Wat moet ik dan doen? Je ontslaan, en kunnen we dan misschien maatjes worden?'

'Ja. Ontsla me en kijk dan eens hoe lang het duurt.'

'Nee.'

'Waarom niet?'

'Omdat ik je nodig heb. Ik heb je hulp nodig om hierdoorheen te komen.'

'Waardoorheen? Die toestand met Richie? Duizenden mensen kunnen hetzelfde als ik. Ik weet niet eens of ik er iets mee bereik, behalve dat ik jouw geld aan het verspillen ben.'

'Sodemieter dan maar op. Stop ermee.'

'Nee.'

'Waarom niet?'

'Beroepseer. Dan lijk ik een klootzak.'

'Kletskoek. Vind je dat beter dan ontslagen worden?'

'Oké, jij je zin. Ik stop ermee.'

'Prima. Je weet waar het gat van de deur is. Maar denk je nou echt dat de volgende vent die ik inhuur net zo goed is als jij? Of zelfs beter? En de volgende, kan ik die volgende kerel wel vertrouwen? De volgende vent kan me wel laten vermoorden.' Spandau gaf geen antwoord. 'Nou heb ik je mooi te pakken, maatje.'

'Je bent echt onuitstaanbaar.'

'Geef 't maar toe. We zijn maatjes.'

'Nee, lulhannes, en je kunt m'n rug op met die fantasie van je over een emotionele band tussen mannen. Ik blijf tot die klotezooi met Richie op een of andere manier is opgelost. En daarmee basta.'

'Tuurlijk,' zei Bobby. 'Nog wat wijn? Volgens mij is zinfandel helemaal prima.'

Terry en Spandau zaten in Pancho's Mexican Grill op Olympia. Ze dronken een biertje en Terry plukte als een bezetene aan een kom nacho's. Terry had de pest aan Mexicaans eten. Hij was ergens zenuwachtig over en daar werd Spandau op zijn beurt weer zenuwachtig van. Hij hoorde Corens woorden in zijn achterhoofd weergalmen: daar krijgen we nog gelazer mee.

'Heb je het meisje gesproken?' vroeg Spandau.

'Ja.'

'En?'

'Weet je zeker dat je haar hierbij wilt betrekken?' vroeg Terry aan hem.

'Ze is er niet bij betrokken,' zei Spandau. 'Zij hoeft alleen Richie maar te vertellen dat je navraag naar haar hebt gedaan, dat is alles.'

'Ja, maar stel dat ze dat niet doet?'

Spandau begon zich nu zorgen te maken en dat was aan zijn stem te horen. 'Wat bedoel je, als ze dat niet doet? Ze werkt voor hem, ze houdt haar eigen straatje heus wel schoon. Natuurlijk zegt ze dat tegen hem.'

'En stel nou dat ze vergeet 't hem te vertellen, om welke reden dan ook? Stel dat Richie erachter komt? Stel dat Richie niet gelooft dat ze haar mond heeft gehouden?'

'Hé, ze gaat 't hem echt vertellen. Natuurlijk doet ze dat.' Spandau keek hem aan. 'Shit.'

'Kijk niet zo naar me,' zei Terry.

'O, god. Pathetische Ierse klootzak die je bent. Ik ken die kop. Niet wéér.' Spandau kon hem wel slaan. Ergens in zijn borst trok er iets akeligs aan hem, als het eerste rafeldraadje van een strak geweven trui.

'Je moet haar zien, David. Ze is levende poëzie, en dat is ze.'

'Je kent haar niet eens.'

'Ze is een oude ziel. Zo veel zie ik wel.'

'Je bent toch niet met haar naar bed geweest, hè? O, in hemelsnaam, dat heb je echt gedaan, hè?' Hij dacht koortsachtig na over hoe hij dit aan Coren zou moeten uitleggen, hoewel hij wist dat hij maar één ding kon doen.

'Ik werd overvallen door hartstocht, niks meer en niks minder.'

'Ja, en we worden allemaal door een shitorkaan overvallen als Richie ontdekt dat je daar was. Wat dacht je nou helemaal? Weet je wel in wat voor positie je haar hebt gebracht?'

'Jezus en Maria, ik denk aan niks anders.'

'Nou, je wordt bedankt. Daarmee ben je behoorlijk waardeloos geworden, waar of niet?'

'Ze wil meedoen,' zei Terry tegen hem.

'Waaraan meedoen? Waar heb je het over?'

'Ik heb met haar gepraat. Ik heb haar verteld dat we Richie Stella ten val willen brengen. Ze wil helpen. Het is voor haar ook de enige manier om van hem af te komen.'

'Godallemachtig, Terry, wat heb je gedaan? Wat heb je haar allemaal verteld?'

'Ze weet niks van jou of Dye. Ze weet alleen dat ik een vriend met geld heb die achter Richie aan zit en dit in gang zet. Zij zit er middenin, David. We hebben haar nodig. Ze kan ons helpen.'

'Jezus.'

'Jij wilde meer weten over die crack. Richie laat elke donderdagavond een voorraad halen, kant-en-klaar voor het weekend. Hij stuurt die grote kerel, Martin. Martin haalt het op.'

'En verder, Terry? Wat heb je haar verdomme beloofd?'

'Dat ze veilig is. Dat wanneer we Richie neergehaald hebben, ze van hem verlost is.'

'Heb je haar geld beloofd?' vroeg Spandau. 'Heb je haar een klote-Rolls-Royce en een villa aan de Rivièra beloofd? Weinig kans dat we die beloften kunnen waarmaken, wel?'

'Sorry, David.'

'Je ligt eruit. Je houdt je gedeisd terwijl ik doorga en het een en ander boven tafel probeer te krijgen. En blijf verdomme bij haar uit de buurt, ja!'

'Erewoord.'

'In dat geval zijn we flink de lul,' zei Spandau.

13

Potts zag haar een week later weer, bij de bank in datzelfde winkelcentrum. Potts had een rekening op de bank, maar wilde er liever niet naartoe. Toen hij de rekening had geopend, had hij zich klote gevoeld. Potts en zijn pisbeetje geld, nauwelijks genoeg om al dat verdomde papierwerk te rechtvaardigen. En dat wisten ze. Potts zat daar in de leren stoel te wachten op dat mooie meisje met getoupeerd haar en enorme tieten die hem zogenaamd moest 'assisteren'. Potts sloeg de passerende degelijke burgerij gade terwijl de degelijke burgerij Potts in zijn stoel gadesloeg. Ze wisten dat Potts van het soort was dat wel eens bij hen thuis zou kunnen inbreken. En ze hadden natuurlijk gelijk, maar dat was niet wat Potts ze kwalijk nam. Hij haatte ze omdat ze niet eens de moeite namen om het te verbergen. Potts was niet belangrijk genoeg, tegen Potts hoefde je niet beleefd te zijn. Ze liepen langs hem heen en keken gemelijk naar Potts, vroegen zich af waar het met de wereld naartoe ging, dit was vroeger zo'n keurige bank, misschien werd het wel tijd om hun geld elders te parkeren. Het meisje met de grote tieten 'assisteerde' Potts nerveus en snel, wilde dat het maar achter de rug was, terwijl de bewaker Potts vanaf de andere kant van de ruimte voortdurend in het oog hield, wachtend tot hij een uzi tevoorschijn zou halen en op mensen zou gaan schieten. Zijn hele leven lang hadden mensen al tegen Potts gezegd dat hij ooit iemand zou vermoorden, maar Potts kon het niet begrijpen. Potts was in wezen een vreedzaam mens die misschien iets te snel in paniek raakte. Potts vroeg zich soms af of andere mensen een soort kern van haat in hem zagen die hijzelf niet zag, maar uiteindelijk vond hij dat maar achterlijk. Hij had aan niemand een hekel, wilde niemand vermoorden, had nooit iemand vermoord. Goed beschouwd wilde hij alleen maar met rust gelaten worden en zijn dochter terugkrijgen. Hij dacht niet dat je dat kon bereiken door iemand te vermoorden.

Zo nu en dan moest Potts wel naar de bank om geld op te nemen. Ze hadden hem wel zo'n klotekaartje gegeven voor de pinautomaat, maar Potts kon nooit zijn pincode onthouden en was als de dood voor die apparaten. Dus moest hij naar de bank om een cheque uit te schrijven terwijl ze naar hem keken alsof hij een mafkees was. Elke keer dat hij dat moest doen, werd hij misselijk, dus ging hij er zo weinig mogelijk heen. Vandaag was Potts ook naar de bank geweest om geld op te nemen en stond zoals gewoonlijk weer buiten met het gevoel dat hij bagger was. Hij stapte op zijn motor, startte die en gaf loeiend gas, waarmee hij de aandacht trok en hij zich beter voelde. Hij zag Ingrid de parkeerplaats op rijden en reed naar haar toe. Ze glimlachte naar hem door de autoruit en zwaaide, en Potts, die een jolige bui had, draaide op zijn motor een paar rondjes om haar auto, zoals een indiaan om een huifkar cirkelt, zo dichtbij dat ze haar portier niet open kon doen. Potts zag haar lachen en dat gaf hem een goed gevoel. Hij stopte de motor en Ingrid stapte uit de auto.

'Nu weet ik hoe generaal Custer zich gevoeld moet hebben,' zei ze.

Potts wapperde met zijn hand voor zijn mond en maakte een *woe-woe*-indianengeluid. Ingrid moest lachen. Altijd als ze lachte, deed dat iets met Potts. De bankbewaker liep naar hen toe en staarde Potts boos aan.

'Alles in orde, miss Carlson?'
'Dank je, Mark, alles is prima in orde.'
De bewaker keek Potts waarschuwend aan en liep terug naar zijn post.
'Sorry,' zei Ingrid tegen Potts.
'Jij hoeft je niet te verontschuldigen, hoor.'
'Ik woon hier al bijna m'n hele leven. Dan gaan mensen je beschermen. Ik heb met Mark op school gezeten. Soms is het wel prettig. Maar vaak zit 't je ook in de weg. Soms ben ik liever anoniem, ergens waar niemand me kent. Waar kom jij vandaan?'
'Texas.'
'O, dat had ik aan je accent wel kunnen horen. Je klinkt als een cowboy.'
'Ik ben geen cowboy,' zei Potts.
'Ik heet trouwens Ingrid Carlson. Hoe heet jij?'
'Potts.'
'Geen voornaam?'
'Heb ik een hekel aan,' zei Potts.
'Vast iets godsdienstigs,' zei ze.
'Hoe weet je dat?'
'Zo werken die dingen nou eenmaal. Ezechiël, of zoiets, ja? Je zou een Ezechiël kunnen zijn.'
'Ja, warm.'
'Obadjah?'
Potts lachte. 'Van mij krijg je het niet te horen.'
'Ik geef nooit op, ook al moet ik het hele Oude Testament doorwerken.'
Potts keek naar de bewaker, die hem nog steeds in de gaten hield.
'Nou,' zei Potts. 'Ik moest maar eens gaan. Je vriend daar wordt een beetje zenuwachtig.'
'We kunnen een kop koffie gaan drinken. Krijg ik de tijd om die naam uit je te wringen.'
'Ja, oké.'

Potts parkeerde de motor naast haar auto en ze liepen naar de Starbucks terwijl de bewaker ziedde van woede. Potts zag zo dat de bewaker haar leuk vond en hij vroeg zich af of ze ooit met elkaar uit waren geweest. Maar hij noemde haar 'miss Carlson', dus dat zou wel niet. Maar het idee dat hij jaloers was stond Potts wel aan.

Potts en Ingrid bestelden koffie en gingen achterin aan een tafeltje zitten.

'Wat doe jij voor de kost?' vroeg Potts, alleen maar om iets te zeggen.

'Ik ben lerares. Ik geef muziekles.'

'Ja, je ziet er ook uit als een lerares.'

'Dat zal wel, ja.'

Verdomme, dacht Potts. Foute tekst. 'Nee, ik bedoel, het is echt leuk. Je ziet er, kweenie, leuk uit.'

'Leuk en saai.'

'Nee, helemaal niet. Ik bedoel...'

'Laat maar zitten. Ik weet dat ik niet moeders mooiste ben.'

'Nee, je bent...' Potts begon te zweten. 'Alles wat ik zeg is verkeerd.'

'Zeg nou maar gewoon wat je op je hart hebt. Dat is oké. Je trapt heus niet op m'n ziel, hoor.'

'Het is niks vervelends, integendeel juist...'

Ingrid glimlachte. Ze hield er wel van met hem te spelen. 'Is dat een compliment?'

'Ja.'

'O, nou, een complimentje kan ik wel gebruiken,' zei ze. 'Maar ik laat je er toch niet mee wegkomen. Nu moet je 't me wel vertellen.'

'Je zult me uitlachen.'

'Je bent zo'n ongelooflijke leukerd om te plagen. Hoe zit dat met mijn complimentje?'

'Je maakt het me niet makkelijk.'

'Nee.'

'Ik vind het fijn om met je te praten. Ik wilde je al aanspreken toen ik je voor het eerst in de supermarkt zag.'

'Waarom deed je dat dan niet?'

'Een kerel zoals ik... je weet wel. Nogal grove vent. Ik dacht dat je zou gaan gillen.'

'Zou 't je verbazen als je wist dat ik jou ook wilde aanspreken?'

'O ja?'

'Soms is grof wel leuk. Aantrekkelijk. Iedereen die ik tegenkom is zo, hoe zeg je dat, keurig. Laat me je handen zien.'

'Nee, ze zijn...'

'Kom op.'

Potts stak zijn handen uit. Ze streek met haar vingers over zijn handpalmen. Potts had het gevoel alsof hij een elektrische schok door zich heen kreeg en geen kant op kon.

'Mijn vaders handen,' zei Potts tegen haar. 'Dommeklootzakhanden, zo noemde hij ze altijd. Domme klootzakken die geen keus hebben.'

'Ik vind ze prachtig.'

'Ja ja.'

'Ik meen het.'

Potts trok ze terug.

'Die vriend van je, Mark, ik durf te wedden dat hij zachte handen heeft, als een baby.'

'Je bent boos.'

'Nee, het komt gewoon omdat als ik mensen als jij tegenkom, ik me weer realiseer wie ik ben en ik acuut weer op mijn plaats word gezet.'

'Dat bedoelde ik niet en dat weet je best.'

'Ik ben een motorfietsmonteur. Dat is een eerlijk vak. Ik heb mijn hele leven hard gewerkt. Als je met je handen werkt, worden ze nu eenmaal ruw. Daar is niks moois aan. Kijk...'

Hij pakte haar arm en streek met zijn eeltige wijsvinger langs de binnenkant. Op het zachte vlees bleef een roze plek achter. Ze rilde een beetje en Potts vatte dat op als afkeer.

'Dat is niet mooi,' zei Potts. 'Dat wil een vrouw niet.'

'Hoe weet jij nou wat een vrouw wil?' zei Ingrid.

Potts staarde haar aan, in de war. Ingrid keek op haar horloge.

'Ik moet ervandoor,' zei ze. 'Ik moet weer naar mijn moeder, kan haar niet te lang alleen laten.'

'Natuurlijk,' zei hij en hij dacht dat hij haar had weggejaagd.

Toen zei ze snel: 'Ik zou het leuk vinden als je een keer bij me komt eten. Wil je dat?'

Potts wist niet precies of hij haar wel goed had verstaan. Het duurde even voor hij antwoord gaf. 'Ik ben niet van het gezellige soort. Ik ben geen leuk gezelschap voor je mooie vriendinnen.'

'Verder niemand, alleen jij en ik. En misschien mijn moeder, hoewel die meestal in haar kamer eet. Kom je?'

'Meen je dat?'

'Ik kan goed koken. Wat dacht je van gestoofd rundvlees? Je lijkt me wel iemand die van een lekkere stoofpot houdt.'

Potts geloofde met heel zijn hart dat dit een vergissing was, dat dit verkeerd zou eindigen, dat hij om die reden in de shit zou belanden. Alles wat zijn vader vroeger ooit had gezegd over buiten je eigen sociale klasse rondbanjeren, dat je iets wilde wat boven je stand ging, racete brullend als een goederentrein door zijn hersens. Dit soort mooi dingen gebeurden niet in het echte leven, niet voor kerels als Potts. Als het wel zo was, was het een klotetruc of een grap van God om je een beetje onder te schoffelen. Dat zei zijn vader altijd tegen hem. Maar Potts was een sukkel, Potts was een verdomde idioot, Potts tuinde er weer in, Potts zei: 'Ja, tuurlijk, oké.'

Ingrid haalde een opschrijfboekje tevoorschijn, krabbelde haar telefoonnummer en adres op een papiertje en gaf dat aan hem. 'Dinsdagavond om zeven uur. Het adres en telefoonnummer staan erbij. Je laat me toch niet zitten, hè?'

'Nee,' zei Potts, hoewel hij daar niet zeker van was.

'Dan kijk ik ernaar uit om je weer te zien, meneer Potts,' zei ze.

'Potts,' zei Potts. 'Gewoon Potts.'

14

Om half zeven 's avonds hielden ze het voor gezien en om acht uur was Bobby afgeschminkt en stapte hij in de auto. Hij was veertien uur op de set geweest, en ondanks het geld, de schaars geklede glamourgirls, de roem, de auto's en het mooie huis boven op een berg, had Spandau bijna medelijden met hem. Hij voelde dit wel vaker voor acteurs. Hun leven zag er helemaal niet zo uit als de mensen dachten, en wat ze ook deden, alles ging altijd in uitersten. Van alles te veel of te weinig en uiteindelijk ging je door beide op geniepige wijze onderuit. Het was akelig om voor een hongerloontje en met veel moeite je vak goed uit te oefenen, terwijl niemand dat in de gaten had of er iets om gaf. Maar het was waarschijnlijk net zo akelig om als een of andere Straatsburgse gans zo volgestopt te zitten met roem en geld dat je geïsoleerd raakte van de mensen om je heen, tot het moment dat je het contact kwijt was met alles wat jou tot een acteur had gemaakt.

Het was een rotdag geweest. Niet zo moeilijk als andere, want op de set was alles goed gegaan, maar Mark was een klootzak omdat hij zijn hoeveelheid shots had willen halen. Dus het waren lange dagen. Sommige acteurs klaagden dat ze opgejaagd werden maar iedereen wist dat het nog erger was als ze achter op schema zouden raken. Het was goedkoper en makkelijker om een paar uur per dag langer door te werken dan extra dagen te moeten draaien. Die werden in het budget ingecalculeerd, maar Mark dramde toch door. Mark was niet zo'n regisseur die tegen de producers zei dat ze de boom in konden. Hij werd al zenuwachtig en begon al over zijn schouder naar de Krijtstrepen te kijken wanneer die op de set kwamen. De Krijtstrepen wisten dat en haalden om die reden Mark vaker het bloed onder de nagels vandaan dan ze normaal zouden doen. Het was hoe dan ook weinig inspirerend, en nu zag iedereen als een berg tegen Wyoming op omdat ze verwachtten dat Mark daar zou instorten. Regisseurs kunnen het zich niet veroorloven nerveus te worden en zelfs als ze dat werden, dan konden ze het zich niet veroorloven dat te laten merken. Dat is als bloed in zeeën waar het wemelt van de haaien. Inmiddels was het algemeen bekend dat er in Wyoming op een bepaald moment een collaps aan zat te komen, wanneer de cast en crew er genoeg van kregen en Mark zouden vertellen dat hij hun rug op kon. En Mark zou uit zijn dak gaan omdat hij als de dood was voor de Krijtstrepen, en inmiddels hadden de Krijtstrepen hem in hun zak en zouden ze hem maar al te graag opofferen om dit hele gedoe ver onder het budget af te maken. Een budget dat feitelijk vijftien miljoen dollar hoger lag dan ze Mark hadden verteld of op papier hadden toegegeven. Hollywoodfilms opereren op een 'dat moet je weten'-basis, en Hollywoodproducers zijn van mening dat je helemaal niets hoeft te weten.

Zonder schmink zag je de nieuwe rimpels in Bobby's gezicht en de wallen onder zijn ogen. Hij was ongebruikelijk stil en bewoog zich traag, hij leek zichzelf uit de trailer in de wachtende auto te slepen. Acteren is niet zoiets als greppels graven voor de kost, en het grootste deel van de tijd zit je op je krent. Alleen, wanneer je op je krent zit, ben je je bewust van wat er op het spel staat en wat er met je gaat gebeuren als je niet in staat bent de magie op te roepen die van je verwacht wordt. Niemand zal er moeite mee hebben het je onder de neus te wrijven als je een film van tachtig miljoen hebt verprutst. Daarentegen kun je er geen woord van geloven als ze je vertellen dat je goed bent. Sterker nog, je kunt geen woord geloven van wie ook maar iets tegen je zegt, tot het een succes is geworden of tot alles om je heen instort, en het is precies dat soort angst die je onderuithaalt. En dat was de reden waarom de heet-van-de-naald-ster Bobby Dye uiteindelijk als een oude man rondstrompelde.

Spandau verveelde zich stierlijk en was ongedurig doordat hij de hele dag werkeloos had moeten rondhangen. En toch wilde Bobby dat hij er was en Spandau vond het niet prettig om hem alleen te laten. Niemand zou hem vermoorden, dus het lijfwachtverhaal was een lachertje, maar in de hoek van Richie Stella was het onnatuurlijk stil geweest en het gas zou iets feller gaan branden wanneer Richie erachter kwam dat Spandau vragen over hem stelde. Het was een gevaarlijk spelletje, maar wat Richie ook deed, zijn positie zou er zwakker door worden en hij zou kwetsbaar worden. Richie opereerde in de schemering, maar welke zet hij nu ook zou doen, hij zou daardoor in zekere mate in de openbaarheid komen. Bobby was niet in gevaar, maar de kans was groot dat Spandau het slachtoffer van een onfortuinlijk ongeluk zou worden. Spandau was met Bobby stukken veiliger – Richie zou Bobby nooit iets aandoen – en dat was een van de redenen waarom hij dicht in zijn buurt bleef. Daarom, en omdat het joch zo verdomde eenzaam was, en Spandau hem wel mocht, ondanks het feit dat zijn gezonde verstand hem iets anders zei.

Bobby en Spandau zaten achter in de auto. Duke, de chauffeur, stapte in en keek in de spiegel naar Bobby. 'Waarheen?'

'Naar huis,' zei Bobby. 'Ik wil alleen nog maar naar huis.' Hij ging achterover zitten en deed zijn ogen dicht.

'Oké,' zei Duke en hij startte de auto.

Crusoe zou bijna uitkomen en alle signalen wezen erop dat die film het veel beter zou doen dan verwacht. De studio had met grote ogen van blijdschap de promotiemolen sneller in gang gezet om het vuurtje op te stoken. Bobby zat de hele dag op de set van *Wildfire* vast en kon niet zijn rondjes langs de talkshows maken, maar de studio had hem tussen de opnamen beschikbaar gehouden. Bobby was woedend, maar contractueel gezien kon hij niets anders doen dan erin meegaan. Dat betekende dat in plaats van dat hij aan zijn tekst kon werken of gewoon in zijn trailer kon ontspannen, Bobby voortdurend door een of andere strak gekapte bobo een microfoon en camera voor zijn snufferd geduwd kreeg en hij steeds dezelfde achterlijke vragen moest beantwoorden. Zoals de studio al had verwacht, merkte Bobby dat hij zowel *Crusoe* als *Wildfire* stond te promoten, en nog wel in zijn eigen tijd. De helft van de tijd wist hij niet welke vragen over welke film gingen, en beantwoordde hij ze verkeerd, waardoor hij zich een idioot voelde. Als er een hel voor acteurs bestaat, dan is dit het. In werkelijkheid maakte het geen bal uit wat hij uitkraamde, zolang hij maar niets negatiefs zei en de namen van de films en sterren goed had. Niemand luistert feitelijk naar je, vangt alleen maar het belangrijkste op – had zijn pr-medewerker hem een keer uitgelegd – en kijkt alleen maar. Stel je je publiek voor dat bevroren binnenkomt, alleen maar warm wil worden en hun kinderen een mep wil verkopen. Zolang hij kon blijven lachen en er goed uitzag, kwam alles prima voor elkaar.

Het was rustig op het terrein en alles was in orde tot ze door de hekken reden. De bewaker zei tegen Duke: 'Er staan daarbuiten een paar fans,' en Duke nam aan dat het om een paar wanhopige handtekeningenjagers ging, wat normaal was. In plaats daarvan werd de auto zodra die van het terrein af kwam bestormd door een zwerm krijsende wijven.

Niemand was hierop voorbereid geweest. Het was acht uur 's avonds op een doordeweekse dag. Maar de extra publiciteit had haar werk gedaan en óf de studio óf iemand intern had gelekt wanneer Bobby het terrein zou verlaten. Ze stonden hem op te wachten. Duke zette de auto stil, niet in staat vooruit te komen zonder iemand te overrijden. Toen de auto eenmaal stilstond, werd het nog erger en ze waren overal om de auto, op de auto, probeerden naar binnen te komen. Het zware voertuig schokte heen en weer terwijl er op elke centimeter van het glasoppervlak gezichten en handen drukten. Je werd gek van het gekrijs, en de vertrokken gezichten die maar een paar centimeter achter het dunne glas bij hen vandaan waren, leken op een door Francis Bacon bedachte nachtmerrie. In de auto hoorden ze 'we houden van je Bobby, we houden van je' scanderen maar er zat iets onheilspellends in besloten, alsof ze hem pijn zouden doen als ze dat konden, hem zouden verscheuren en hem in hun liefde verzwelgen, hem opvreten zodat hij een deel van hen werd. Soms zag je in de ruimten tussen de lichamen de flits van een camera. Een foto: Uitzinnige Fans Eten Crusoe Liefje. Hoeveel meer kaartjes zouden hierdoor verkocht worden? Hoeveel meer kaartjes heb je nodig?

Spandau had dit met andere acteurs wel vaker meegemaakt, maar dat was meestal bij premières en andere geplande evenementen waarbij het werd verwacht en onder controle kon worden gehouden. Zelfs dan voelde je je kwetsbaar, je voelde je altijd kwetsbaar, maar na een paar heel lang durende minuten was het duidelijk dat niemand hen te hulp zou schieten.

'Jezus, Duke, rij door met die auto!' zei Bobby.

'Ik wil niemand doodrijden. Ze zijn zowel voor als achter.'

'Nou, doe iets!'

'Misschien moet je even uitstappen en een paar handtekeningen uitdelen, of zoiets.'

'Ik stap de auto niet uit, ben je gek geworden?' schreeuwde Bobby tegen hem. 'Bel de beveiliging, verdomme!'

Spandau moest ondanks zichzelf lachen, hoewel hij nu ook bang was.

'Waarom zit je verdomme te lachen?' zei Bobby tegen hem.

'Het verbaast me elke keer weer wat een absurde toestand dit is.'

'Je bent verdomme mijn lijfwacht, waarom stap jij de auto niet uit?'

'Ben je gek geworden?' lachte Spandau. 'Moet je die koppen zien. Als iemand een deur opendoet, zitten ze in no time met z'n allen op je schoot.'

Bobby begon nu ook te lachen. 'Dit is belachelijk.'

Duke belde met zijn mobieltje de terreinbeveiliging. 'Hi, met Duke Slater, Bobby Dyes chauffeur. We hebben problemen bij de ingang van de Pico. We worden overspoeld door fans. Ze staan overal om de auto en ik kan geen kant op. Ik wil niet dat iemand gewond raakt, kunnen jullie een paar man sturen?'

Duke luisterde naar het antwoord en verbrak de verbinding.

'Fantastisch,' zei Duke.

'Wat?' vroeg Bobby.

'Ze sturen een paar beveiligingsjongens naar het hek, maar die doen waarschijnlijk niets. We zijn niet op Fox-terrein. Technisch gesproken is dit een zaak voor de politie van Beverly Hills.'

'Je neemt me in de maling. Ik maak verdomme een film voor die lui!'

'Fox heeft geen gezag hier en als zij de menigte uiteen proberen te drijven en er raakt dan iemand gewond, krijgen ze een proces aan hun broek.'

'Dus wat moeten we verdomme doen? Ik kan hier niet de hele nacht blijven, en nog even en dan zitten zij ook in de auto.'

'Als ik ga rijden, raakt er iemand gewond.'

Spandau lachte. Bobby lachte. Duke begon te lachen. Zo zaten ze daar met z'n allen.

'Wat moeten we verdomme doen?'

'Blijven zitten tot de hulptroepen komen,' zei Duke.

Bobby keek uit het raam naar de gezichten. Velen, zowel vrouwen als mannen, kusten de ramen.

'Dit is surrealistisch,' zei Bobby.

'Ja,' zei Spandau, 'maar op een dag zijn ze er niet meer en dan zul je ze missen.'

'Nee hoor,' zei Bobby tegen hem. 'Ik bedoel, voorlopig is dit de prijs. Maar uiteindelijk wil ik dit niet. Dat hele sterrendom is bullshit. Ik ga mijn eerste film regisseren. Heb ik je dat verteld? Ik heb het met Jurado al geregeld. Als ik klaar ben met *Wildfire*, ga ik een korte film doen. Iets als Cassavetes? Kennen jullie Cassavetes? Cassavetes is fucking geweldig, man. Cassavetes is mijn held. Misschien stop ik wel helemaal met acteren. Dat ik ergens kom waar ik tenminste zelf de touwtjes in handen heb. Produceren, regisseren. Geen marionet meer hoeven zijn.'

Spandau dacht er maar niet aan hoeveel acteurs dit ooit tegen hem hadden gezegd. De grote, de kleine. In het begin willen ze alleen maar een geliefd acteur zijn, en na een poosje willen ze dat alleen nog maar achter zich laten en voor de verandering eens iemand anders manipuleren.

Een heel mooi meisje, achttien misschien, schreef met lippenstift haar telefoonnummer op het raam. Ze glimlachte naar Bobby en drukte een kus op het raam naast het nummer, een sexy afdruk van haar lippen achterlatend.

'Dat is wel een leukerdje,' zei Bobby.

'Niet slecht,' stemde Duke in. 'Jammer dat we haar niet in de auto kunnen krijgen. Nou, je hebt haar nummer.'

Op dat moment duwde een andere vrouwelijke fan het mooie meisje opzij. Ze besmeurde het telefoonnummer en wilde haar nummer eroverheen schrijven. Deze was lang zo leuk niet.

'Jammer,' zei Duke.

'Sodemieter op, gemeen loeder,' zei Bobby zacht tegen haar door het glas. 'Haal die andere terug.'

De menigte werd langzaam van de auto weggedrongen en het was duidelijk dat er iets gebeurde. Beveiligers van het terrein wrongen zich tussen de auto en de menigte en duwden ze weg.

'Belden we jullie soms ongelegen?' zei Duke door een streepje open raam.

‘We kunnen niet zomaar de straat bestormen en mensen alle kanten op schuiven,’ zei de bewaker. ‘We hebben het nu onder controle, je kunt gaan rijden.’

‘We kunnen rijden,’ zei Duke tegen Bobby terwijl hij het raam dichtdeed.

‘We kunnen rijden,’ zei Bobby. ‘O boy.’

De auto kroop naar voren tot hij van de menigte bevrijd was en Duke het gaspedaal indrukte.

‘Verdomd onwezenlijk,’ zei Bobby terwijl hij zich omdraaide en naar de menigte keek.

‘Je bent een ster, man,’ zei Duke. ‘Ze zijn dol op je.’

‘Ze zijn dol op me,’ herhaalde Bobby. ‘Juist. Dat moet ik onthouden.’

15

De knul op het skateboard was begin twintig. Hij deed geen mooie stunts, maar was snel en duwde het board in een fraai ritme vooruit. Hij zeilde over de stoep door de straat van Richie Stella toen hij om een of andere reden besloot om van de stoep de goot in te springen en toen weer terug op de stoep. Het lukte hem ook nog bijna, maar de achterwieltjes kwamen niet helemaal los van de stoeprand en hij ging net onderuit achter Richie Stella's zwarte Mercedes, die op diens oprit geparkeerd stond. Het board zeilde langs de auto maar de skater niet.

Richie stond toevallig bij het raam aan de voorkant en zag het allemaal gebeuren. Hij liep snel de deur uit, niet om de skater overeind te helpen maar om de benen van het joch te breken als hij de auto had beschadigd.

'Hé, klootzak!' riep Richie vanaf de veranda.

De skater worstelde zich achter de auto overeind en hield zijn elleboog vast.

'Blijf verdomme van m'n auto af,' zei Richie tegen hem. 'Jij en je kloteskateboard, je maakt er nog een deuk in!'

'Hé, meneer, met mij is het goed, hoor,' zei de skater. 'Ik heb verdomme m'n elleboog geschaafd, bedankt dat u zo bezorgd bent.'

Richie zei: 'Blijf gewoon van m'n auto af, klerelijer...' en hij ging weer naar binnen.

De skater salueerde, hinkte naar zijn board en skatete weg. Terry zat in zijn auto om de hoek een eindje verderop in de straat. De skater zoefde richting Terry's auto, kwam slippend tot stilstand, schopte het board in de lucht en ving het op, allemaal een paar centimeter bij Terry's raam vandaan.

'Charmant,' zei Terry tegen hem. 'Maar wordt het op jouw leeftijd niet eens tijd voor een echte auto?'

'Man,' zei de skater, 'ik wil compensatie voor die shit. Kijk wat er met mijn arm is gebeurd. Dat gedonder met dat vallen, ik zou gevarengeld moeten vragen of zo.'

'Niemand heeft je gezegd dat je moest vallen. Hoe weten we nou dat je het niet met opzet deed? Hoe weten we dat je niet een gewone kloteskateboarder bent? Je moet het ook eens van onze kant bekijken.'

'Een beetje extra geld, dat is het enige wat ik vraag. Ik heb meer geleverd dan wat er van me gevraagd werd.'

'Ik zal 't er met Coren over hebben,' zei Terry. 'Heb je het erop geplakt?'

'Natuurlijk heb ik 't erop geplakt. Daar betalen jullie me toch voor?'

'Heb je 'm aangezet?'

'Jezus, duh...' zei de skater met zijn ogen rollend. 'Praat met Coren. Zorg dat ik een extraatje krijg of zeg tegen hem dat ik die shit niet meer doe. Het is verdomd gevaarlijk.'

'Je morst bloed op mijn deur. Nou, wees braaf, sodemieter op en ga ergens anders bloed lekken.'

'En zeg tegen Walter dat we in de eenentwintigste eeuw leven. Die vooroorlogse radiotroep die hij gebruikt is ten hemel schreiend. Dat ding was zo groot dat je er buizen in kon stoppen. Laat 'm er wat flappen tegenaan gooien, zodat we als echte profs voor de dag kunnen komen.'

De jongen skatete weg. Terry zuchtte en dacht aan zijn eigen jonge jaren. In die tijd had niemand in Derry een skateboard. Niemand had ooit een skateboard gezien, en het had ze geen ruk geïnteresseerd als dat wel het geval was geweest. In Terry's jeugd ging het over roken en proberen een wip te scoren en drinken tot je moest kotsen en kijken of je een Brits groentje met een baksteen een oplawaai kon geven zonder dat je werd gepakt of neergeschoten. Toen was het leven nog onschuldig. Terry zuchtte nogmaals en keek naar de laptop die op de passagiersstoel lag. Hij typte het internetadres in dat Spandau hem had gegeven. Er verscheen een landkaart met in het midden een kleine knipperende stip. Terry ging achterover in zijn stoel zitten en wachtte. Het was donderdag. De auto zou weldra gaan rijden. Terry vertrouwde niet op technologie maar nu maakte die zijn leven een stuk makkelijker.

Een paar uur later kwam de stip in beweging.

Terry zag hoe de stip bijna onmerkbaar zijn kant op bewoog en keek op, hij zag de Mercedes met Martin achter het stuur langs hem glijden. Godzijdank zat Martin in zijn eigen wereldje opgesloten en zag hem niet. Dat hoopte Terry tenminste, want anders zouden de zaken een stuk gecompliceerder worden. Terry gaf hem een ruime voorsprong en reed toen achter hem aan.

Het systeem was opmerkelijk gebruiksvriendelijk, behalve voor Terry, want die moest op het scherm letten en tegelijk die kloteauto besturen. Een paar keer miste hij een afslag – je kon niet echt de afstand van een afslag inschatten, je zag alleen dat er een aankwam – en moest hij terugrijden. In de stad was het lastiger, want Martin had kennelijk zijn eigen unieke sluipweggetjes, maar toen Martin eenmaal de snelweg op draaide, werd het een stuk makkelijker. Terry had zijn iPod op het geluidsysteem van de auto aangesloten en luisterde naar Bachs Goldbergvariaties terwijl de knipperende stip hem uit LA naar het oosten voerde, de woestijn in. Martin stopte twee keer en beide keren dacht Terry dat Martin iets oppikte, maar hij ging alleen maar bij een benzinestation plassen. Er mankeerde vast iets aan het buizenstelsel van die arme Martin, of misschien was hij gewoon zenuwachtig van al het gedoe. Terry reed door en vond een afgelegen plek waar hij aan de kant kon gaan staan wachten tot hij weer achter Martin aan kon rijden. Het was net haasje-over, en Terry moest lachen bij het idee dat je werkelijk iemand kon schaduwen en hem toch voor kon zijn. Terry moest om een hoop dingen van deze klus lachen. Hij had geen hoge pet op van de menselijke natuur en was zelden teleurgesteld of geschokt van wat hij mensen zag doen. Dat hij zo nu en dan dit soort klusjes aanpakte, deed hij net zozeer vanwege de lol die hij eraan had als vanwege het geld. Terry had er een hekel aan zich te moeten vervelen en zijn leven zou onnodig ingewikkeld worden als hij zich niet kon amuseren. Maar aan de andere kant, zo zat dat hele verdomde Ierland in elkaar, dus dat had hij niet van een vreemde.

Martin nam snelweg 10 door Rancho Cucamonga en Redlands even voorbij Cabazon. Terry zat zo'n anderhalve kilometer achter hem toen hij zag dat de stip naar rechts draaide, de snelweg af, een blanco gebied in. Martin was óf gaan vliegen óf een weg op gedraaid die te klein was voor de kaart. Terry meerderde vaart en miste de eerste keer de afslag. De stip ging in zuidelijke richting en Terry reed nog steeds naar het oosten. Hij keerde en vond de weg, nauwelijks meer dan een zandpad. In de verte zag hij de stofwolk van de Mercedes. Er was nergens noemenswaardige dekking en Terry's eigen stofwolk zou net zo erg opvallen. Degene die deze plek had uitgekozen, wist wat hij deed. Terry wachtte tot de stip niet meer bewoog. Hij stopte uiteindelijk vijf kilometer later. De Mercedes was achter een paar heuvels zo'n vijftienhonderd meter verderop verdwenen. Terry besloot het erop te wagen en reed zijn auto met een slakkengang over de zandweg, waarbij hij zo min mogelijk zand deed opwaaien. Tot de heuvels was hij trouwens sowieso redelijk veilig. Wat hem daarna te wachten stond, was een kwestie van raden. Intussen bad hij dat Martin geen haast had om terug te rijden. Als hij Martin tegemoet zou rijden, zou hij een goede verklaring moeten geven en hij kon zich nergens verstoppen.

Terry had geluk. De weg slingerde om een paar heuvels en na nog eens anderhalve kilometer om nog een paar. Terry besloot zijn geluk niet te tarten. Hij hield het bij de tweede serie heuvels voor gezien en parkeerde de auto op een plek waar die vanaf de weg niet te zien was. Hij haalde uit de achterbak een ingepakte rugzak die hij altijd bij zich had – op elke situatie voorbereid – waaruit hij een krachtige Zeiss-verrekijker haalde. Hij klom op een paar rotsen en vandaar zag hij zo'n driekwart kilometer verderop een kleine camper staan. Een SUV en de Mercedes stonden ernaast geparkeerd. Terry keek om zich heen om zich ervan te verzekeren dat hij niet op een schorpioen of een ratelslang ging zitten en maakte het zichzelf gemakkelijk. In de rugzak zaten ook een thermoskan koffie, gekookt water, tissues en een paperbackuitgave van *De Silmarillon.* Terry deed de iPod-oortjes in en luisterde naar Enya, terwijl hij misschien wel voor de negende keer de geschiedenis van tovenaars en orks las. Zo nu en dan wierp hij een blik op de camper. Die ging nergens naartoe.

Martin bleef daar ruim een uur. Hij kwam met een bruine papieren supermarktzak in zijn armen naar buiten, gevolgd door een lange, broodmagere, onnozel ogende kerel met een gebreide muts op. Ze bleven even bij de auto staan praten, toen reed Martin weg en de onnozele hals ging weer naar binnen. Kennelijk was er verder niemand.

Terry had besloten om Martin te laten gaan. Terry had zijn werk gedaan, hij was Martin naar de bron gevolgd, en hij wist waar Martin nu naartoe zou gaan: regelrecht terug naar LA en Richie. Terry wilde zien wat er in die camper was. Hij dacht het met vrij grote zekerheid al te weten. Terry geloofde niet dat die onnozele hals daar woonde. De camper was klein, verroest en helemaal gedeukt, en de ramen waren vanbinnen afgedicht met karton. Het was geen paleis. Het was het soort plek waarvandaan je zodra je de kans kreeg je hielen lichtte. Dat hoopte Terry althans. Hij keek er bepaald niet naar uit daar de hele avond te moeten blijven. Het zou koud worden en de wind zou opsteken, en bij het lezen kon hij geen leeslampje gebruiken.

Het ging al schemeren toen de onnozele hals uit de camper tevoorschijn kwam, de deur afsloot, in de SUV stapte en wegreed. Terry wachtte tot de zon onder was en zocht toen met de rugzak over zijn schouder zijn weg naar de camper. Hij verkende de omgeving. Aan één kant was een gastank bevestigd met een kleine dieselgenerator, maar er liepen nergens elektrische draden of afvoerbuizen. Het ding was nergens op aangesloten en kon in een oogwenk verplaatst of achtergelaten worden. Toen Terry zeker wist dat er geen alarmsysteem was, haalde hij een kleine koevoet tevoorschijn en forceerde de deur. Hij zwaaide rond met zijn zaklamp. Het was binnen al net zo'n klerezooi als buiten. Een gammele keukentafel en een paar stoelen. Een oude koelkast, vochtig en op een paar blikjes bier na leeg, een stuk brood en een stuk twijfelachtige ham. Een klein, nieuw en efficiënt ogende vierpitter. Een hoop potten van verschillende afmetingen en pannen waarvan de bodems verkleurd waren, drie kratten met flessen schoon water en tien dozen zuiveringszout. Boterhamzakjes met plastic strips. Terry keek in de kastjes en in alle hoeken en gaten, en streek toen met zijn vingertoppen over het oppervlak. Zo schoon als een ziekenhuis. Ze sprongen zorgvuldig om met cocaïne. Cocaïne was duur. Terry haalde zijn digitale camera tevoorschijn en schoot een hele serie foto's. Als wettig bewijs bepaald niet bruikbaar, maar misschien kon je de potten leegschrapen als je echt secuur te werk wilde gaan. Het had geen zin. Spandau had geen wettig bewijs nodig, hij was geen smeris. Terry had de bron gevonden en meer was niet nodig. Terry was verguld met zichzelf. Spandau zou tevreden zijn.

Terry zou echter heel wat minder trots op zichzelf zijn geweest als hij het kleine rode stipje in de bovenhoek van de camper had gezien. Dat was een camera, en Terry was de hoofdpersoon in zijn eigen reality-tv-show.

16

De louche Potts reed met zijn louche pick-uptruck naar Ingrids huis. Hij had zich haar huis precies zo voorgesteld. Een leuke, rustige straat met gazonnetjes zo groot als een postzegel, bloemperken en houten huizen. Een jarenvijftigbuurt die Potts net zo vertrouwd voorkwam als de achterkant van Jupiter. Hij reed drie keer langs haar huis, bang om de auto aan de kant te zetten, wachtend tot de buurtwacht hem bij de politie zou aangeven. De straat werd niet door een menigte met bijlen en stokken geblokkeerd. Hij parkeerde voor het huis. Hij had een doos chocolaatjes en een bosje bloemen bij zich. Hij had erover gedacht om wijn mee te nemen, hij wist dat mensen dat deden, maar hij wist niets van wijn en met de verkeerde chocolaatjes en de verkeerde bloemen was de kans een modderfiguur te slaan minder groot. Hij berustte in het feit dat wat hij ook deed, het toch verkeerd was, en dat deze avond een eenmalige oefening zou zijn. Maar een keer moest je het toch proberen. Potts klopte aan.

Ingrid droeg een blauwe bloemetjesjurk. Potts was verbaasd hoe bloot die was. Ze deed de deur open en het eerste wat Potts opviel waren haar blote armen en de V-hals, die zichzelf, evenals Potts, verloor in de schemering tussen haar borsten. In werkelijkheid kon ze dit ook prima in een kerk aan, maar Potts had haar steeds zo keurig netjes gekleed gezien, en zo, nou ja, bedekt. Potts had zich haar als een soort oude dienstmeid voorgesteld. Dat was ze niet. Potts merkte dat hij haar van top tot teen opnam en voelde dat hij moest blozen. Het leek Ingrid niet te deren.

'Meneer Potts,' zei ze terwijl ze hem die glimlach schonk. 'Je bent zowaar gekomen. Kom alsjeblieft binnen. En bloemen en snoep! Wat attent!'

Ze liet hem binnen. In huis was het koel en donker. Oude, zware meubels. Hier en daar wat kant, her en der wat snuisterijen. Boeken. Een kleine vleugel, jezus. De geur van stoofpot. De plek van een vrouw. Geen vleugje man te bekennen. Hier kon wel een ouwe vrijster wonen. Potts keek naar haar schouders, haar lange nek, haar heupen. Hij kon het ene beeld niet in overeenstemming brengen met het andere.

'Ik verwachtte het geluid van een motor,' zei ze tegen hem.

'Ik ben met de truck.'

'Wat zie je er mooi uit!' zei ze terwijl ze hem van top tot teen bekeek. Potts had zijn enige pak aangetrokken, het pak dat hij had gekocht voor de voogdijhoorzitting over zijn dochter, de hoorzitting die nooit had plaatsgevonden. 'Kom mee.'

Potts ging op een roze gestoffeerde bank zitten. Op de randen waren ronde koperen kopspijkers bevestigd die de stoffering op haar plek hielden. Hij voelde solide aan, oud, vol historie en klasse. Potts putte er troost uit toen hij nerveus met zijn vingertoppen over de kopspijkers aan het eind van de armleuning kon wrijven.

'Dank je wel voor de bloemen en de chocola, heerlijk.'

'Ik vond dat ik eigenlijk wijn had moeten meenemen. Maar ik wist niet of je wel wijn dronk, en trouwens, ik weet niks van wijn en dan had ik waarschijnlijk toch het verkeerde spul meegenomen.'

'Nee, je hebt 't prima gedaan. De bloemen zijn prachtig.'

'Ingrid!' riep een vrouwenstem van achter uit het huis.

'Dat is mijn moeder,' zei Ingrid. 'Met haar gaat het op en neer. Dat kan lastig zijn. Het ene moment is ze zo helder als wat en het volgende weet ze niets meer. Verdrietig, hoor. Ze was professor aan de universiteit. Ze heeft boeken gepubliceerd. Ze was een expert op het gebied van Brahms.'

'Ingrid!'

'Neem me alsjeblieft niet kwalijk,' zei Ingrid en ze liep de kamer uit. Potts had geen idee wie Brahms was.

Ingrid nam mevrouw Carlson mee de zitkamer in. In Potts' ogen was ze een volstrekt normale oude dame. Ze was elegant gekleed, droeg een parelketting om haar hals en haar grijze haar was netjes opgestoken. Ze had lippenstift op en haar ogen stonden helder, ze begroette Potts met een glimlach en een uitgestoken hand, de palm naar beneden gekeerd. Ze zag er min of meer koninklijk uit en Potts vroeg zich even af of hij hem moest kussen, maar nee, hij moest haar een hand geven. Dat deed Potts.

'Moeder, dit is meneer Potts. Hij komt bij ons eten. Ik heb je al over hem verteld.'

'Potts?' herhaalde mevrouw Carlson.

'Ja, moeder, ik heb je over hem verteld. Hij blijft eten.'

'O, mooi.'

Mevrouw Carlson zette de televisie aan. Er was een show over iets wat ze een stokstaartje noemden. Mevrouw Carlson ging er meteen helemaal in op.

Ingrid keek Potts verontschuldigend aan. 'Mag hij wat zachter?' zei ze tegen haar moeder.

'Wat?'

'De tv, moeder. Kan die een beetje zachter?'

'Maar dan hoor ik het niet.'

'Je hoort het best, moeder.'

'Er is nooit meer iets leuks,' zei mevrouw Carlson. 'Ik vind nooit meer iets leuks op tv.'

Ingrid zette de tv zo zacht dat je amper iets hoorde. De oude dame leek het niet te merken en bleef naar het scherm kijken.

‘Wil je een glas wijn, meneer Potts?’
‘Graag.’
‘Ik kan je niet meneer Potts blijven noemen.’
‘Alleen Potts is prima.’
‘Ik vind het nog steeds helemaal niks,’ zei Ingrid.
Ingrid liep de kamer uit. Potts keek naar de oude dame, die vergeten scheen dat hij bestond. Haar lippen bewogen, alsof ze in zichzelf praatte. Ingrid kwam terug met een glas wijn voor haar en Potts. Ze gaf hem het glas.
‘Is rood goed?’ vroeg Ingrid.
‘Wat?’
‘Rode wijn. Die drinken we ook bij de stoofpot.’
‘O, ik weet helemaal niks van wijn.’
‘Rood drink je meestal bij rood vlees. Witte wijn bij vis.’
‘O ja? Ik drink meestal alleen bier.’
‘O, sorry. Heb je soms liever een biertje?’
‘Nee hoor, wijn is fijn.’
Ingrid hief toostend haar glas. ‘En vooral mijn wijn is fijn,’ zei ze en het duurde even voordat Potts zich realiseerde dat het rijmde, dat ze een grapje maakte. Ingrid nam een slokje van haar wijn. Potts lachte nerveus en nam een slokje van de zijne. Hij hield niet van wijn.
‘Dit is misschien toch een vergissing,’ hoorde Potts zichzelf zeggen.
‘Nee.’
‘Ik weet niks van wijn, ik weet niet welke vork ik moet gebruiken, ik weet daar helemaal niks van.’
Ingrid zei: ‘Er is maar één vork. Eén vork, één mes en één lepel. Een bord, een glas. Dit is geen test. Ik heb je hier uitgenodigd omdat ik het fijn vind dat je er bent.’
‘Angelo,’ zei mevrouw Carlson. Ze keek naar Potts.
‘Wie, moeder?’
‘Angelo. Kun je je Angelo nog herinneren?’
‘Nee, moeder, ik kan me geen Angelo herinneren.’
‘Je vader had een bloedhekel aan Angelo. Ik ben bijna met ’m getrouwd.’

Ingrid keek Potts verbaasd aan.

'Nou, dat is iets nieuws. Ben je bijna met Angelo getrouwd?'

'Je kunt 'm maar beter wegsturen. Henry wordt boos als hij terugkomt,' zei ze op ernstige toon.

'Dit is meneer Potts, moeder.'

'Ik kan je niet meer zien,' zei mevrouw Carlson tegen Potts. 'Ik ben nu met Henry verloofd.'

'Dit is meneer Potts. Meneer Potts, moeder, niet Angelo.'

Mevrouw Carlson raakte nu geagiteerd. 'Hij moet weggaan, zeg ik je! Henry heeft gedreigd 'm neer te schieten!'

'Oké, moeder, maak je geen zorgen.'

'O heremetijd,' zei mevrouw Carlson. 'Ik wil 'm niet boos maken. Ik vind het zo vervelend als hij boos is!'

Ingrid liep naar haar moeder toe. Ze stak haar hand uit en hielp haar uit de stoel.

'Het is al goed. Waarom gaan we niet even naar je eigen kamer, dan kun je daar tv-kijken.' Ze liep met mevrouw Carlson naar de deur.

'Zeg je tegen Angelo dat 't me spijt?' zei mevrouw Carlson.

'Ik zal het 'm zeggen.'

'Hij was goed voor me. Zeg 'm dat maar.'

'Dat zal ik doen, moeder.'

Ingrid leidde haar moeder de kamer uit. Even later was ze weer terug.

'Sorry, hoor.'

'Het is niet erg,' zei Potts. 'Ze lijkt me echt een lieve dame.'

Ingrid ging zitten en pakte haar glas wijn.

'Dat is ze ook. Ze was de beste moeder ter wereld. De liefste vrouw die ik ken. Dit is allemaal zo verdrietig. Om dit te zien gebeuren. Het is zo oneerlijk.'

Potts wist niets te zeggen, nipte van zijn wijn. Die hij verafschuwde.

'Nou, dan eten jij en ik met z'n tweetjes. Moeder eet op

haar kamer.' Ze stond op. 'De stoofpot is nu wel klaar. Als je zover bent, kunnen we aan tafel. Ik hoop dat je honger hebt. Ik heb voor een heel weeshuis gekookt.'

'Ja, ik ben zover,' zei Potts.

In de eetkamer gingen ze aan weerskanten van een hoek van een lange tafel zitten. Ondanks zijn zenuwen had Potts honger. Misschien kwam het door de wijn, die hem nu beter smaakte. Het eten was verrukkelijk en Potts schranste het behoorlijk snel naar binnen.

'Smaakt het?' vroeg Ingrid.

Potts realiseerde zich dat hij zat te schrokken.

'Sorry, het is alleen... Ja, het is echt heel lekker. Ik weet niet wanneer ik voor het laatst zoiets lekkers heb gegeten. Ik denk niet meer sinds ik uit huis ging. Mijn moeder kon koken. Maar niet zo goed.'

'Kom je uit een groot gezin?'

'Alleen ikzelf en een zus.'

'Zijn jullie dik met elkaar?'

'We praten niet. Althans, niet als het niet hoeft.'

'Dat spijt me,' zei Ingrid en ze meende het.

'Ik mis het niet.'

'Nee, ik bedoel dat familie belangrijk is. Iedereen heeft iemand nodig. Ik heb moeder, bijvoorbeeld. Zelfs zoals ze nu is, is het nog iets. Misschien gaat de geest verloren, maar haar hart is nog hetzelfde, vind je niet?'

Opnieuw had Potts geen idee wat hij moest zeggen. Hij staarde naar zijn bord.

'Ik wil je niet verwarring brengen, hoor.'

Niets. Potts wilde wat zeggen, maar het ging niet. Wat moest hij ook verdomme zeggen?

'Ik wilde dat je kennis met haar zou maken,' zei Ingrid. 'Ze is niet altijd zo. Soms is ze slechter, soms beter.'

'Ze lijkt me echt een lieve oude dame. Ik vind het erg dat ze zo ziek is.'

'Ik vraag me af of we ooit het fijne van Angelo te weten

komen? Het klinkt pikant. Dit is de eerste keer dat ik over 'm hoor. Misschien is Angelo wel de grote liefde in haar leven. Ik geloof niet dat mijn vader dat was. Hij was een goed mens, maar ik zie niet dat hij iemands grote passie zou kunnen zijn. Maar Angelo. Ah, mijn moeder en een of andere donkere latin lover, een of andere gepassioneerde affaire die zich afspeelde onder de neus van haar puriteinse familie. Die bestond uit blauw bloed en blauwkousen, een oud geslacht uit het oosten. O ja, Angelo zou ze tot waanzin hebben gedreven.'

Ze keek naar Potts, die naar haar staarde terwijl ze sprak.

'Sorry. Het komt misschien door de wijn. En ik praat bijna nooit met volwassenen. Een tijdje al niet meer, tenminste.'

'Ik vind het fijn je te horen praten,' zei Potts tegen haar.

'O, ik ben een prater, hoor,' zei Ingrid. 'Ik praat je de oren van het hoofd.'

Potts schudde zijn hoofd. 'Die zitten er anders nog steeds aan.'

'O jeetje, meneer Potts, je maakte een grapje.'

'Ja, m'vrouw.'

'Zou het kunnen dat je je zowaar een beetje ontspant?'

'Zou zomaar kunnen, m'vrouw.'

'Wil je een toetje? Appeltaart. Zelfgebakken en ik wil daar best de loftrompet over horen.'

'Nou, m'vrouw, dat klinkt goed. Zal ik je met de afwas helpen?'

'Dank je voor het aanbod, meneer Potts, maar we hebben tegenwoordig zo'n verbazingwekkende uitvinding. Dat noemen ze een vaatwasser. Maar als je het niet erg vindt, kun je de rest van de stoofpot naar de keuken brengen. Dan dek ik die af voor hij uitdroogt. Je moet die straks mee naar huis nemen. Daar sta ik op.'

'Dank je wel, ja, dat zou fijn zijn.'

Potts liep met de stoofpot achter haar aan naar de keuken.

Hij zette hem op het aanrecht en keek hoe Ingrid de borden boven de vuilnisbak afschraapte. Toen ze zich voorover-boog viel haar jurk een beetje open en Potts zag de dunne nylon bh met aan de bovenkant een lichte bolling en de donkere tepel door de stof. Potts keek toe hoe ze de borden afspoelde en in de vaatwasser zette. Ze bewoog zich alsof Potts er niet bij was, of er juist al zijn hele leven was geweest.

'Voilà. En nu koffie met appeltaart,' zei ze.

Ze deed koffie in het apparaat, sneed de taart en likte wat appelvulling van haar vinger. Ze was zich ervan bewust dat Potts naar haar stond te kijken en elke beweging die ze maakte nauwlettend volgde.

'Sorry, moeder heeft me altijd geleerd dat ik nooit...' Potts had geen idee wat ze zou gaan zeggen. Ze liet de zin onafgemaakt in de lucht hangen. Zij en Potts staarden elkaar aan.

'Ik kan beter gaan,' zei Potts.

'Wat ga je dan doen?' vroeg ze hem.

'Ik kan het beste maar weggaan,' zei Potts nogmaals, maar hij bewoog zich niet.

'Nee,' zei ze tegen hem. 'Doe wat je wilt. Doe maar waar je aan denkt.'

Potts stak zijn hand uit en raakte haar gezicht aan. Ze pakte zijn hand en schoof die onder haar jurk, zijn hand omvatte het nylon, de lichte bolling en de tepel die onder zijn palm hard werd. Ze trok haar rok op en legde zijn hand tussen haar benen. Potts liet hem daar rusten, omvatte haar, voelde hoe haar vochtige warmte zijn hand vulde. Ingrid leunde tegen hem aan, legde haar handen om zijn middel, drukte haar wang tegen zijn schouder. Ze nam hem langzaam mee de keuken uit, de gang door, langs de kamer waar de oude dame tv zat te kijken terwijl ze woordjes murmelde, de slaapkamer in. Ingrid kleedde zich langzaam uit en liet Potts toekijken. Nou, wilde ze eigenlijk tegen Potts zeggen, zo ben ik nou echt, en Potts had eindelijk het gevoel dat de twee versies die hij in zijn hoofd van haar had samenkwamen. Ze liep naar Potts, die haar naakt in zijn armen hield en toen begon ze hem uit te kleden. Potts liet haar alles doen wat ze wilde. Ze trok hem in bed, gleed onder hem en Potts was verloren, helemaal verloren, legde een arm om haar hals en de andere hand om haar heupen en probeerde uit alle macht niet gelijk zijn lul in haar te stoppen, niet meteen tot haar kern door te stoten. Hij begroef zijn gezicht in het kuiltje in haar hals waar zweet zich had opgehoopt, en hij ademde haar in, proefde haar, wat met zo'n geweld eindigde dat het hem zwak, hulpeloos en behoorlijk bang maakte. Potts lag nu op zijn rug, haar hand op zijn borst, hoofd op zijn schouder, en voelde de brandende krassen op zijn rug van haar nagels en de plek onder in zijn nek waar ze hem had gebeten. Ze was warm en zacht, en over de hele lengte van zijn lijf voelde hij elke centimeter van haar. Jezus.

'Ik ben niet mooi,' zei ze. 'Dat weet ik wel.'

'Ik vind je mooi,' zei Potts. 'Ik vind je de allermooiste vrouw die ik ooit heb gezien.'

'Ik heb met andere mannen gevreeën. Te veel, vind ik. Ik heb dingen met ze gedaan, omdat zij dat wilden, waarvoor ik me schaam. Maar ik wil ze wel vertellen, als je ze wilt weten.'

'Ik hoef het niet te horen.'

'Ik wil niet dat je denkt dat ik iets ben wat ik niet ben.'

'Ik weet genoeg.'

'Wat dan?' vroeg ze.

Potts werkte zich op een elleboog en keek haar in de ogen. 'Dat je een goede vrouw bent. We zijn allebei geen engeltje. Ik heb bijvoorbeeld gezeten. Ik heb vijf jaar in Texas in de gevangenis gezeten voor een gewapende roofoverval. Vind je dat erg?'

'Nee.'

'Wil je nog wel een keer met me afspreken, denk je?'

'Ik laat je nu niet meer gaan,' zei ze.

Potts hoorde de stem van zijn vader in zijn achterhoofd. Hij verdrong die.

17

Bobby Dye gaf een barbecue op het dak van de wereld.

Zo scheen het Spandau tenminste toe. Het was een prikkelende, zonnige dag en vanaf de plankieren bij Bobby's zwembad strekte LA zich tot in het oneindige uit, en dat kon je verdragen, want je was een van de goden en je stond overal boven. Twee aanstormende culinaire genieën stonden aan de reusachtige barbecues, het eten werd rondgebracht door werkstudentes die hun obligate horecafase doorliepen en die bijna net zo mooi waren als de modellen die zich ontspannen in en uit het water bewogen. De mannen waren allemaal vrienden van Bobby: een paar tweederangs acteurs, wat muzikanten, drank- en drugsvrienden van vroeger. Niemand van de film of de filmcrew. Het was weekend en Bobby liet zich helemaal gaan. We hadden het hier over ontspanning, het soort huiselijk geluk waar je het zelf voor het zeggen had. Eigenlijk niet dus, maar Bobby genoot van de illusie dat het wel zo was. De modellen waren vriendinnen van Irina, en tot grote blijdschap van Bobby's vriendjes wedijverden ze met elkaar in wie het meeste lijf in het kleinste stukje badgoed wist te proppen. Een paar hadden het al opgegeven en de bovenste helft maar uitgedaan. Uit de speakers blèrde rockmuziek en hoewel er overal drank was, schitterden veler ogen wegens heel andere oorzaken.

Irina Gorbatsjeva, Bobby's vriendin, was lang en blond en

perfect. Ze wist dat als geen ander en liet zich ruimhartig bewonderen. Ze was daar verreweg de mooiste vrouw en had dat net zo gepland zoals Bobby dat met zijn eigen superieure aanwezigheid had gedaan. Alleen een idioot creëert een podium waarop hij zelf slecht uit de verf komt. Spandau voelde zich schuldig toen hij haar gadesloeg, maar dat gold voor iedereen en trouwens, ze genoot ervan als mensen haar bewonderden. Irina wilde een filmster worden en zolang mensen haar ondanks zichzelf aanstaarden, was er nog hoop. Ze had geen greintje talent en ze klonk als een pluizige versie van Natasja in de Rocky & Bullwinkle-cartoons, maar dat gold ook voor Arnold Schwarzenegger en kijk eens hoe ver die het heeft geschopt. Spandau stond langs de kant een biertje te drinken toen Irina naar hem toe kuierde. Ze pakte het biertje uit zijn hand, nam een slok en trok een gezicht.

'Russen houden van wodka,' zei ze.

'Dat heb ik gehoord, ja.'

'Een mooi leven, hè?' zei ze terwijl ze een groots gebaar met haar hand maakte. 'Een stuk beter dan in St. Petersburg.' Ze kwam uit Minsk, maar iemand had haar verteld dat Minsk lang niet zo goed klonk.

'Het gaat,' zei Spandau.

'Dus als iemand op Bobby schiet, spring jij ervoor om de kogel op te vangen?'

'Is dat de bedoeling? Jezus, dat heeft niemand me verteld.'

'Je bent een grapjas.'

'Dat is een gave.'

'Talloze mooie meiden in de buurt en jij staat hier een biertje te drinken. Er is er minstens één bij die met je wil neuken. Ben je een homo?'

'Ben in de oorlog gewond geraakt. Kreeg een landmijn tussen mijn benen.'

'Wat jammer nou.'

Ze liep naar een ligstoel. Ze keek naar Spandau, glimlachte en trok haar top uit. Ze nestelde zich op de stoel in de zon.

Ginger verscheen met een schaal hapjes.

'Wat een verlegen ding, hè?' zei Ginger.

'Hoe lang zijn zij en Bobby bij elkaar?'

'Een paar maanden. Ze hebben elkaar op de set ontmoet. Jurado heeft ze aan elkaar voorgesteld. Ik had het genoegen erbij te mogen zijn. Ze liep min of meer naar Bobby toe, greep hem bij de lurven en zei: "Nu ben je van mij." Hij maakte geen enkele kans.'

'Hij is een grote jongen.'

'Nee, dat is hij niet. Hij is verliefd op haar. Kun je je dat voorstellen? Ergens haalt hij 't in zijn hoofd dat ze een huisvrouw als June Cleaver zal worden. Nee, sorry hoor, miss Gorbatsjeva heeft andere plannen.'

'En die zijn?'

'Nou, we willen een ster worden, liefje, zo is het toch? Waarom is ze anders hier?'

Bobby dook nerveus ogend op. Ginger verdween. 'Vermaak je je een beetje?' vroeg Bobby aan Spandau.

'Mooi uitzicht.'

'Ja. Het lijkt wel een lingerieparty, verdomme. Waarom laat jij jezelf niet lekker verwennen?'

'Ik ben hier niet op m'n plaats.'

'Onzin. Je bent mijn vriend. Jij hoort nu ook in het wereldje thuis.'

'Wat is er met je?'

Bobby stond op zijn benen te wiebelen. 'Nog even en ik pis in m'n broek. Er staat een rij van een kilometer voor de wc beneden.'

'Ga dan boven.'

'Dat gaat niet.'

'Waarom niet?'

Bobby staarde hem aan. Op dat moment zag ook Spandau het dode meisje voor zich.

'Ik ben op zoek naar een ander huis. Hier kan ik niet blijven. Het spookt er nu. Ik kan het verdomme niet.'

Bobby keek om zich heen en zag Irina topless op de ligstoel liggen.

'Wat een klotezooi.'

Bobby ging naar haar toe en zei boos iets tegen haar. Ze zei boos iets terug. Hij snauwde haar toe en ze haalde haar schouders op, maar deed haar top weer aan. Bobby liep naar Spandau terug.

'Ze generen zich verdomme ook nergens voor,' zei Bobby.

'Bobby, het hangt hier vol met haar foto's.'

'Ja, dat weet ik, maar dat betekent niet dat ik het leuk moet vinden. In een blad staan is één ding, het is wat anders als ze er voor de ogen van mijn vrienden mee rondzwaait.' Bobby was inmiddels wanhopig. 'Dit is verdomme mijn eigen huis en ik moet in de bosjes pissen. Jezus.'

Bobby liep weg om ergens te kunnen plassen. Spandau vond aan de rand van het gebeuren ergens een stoel, dronk zijn biertje op, pakte er nog eentje en keek geamuseerd naar de mooie losbandigheid. Toen hij het huis in ging, stond er inderdaad een rij voor de wc beneden. Spandau liep naar boven en klopte op de badkamerdeur. Een vrouwenstem zei: 'Ja, momentje nog...' Spandau wachtte en hoorde stemmen in de grote slaapkamer, waar Bobby nu niet meer in durfde te slapen. De stemmen klonken hem bekend in de oren en Spandau liep nu naar de niet helemaal dichte slaapkamerdeur en zag dat Irina en Frank Jurado een intiem tête-à-tête hadden. Ze zaten zachtjes te praten en Irina zette een pruilmondje naar hem op. Jurado glimlachte, nam het niet serieus en kneep door haar minuscule bikinitop in haar tepel. Irina lachte maar haalde zijn hand niet weg.

Achter Spandau ging de badkamerdeur open en een blondje kwam snuivend naar buiten, terwijl ze met haar vinger langs haar tandvlees streek. Ze glimlachte naar Spandau en glipte langs hem heen terwijl in de badkamer nog een ander model de wastafel afveegde en een flesje in haar tas liet vallen. Zij glimlachte ook naar Spandau en liep naar beneden. Spandau keek naar het toilet en de wastafel, en herinnerde zich Bobby's beschrijving van het dode meisje. Spandau zag haar daar zitten, weerloos, de naald bungelend uit een blauwachtige dij. Hij deed de deur dicht zonder naar binnen te gaan.

Irina kwam de slaapkamer uit en gaf hem een speelse por in de ribben toen ze wiegend langs hem liep. Spandau ging naar de slaapkamerdeur. Jurado zat op de rand van het bed in zijn mobieltje te praten. Hij keek naar Spandau op, maar onderbrak zijn gesprek niet. Spandau liep weer naar beneden.

Spandau stond bij een grote boekenkast naar Bobby Dyes verzameling boeken te kijken. Er stonden werken over filosofie tussen biografieën van filmsterren en boeken over film en regisseren. Een paar boeken over John Cassavetes. Een exemplaar van Sun Tzu's *The Art of War*. Spandau keek erin. Op het titelblad stond geschreven: 'Voor mijn schitterende ster / We gaan samen een film maken! / Hartelijke groet / Richie.' Jurado keek over zijn schouder mee.

'Waar is Bobby?' vroeg Jurado aan hem.

'De laatste keer dat ik hem zag stond hij in een rozenstruik te pissen.'

'Moet jij hem niet bewaken of zoiets? Je lijkt 't allemaal niet erg serieus te nemen.'

'Het grootste gevaar voor Bobby op dit moment is dat hij door een hommel in zijn lul wordt gestoken. En daar kan ik niet veel aan doen.'

'Heb je over ons babbeltje nagedacht?' vroeg Jurado.

'Niet echt.'

'Heeft hij het over de *Crusoe*-première gehad?'

'Ja.'

'Jij bent daar niet nodig. We hebben onze eigen beveiliging.'

'Hij wil dat ik erbij ben.'

'Nou, hij is de ster, hè?' zei Jurado.

'Zo is 't maar net.'

'Bid maar dat 'm niets overkomt, cowboy.' Hij klopte

Spandau vriendelijk op de rug. 'Zeg maar tegen Bobby dat ik weg moest. Wel een leuk feestje, en bedank 'm dat hij me heeft uitgenodigd.' Jurado baande zich langs de ene modepop na de andere een weg naar de voordeur.

Toen Spandau terugging naar het zwembad, stond Bobby bij de bar een wodka achterover te slaan. Hij bestelde er nog een en maakte die ook soldaat.

'Heb je moeite met planten water geven?' zei Spandau tegen hem.

'Sodemieter op.'

'Commandeer je hondje en blaf zelf, chef. Ik ben hier omdat je me dat hebt gevraagd. Als je het zwaar hebt, zoek dan iemand uit die graag in je kont kruipt, maar mij niet.'

'Klotecoke kuttenkop.'

'Deze keer hebben we 't geloof ik niet over mij, wel?'

'Ik heb overal gekeken en de bitch is weg. Iemand zei me dat ze in de badkamer boven een lijntje ging snuiven. Ze had beloofd dat ze dat niet zou doen.'

'Doe je nu niet een beetje naïef?'

'Begin jij nou niet ook nog, ja?'

'Ik wil niet dat je wat overkomt.'

'Bemoei je met je eigen zaken.'

Bobby gebaarde voor de volgende wodka. 'Heb je Frank gezien? Iemand zei dat hij er was.'

'Hij is alweer weg. Zei me dat ik je moest bedanken voor de uitnodiging.'

'De klootzak. We zouden het over mijn film hebben, die ik ga regisseren. Ik heb een idee voor een script. Het moet zich afspelen in South Central. Met een 16mm-handcamera, geen kloteacteurs, man, alleen maar echte mensen. Helemaal korrelig.'

'Daar zal de volksmond bij de kassa van openvallen. Mensen zijn dol op korrelig.'

'Zeg, wat heb jij?'

'Ik krijg het Spaans benauwd van al die fysieke perfectie. Ik trek me terug in het gastenverblijf, tenzij *Cosmopolitan* heeft besloten om hier wat plaatjes te schieten.'

Hij liet Bobby met zijn drankje bij de bar achter en ging naar zijn kamer terug. Hij dacht erover om een van de meisjes uit te nodigen, maar het idee om seks te hebben met een vrouw die stoned was, hoe prachtig mooi ook, stond hem totaal niet aan. Hij miste Dee. Hij bedacht dat hij zich ladderzat zou zuipen en haar dan zou bellen. Dee zou met hem praten en uiteindelijk zou hij alleen maar iets zeggen waar ze allebei last van zouden hebben. Ze verdiende het om gelukkig te zijn, ze verdiende het om te kiezen wat ze wilde. En dat was hij niet. Hij liep naar het gastenverblijf terug, deed de deur op slot, ging op zijn bed liggen en sloot zijn ogen. Hij dreef in een pluizige slaap weg en werd wakker doordat een donkerharig model over zijn raam kraste en naar hem glimlachte. Maar misschien droomde hij dat alleen maar. Tegenwoordig wist hij dat nooit meer.

18

'Kent iemand die klootzak?' zei Richie Stella.

Ze zaten in Richies kelder naar zijn plasma-tv met groot scherm te kijken, waarop een korrelige, maar makkelijk te herkennen Terry McGuinn in de camper annex cracklab rondstruinde. Martin en de onnozele keken elkaar aan alsof ze Laurel en Hardy waren.

'Ik niet,' zei de onnozele. 'Ik heb hem nog nooit gezien. Moet een smeris zijn.'

'Smeris, me reet,' zei Richie. 'Hoor jij sirenes? Als smerissen een cracklab vinden, lijkt het verdomme wel circus. Als dat een smeris was, zou hij niet hebben gewacht tot jullie weg waren. Nu is het allemaal ontoelaatbaar bewijs, ze hebben helemaal niks. Dat is geen smeris.'

'Maar wat dan wel?' zei de onnozele en hij wist onmiddellijk dat dat een foute vraag was.

'Hoe moet ik dat verdomme weten?' bulderde Richie. 'Vraag 't aan die domme klootzak hier, dat is de vent die 'm heeft meegebracht.'

'Hé! Hoe weet je dat nou?' protesteerde Martin.

Richie gooide het zendertje in de magnetische houder naar hem toe. 'Omdat jij het altijd bent. Omdat we dit op de auto hebben aangetroffen. Als je niet mijn neef was, dan zou ik je hersens uit je kop schieten, ik zweer 't je.' En tegen de onnozele zei hij: 'Heb je ermee afgerekend?'

'Tot de grond toe afgebrand. Geen spoortje, niets, en totaal niet te achterhalen. We beginnen van voren af aan op die plek in de buurt van Barstow. De zaken gaan gewoon door.'

'Sorry, Richie,' zei Martin. 'Echt.'

'Wil je het goedmaken met me? Zoek dan uit wie die klootzak is.'

'Natuurlijk, Richie. Maar hoe?'

'Neem een videostill van die vent mee, laat hem overal zien. Hij weet niet dat we hem betrapt hebben, dus zal hij zich niet schuilhouden. Vraag rond in de club, maar doe het wel discreet, wil je? Weet je wat "discreet" betekent? Ik heb die kerel in de club gezien. Ik weet dat ik 'm in de club heb gezien.'

'En dan?' vroeg Martin.

'Vind hem nou maar,' zei Richie.

'Laten we naar Cabo gaan,' zei Richie tegen haar. 'Ben je ooit in Cabo geweest?'

Ze waren in het kantoor van de Voodoo Room. Het was tien uur 's avonds en Richie had er de hele avond rondgehangen. Meestal kreeg je hem met nog geen stok het kantoor in en daar was het personeel wat blij mee, want als hij opdook, ging hij over iets zinloos jeremiëren, schold lukraak iemand de huid vol en stuurde hem of haar vervolgens de laan uit. Dat was meestal de verkeerde, maar nadat Richie iemand eruit had gegooid, was hij weer een paar weken gelukkig en liet hij de rest met rust. Allison was net als de anderen als de dood wanneer hij het kantoor binnenliep, en tegenwoordig deed hij dat bijna dagelijks. Ze werd er gek van. Hij liep achter haar aan, kneep haar wanneer hij maar kon in de billen, en ze kwam nauwelijks aan haar werk toe. Allison runde de tent als de beste, ze vond haar werk leuk en dacht dat ze misschien ooit van Richie verlost kon zijn en ergens manager kon worden waar de eigenaar niet elke vijf minuten haar in de tieten probeerde te knijpen. Ze werkte hier nu een half jaar en tot nu toe was het haar gelukt uit zijn bed weg te blijven. Maar Richie begon nu ongedurig te worden, de reden waarom hij haar voor de voeten liep.

'Ik heb geen tijd om naar Cabo te gaan,' zei Allison tegen hem. 'Ik heb het hier te druk.'

'Ik kan wel honderd mensen vinden die deze tent kunnen runnen.'

'Schitterend, fantastisch,' zei ze. 'Waar heb je mij dan voor nodig?'

'Je weet waarvoor ik je nodig heb.'

'Ik ben je meisje niet, Richie.'

'Ja hoor, dat ben je wel,' zei hij.

Ze zat aan het bureau en probeerde wijs te worden uit een stapel bonnetjes. Richie liep naar haar toe en masseerde haar nek. Door zijn handen in haar nek joeg er een schok door haar lichaam, en als haar spieren al niet strak van de spanning stonden, dan was dat nu wel het geval. Misschien probeerde hij haar werkelijk te masseren, of misschien was het een dreiging. Met Richie wist je het nooit.

'Natuurlijk ben je mijn meisje,' zei Richie terwijl hij met zijn duim het kwetsbare punt kneedde waar haar ruggengraat in haar schedel verdween.

Allison stond op en liet hem een stapeltje bonnetjes zien.

'Ze bestelen ons verdomme waar je bij staat. Waarom laat je me mijn werk niet gewoon doen, Richie? Ik ben hier goed in, echt waar. Waarom kun je daar geen genoegen mee nemen?'

'Jeetje, wat ga je dan doen? Laat je me weer in de steek?'

'Maakt dat deze keer dan wel wat uit?'

Allison had twee keer ontslag genomen, tot ze erachter kwam dat Richie wat rondgebabbeld had en ze nergens meer aan de bak kon komen, tenzij ze hamburgers wilde bakken, en zelfs dat was twijfelachtig. Iedereen kende Richie en niemand wilde mot met hem. Ze had een kind en een huis, en ze had de baan nodig. Ze was beide keren teruggekomen, zoals Richie wel wist.

'Het punt is dat we allebei weten dat je niet weg wilt. We weten allebei wat je wilt. Je wilt hetzelfde als ik. Dus als je het bijltje erbij neer wil gooien, doe dat dan maar. Ik heb je toch nooit tegengehouden? Dus waarom kom je dan steeds weer terug, hè?'

'Ik heb werk te doen,' zei Allison.

'Denk na over Cabo,' zei Richie. 'We vliegen erheen, een week in de zon, margarita's drinken en op het strand liggen.'

'Ik heb een kind, Richie.'

'Die breng je toch naar je moeder. Jezus, ik stop hem wel een week in Disneyland. Nee, laat maar zitten, ik zet ze allebei op een vliegtuig naar Florida, Disneyworld in Orlando. Ga me niet vertellen dat ze dat niet leuk vinden. Iedereen vindt dat soort shit leuk.'

'Kunnen we hier later over praten? Ik moet dit afhandelen,' zei ze terwijl ze hem de papieren liet zien.

'Natuurlijk, natuurlijk. We hebben het er tijdens het eten wel over. Neem morgenavond maar vrij.'

'Je denkt echt dat ik hier uit m'n neus zit te vreten, hè?'

'Niet zo humeurig tegen me, liefje. Ik weet dat je hard werkt. Je zorgt ervoor dat deze tent aan de top staat, dat weet ik heus wel. Maar je moet ook goed zorgen voor de kwetsbare machinerie die management en hard werken nou eenmaal is. De radertjes hebben zo nu en dan een drupje olie nodig.'

'En jij vindt dat jouw radertjes wel aan een drupje olie toe zijn, hè?'

'Je vat dit helemaal verkeerd op,' zei Richie. 'Ik probeer het professioneel te benaderen.'

'Ja, dat zal wel,' zei Allison. 'En misschien is een prof wel precies wat je nodig hebt.'

'Jij bent ook steeds zo verdomde koppig,' zei Richie tegen haar. 'Je maakt alles zo moeilijk.'

'Ik wil alleen mijn werk maar doen, Richie. Dat is alles. Waarom sodemieter je niet op en laat je je piepende radertjes door iemand anders smeren, oké?'

Allison pakte haar handvol bonnetjes en liep ermee naar de bar. Tot haar opluchting kwam Richie niet achter haar aan. Als ze niet toegaf (en trouwens, ook als ze dat wel zou doen) zou Richie vroeg of laat genoeg van haar krijgen. Allison had geen idee wat er dan ging gebeuren. Ze hoopte dat als ze het maar lang genoeg volhield, het Richie zou vervelen en hij haar zou laten gaan. Dan kon ze ergens anders een baan aannemen. Maar in haar hart wist ze wel dat het zo niet zou gaan. Richie was een stuk stront en als hij niet kreeg wat hij wilde, bleef hij doorknokken. Hij zou haar de nek omdraaien, ook al was het maar om degene die na haar kwam een lesje te leren. Aan de andere kant, als ze wel met hem naar bed zou gaan, dan wist alleen God welke kant het op zou gaan. Misschien mocht ze ontslag nemen als hij dan genoeg van haar had, of misschien zette hij haar voor iets anders in. Er deden verhalen de ronde dat dat was gebeurd met andere meisjes die in de club hadden gewerkt, maar niemand had zelfmoordneigingen, dus daar werd niet over uitgeweid.

Rose stond achter de bar toen Allison naar haar toe liep en haar een bonnetje liet zien.

'Zie je dat?'

'Ja?'

'Hoeveel glazen schenk je uit een fles scotch?'

'Twintig misschien,' zei Rose.

'Volgens dit bonnetje zijn het er maar zestien. We verliezen zo op elke fles een vijfde deel.'

'Moet je horen,' zei Rose, 'ik ben hier niet de enige bartender.'

'Ik zeg alleen dat er nu een einde aan moet komen. Geef het maar aan de anderen door. Als ik zie dat iemand zijn vrienden trakteert of geld in zijn zak steekt, beschouw ik dat als diefstal, want dat is het ook.'

Allison ging naar beneden om met het andere personeel te praten en liet Rose kokend van woede achter. Martin had dit allemaal aanschouwd en liep naar haar toe. Rose Villano was klein en geil, en Martin wilde haar wanhopig graag. Een meelevende schouder deed het altijd goed.

'Heb je die trut gezien?' zei Rose tegen hem. 'Waar haalt ze het lef vandaan om me verdomme voor dief uit te maken? Klotetrut. Als ze Richie niet zou pijpen, zou ze op straat staan, waar ze ook thuishoort. Wil je wat drinken?'

'Ja. Hetzelfde als altijd.'

Ze schonk hem een grote scotch in.

'Van het huis. De trut,' zei Rose.

'Ze slooft zich niet voor Richie uit,' zei Martin.

'O nee? Nou, hij blij. Maar die shit zal niet lang duren. Is ze misschien nog een pot ook. Dat zou een hoop verklaren.'

'Misschien,' zei Martin. 'Hoe dan ook, ze moet het niet op jou afreageren.'

'Als je dat maar weet,' zei Rose. 'Wees maar blij dat jij niet met 'r hoeft te werken. Een bitch, dat is ze. Doet ze dit niet voor hem?'

'Nee.'

'Iemand moet het met Richie over haar hebben,' zei Rose terwijl ze hem in de ogen keek.

'Ja, misschien moest ik dat maar doen. Het is niet goed voor de werksfeer, weet je wel.'

'Als je dat maar weet. Dus jij gaat met hem praten?'

'Misschien,' zei Martin naar haar glimlachend.

'O, je bent een slimmerik, hè? Zit er toch meer in je dan ik dacht.'

'Zonder meer,' zei Martin. 'Ik zit vol ideeën. Ze blijft hier heus niet voor eeuwig. Jij en ik moeten praten.'

'Ja, laten we praten,' zei Rose. 'Daar ben ik hartstikke goed in.'

Ze leunden nu beiden met hun ellebogen op de bar, glimlachten elkaar toe en keken elkaar in de ogen. Rose stak haar hand uit en pakte van achter de bar een cocktailkers en stopte die in haar mond. Ze rolde de kers in haar mond achter haar tanden en toen ze hem er weer uit trok, zat er een knoop in het steeltje. Ze legde hem in zijn hand.

'Jezus,' zei Martin, zich niet bewust van het feit dat hij het hardop zei, met bewondering voor zowel haar lenige tong als de manier waarop ze op de kers zoog en hem uit haar mond haalde. Martin was even in goddelijk gemijmer verzonken over die tong en die lippen toen hij zich herinnerde waarom hij daar was. 'Hé,' zei hij, 'kun je hier even naar kijken?' Hij haalde de videofoto van Terry tevoorschijn en liet hem haar zien. 'Heb je die kerel ooit gezien?'

Ze bekeek hem zorgvuldig.

'Ja, die heb ik gezien. Hij is in de bar geweest. En van de week zag ik hem met miss Bitch met het strakke kontje. Ze waren samen in Denny's. Hoezo?'

Elke gedachte aan de liefde sijpelde plotseling door Martins kont weg.

'Bemoei je maar met je eigen bijenwas,' zei Martin.

Rose klaarde helemaal op. 'Besodemietert die bitch Richie? O, mijn god, is me dat even een meevaller!'

'Je houdt verdomme je mond, hoor je,' zei Martin snel. 'Ik meen het, anders stuur ik Richie op je af, hoor je? Als je weet wie die vent is, waar kan ik 'm dan vinden?'

'Vraag dat maar aan die trut,' zei Rose.

'Geen woord, oké?'

'Niet van mij, liefje. Ik kijk alleen maar genietend toe.'

Martin trof Richie in het kantoor. Allison was net weer teruggekomen en Richie probeerde met haar te praten. Allison deed wat ze altijd deed: werken en tegelijkertijd Richies rondzwervende handen van zich afhouden.

'Richie?'

'Wat?' snauwde Richie. 'Zie je niet dat we met de boekhouding bezig zijn?'

'Ik moet met je praten.'

'Waarover, verdomme?'

'Het is belangrijk.'

'Jezus.'

Richie liep met Martin naar de lege viproom. 'Waar gaat dit over? Ik word gestoord van die trut, ik weet niet eens waarom ik al die moeite nog doe.'

'Je weet die vent toch nog, naar wie we op zoek zijn, uit die camper? Hij is een kennis van Allison.'

'Wat?'

'Ze kent die vent.'

'Wat bedoel je, ze kent die vent?'

'Rose zei dat ze hen samen heeft gezien. En je hebt gelijk, ze heeft hem ook hier gezien.'

'Rose kan haar niet luchten, ze is stikjaloers op Allison. Ze is een leugenachtige latino.'

'Dat geloof ik niet, Richie. Ze zei dat ze hen samen heeft gezien. Ik heb Allison niet eens genoemd, ik liet haar alleen de foto zien.'

'Jezus,' zei Richie zwakjes.

'Wil je dat ik met haar praat?'

'Nee, je blijft bij haar uit de buurt, hoor je? Als er iemand met haar gaat praten, dan ben ik dat. Je houdt verdomme je kop.' Hij ging op de bank zitten. 'Jezus,' zei hij nogmaals.

'Wat wil je dat ik doe?'

'Hou haar in het oog. Als Rose de waarheid zegt, zal ze ons vroeg of laat naar die klootzak toe brengen. Als Rose liegt, dan wil ik dat je de duimen van dat kreng afhakt, of zoiets.'

'En als ze de waarheid vertelt?'

'Dan laat ik je dat wel weten, oké? En nu wegwezen. Ik moet nadenken.'

Richie Stella zat alleen in de viproom met een gebroken hart. Nee, dat is een leugen. Richie Stella had nog nooit een gebroken hart gehad. Richie Stella had iets wat hij heel graag wilde, maar wat hem belazerde waardoor hij zich een lulhannes voelde, en wat hij nu de nek om wilde draaien, of hoe je zoiets ook noemt. Misschien is dat geen gebroken hart, maar dichterbij zou Richie Stella nooit komen.

De nacht erop ging na tweeën Allisons telefoon. Allison stapte uit bed, liep naar de woonkamer en nam op.

'Ja?'

'Ik wil je zien,' zei Terry. Hij sprak langzaam, met een dik Iers accent en Allison hoorde onmiddellijk dat hij veel gedronken had.

'Laat me met rust,' fluisterde Allison. 'Je hebt gekregen wat je wilde. Verdwijn uit mijn leven.'

'Ik moet je zien. Ik kom naar je toe.'

'Nee, in godsnaam, je komt niet hier. Dat heb ik je al gezegd.'

'Dan spreken we ergens af. We moeten praten. Het is belangrijk.'

'Ik bel je morgen. Ik moet ophangen.'

'Is hij bij je?'

Ze gaf geen antwoord.

'Hij is bij je, hè?'

'Nee,' zei Allison. 'Dat is hij niet. Ik moet gaan,' en ze hing op.

'Wie was dat?' klonk Richies stem uit de slaapkamer.

'Mijn moeder. Cody heeft verhoging.'

'Zal ik een dokter bellen?' zei Richie, naakt de woonkamer in kuierend. 'Ik stuur er zo een dokter naartoe, hoor.'

'Het is alleen maar een koutje, of zo. Niks ergs. We kunnen hem beter laten slapen.'

'Als je een dokter nodig hebt, zeg je het maar. Ik doe alles voor dat joch. Dat weet je wel.'

'Ja, dat weet ik.'

Richie legde zijn handen op haar schouders, masseerde ze, masseerde haar nek. 'Kom in bed. Zolang ik hier ben, hoef je je nergens zorgen over te maken. Dat weet je wel, hè? Je bent mijn meisje, toch?'

'Ja,' zei ze. 'Ik ben jouw meisje.'

Ze zaten in de kombuis van Terry's boot. Die deinde langzaam heen en weer, als een zich lui schurkend dier, tegen de kade. Binnen was het bedompt en Allison wenste dat de ramen open waren, zodat er wat frisse lucht binnenkwam. Nee, ze wilde van die verdomde boot af. Haar maag kwam in opstand van de spanning en de deining.

'Kunnen we buiten gaan zitten?' zei ze.

'Ik wil dat je tegen me praat,' zei Terry zich naar haar toe buigend.

'Wat wil je dan horen?'

'Ik wil horen dat je niet met 'm hebt geneukt.'

'Oké, prima, ik heb niet met 'm geneukt.'

Terry keek haar aan, ging achterover zitten, sloeg zijn handen voor zijn gezicht, haalde ze weer weg en slaakte een diepe zucht.

'Het is niet aan mij om je je beter te laten voelen,' zei Allison.

'Ik dacht... ik bedoel, ik wilde...'

'Word eens volwassen, ja.'

Ze moest hier weg zien te komen. Ze stond op.

'Voel je dan helemaal niets?' vroeg Terry aan haar.

'Jezus, en wat dan nog? Wat maakt dat nou uit?'

'Binnenkort is hij uit je leven verdwenen, hoe dan ook. Ik zweer het. Ik kan alles regelen. Het komt allemaal goed.'

'Ik kan je niet vertellen hoe misselijk ik word bij het aanhoren van al die shit die jullie klootzakken uitkramen,' zei Allison. 'Ik hoor dit al m'n leven lang en het enige wat jullie doen is het nog erger maken. Wat ga je dan doen? Hem vermoorden?'

'Vind je dat hij het leven verdient? Ik zou er geen nacht minder om slapen. De wereld zou beter af zijn.'

'Ik wil hier niet naar luisteren. Je bent gek.'

'Vertrouw me nou maar,' zei Terry tegen haar. 'Vertrouw me gewoon. Het gaat allemaal voorbij. Ik kan voor je zorgen. Dan kunnen we bij elkaar zijn. Als jij dat wilt, tenminste. Wil je het een kans geven, alleen jij en ik? Zou je dat misschien willen?'

'Ja, dat zou fijn zijn. Volgens mij ben je gestoord, maar je maakt me aan het lachen.'

'Ik hou van je,' zei Terry.

'Daar was ik al min of meer achter.'

'We hebben elkaar nodig. We lijken op elkaar, jij en ik. Dat gaat werken. Het komt allemaal goed. Je zult 't zien.'

'Denk je?'

'Ik weet 't zeker.'

Terry kuste haar en tot haar eigen ergernis kuste ze hem terug. Dat effect had hij op haar, feromonen of zoiets. Hij was niet lang, knap of rijk, en iets aan hem straalde op zichzelf al een ramp uit. Hij woonde verdomme niet eens in een huis of appartement, zoals normale mensen. Hij dreef alleen maar op deze kleine hobbitachtige watercilinder, hij en zijn sprookjes en zijn foto van Gandalf en zijn kaart van Midden-Aarde. Behalve wanneer hij ex-echtgenoten wurgde en mensen overhaalde zich met shit te bemoeien waar ze geen reet mee te maken hadden. Het soort kerel dat je leven zo in de war zou schoppen dat je er met je hoofd niet bij kunt, maar het gebeurt toch en je kunt er niets aan doen omdat zoiets je nog nooit eerder is overkomen. Plotseling wordt er een luik weggeschoven en krijg je een heel nieuwe wereld voorgeschoteld, goed of slecht, en je weet al wat je in deze wereld op je bordje hebt liggen. Het enige wat dat klootzakkie maar hoefde te doen was haar aan te raken, dan wilde ze zich aan hem vastklampen en niet meer loslaten. Ze vergat haar maag en de bedompte zeelucht en het besluit om hem nooit meer te zien, en wilde alleen nog maar met hem neuken en lachen en de rest helemaal vergeten.

'Blijf je bij me?'

'Dat is een slecht idee,' zei Allison, terwijl ze aan het bedenken was hoe ze dat toch voor elkaar kon krijgen.

'Bel je moeder. Vraag of ze Cody een nachtje kan houden. Dan gaan we ergens voor anker liggen, waar het mooi en rustig is. Het water is kalm, het lijkt net of je in iemands armen ligt te wiegen. Ik maak eten voor je, we kijken naar de zonsondergang. Dat is het enige waar ik aan heb lopen denken. Met jou in mijn armen naar de zonsondergang kijken.'

'Dat zou ik niet...'

Ze kusten elkaar opnieuw. Hij trok haar om de tafel naar zich toe en ze vouwde zich op zijn schoot. Hij begroef zijn gezicht in haar borsten en legde zijn handen op haar heupen. Ze kuste zijn rode krullen, legde haar armen om zijn nek. Ze was moe, moe van alles, moe van het duwen en trekken tegelijk. Ze wilde weggevoerd worden. Hij bracht haar naar het bed.

'Ze zijn op zijn boot,' zei Martin tegen Richie. 'Hij heeft een boot in Ventura.'

Richie zat in de eetkamer een steak te eten. Hij sneed het vet zorgvuldig weg en legde dat opzij. Toen sneed hij een klein vierkantje vlees af, dipte dat in een mengsel van mierikswortel en ketchup, stopte het in zijn mond en kauwde nauwgezet. Daarna deed hij dat nog eens. Hij keek niet naar Martin, die boven de tafel zweefde tot de bom zou barsten.

'Wat zijn ze aan het doen?' zei Richie ten slotte, nog steeds snijdend en etend, mechanisch, niet van zijn bord opkijkend.

'Jezus, Richie, wat wil je dat ik zeg? Ze spelen vadertje en moedertje.'

Richie vermaalde het laatste stukje vlees, legde zijn mes en vork neer, nam een slokje wijn, veegde zijn lippen af met het katoenen servet en legde zijn handen aan weerskanten van het bord op tafel. Richie zei: 'Wat een schijnheilige trut. Ik heb haar alles gegeven. Uiteindelijk heeft ze het ook met mij gedaan, weet je dat? Leugenachtige kuttenkop.'

Martin had zich meer op zijn gemak gevoeld als Richie hem de huid had vol gescholden, met dingen was gaan smijten, akelige dreigementen had geuit, wat hij normaal altijd deed. Nu had hij het gevoel dat hij op een bom zat die al dan niet elk moment kon ontploffen.

'Wat moet ik doen?' vroeg Martin hem.

Richie had zijn handen nog altijd aan weerskanten van zijn bord, maar wiebelde nu met zijn duimen. Hij bleef zo een poosje zitten en zei toen: 'Bel Squiers en Potts. Zeg tegen ze dat ik een klus voor ze heb. Vertel ze dat ze een bonus krijgen als ze het goed doen. En vraag die wezel van een Potts of hij iets van boten weet.'

19

Potts maakte de deur van zijn huis open. Hij stak zijn hand om de hoek, deed het licht aan en deed een stap opzij om Ingrid binnen te laten.

'Veel is het niet,' zei Potts tegen haar.

Ingrid ging naar binnen. Ze liep de woonkamer rond, bekeek dingen, glimlachte bij zichzelf.

'Het is enig.'

Potts trok de patiogordijnen open. 'Daar is de patio. Ik heb ook een barbecue. En er is een hoefijzerveld, als je daarvan houdt.'

Ingrid kwam bij de foto van Potts' dochter, twee jaar eerder genomen. Potts had er pas vorig jaar de hand op weten te leggen. Hij had praktisch moeten smeken en haar uiteindelijk vijftig dollar moeten beloven voor ze hem had opgestuurd.

'Is dat je dochter?'

'Ja, dat is Brittany. Haar grootouders, de familie van mijn vrouw, hebben momenteel de voogdij over haar. In El Paso. Ik knok om haar terug te krijgen. Ik wil haar hierheen halen, haar een echt thuis geven. Daarom heb ik dit huis. Ze zal je aardig vinden. Jullie kunnen vast met elkaar opschieten. Jij zou een goede invloed op haar hebben.'

'Ze is heel knap,' zei Ingrid. 'Een sterke persoonlijkheid, net als jij. We kunnen het vast goed vinden samen.'

'Denk je? Denk je dat echt?'

'Ik weet het gewoon. Ik zie het aan haar gezicht. Dat komt prima voor elkaar.'

Potts voelde het geluk als een koele mist door zich heen stromen.

'Binnenkort krijg ik wat geld, van m'n werk. Niet heel veel, maar genoeg om een eigen bedrijf te beginnen, denk ik. Genoeg om een garage te huren en gereedschap te kopen, iemand in te huren die me helpt. Dat hoeft niet veel te kosten. Ik moet alleen de eerste maand door zien te komen en dan is het voor elkaar. En dan kan ik die advocaat betalen, die Brittany voor me terughaalt. En dan kunnen jullie twee kennis met elkaar maken.'

'Ik heb wat geld,' zei Ingrid. 'Ik kan je wel een beetje helpen. En moeder kan niet lang meer thuis wonen, dan is dat huis er nog. Ik wil niet alleen in dat huis blijven wonen.'

'Het komt goed, hè? Alles komt goed.'

Ze lachte. 'Je zegt 't alsof dat niet klopt.'

'Ik weet het. Misschien had ik helemaal niets moeten zeggen. Ik wil het ongeluk niet over ons afroepen. Soms moet je de dingen niet hardop zeggen, weet je. Hoe gelukkig je ook bent.'

Ingrid liep naar hem toe en sloeg haar armen om hem heen. 'Ik vind dat je het juist hardop moet zeggen als je gelukkig bent. Ik vind dat je dat moet vieren.'

'We moeten champagne halen,' zei Potts met zijn armen om haar heen. 'Denk je dat je aan een mooie fles champagne kunt komen? Dan kunnen we het echt vieren. We moeten jou en mij vieren. We halen champagne en leggen wat steaks op de barbecue in de achtertuin.'

'Het is lang geleden dat ik zo gelukkig was. Jij maakt me gelukkig. Maak ik jou gelukkig?'

'Jezus, ja. Ik ben nog nooit zo gelukkig geweest. Daar zou ik best aan willen wennen.'

Ingrid kuste hem, liep toen naar de patio en keek naar buiten.

'Amos,' zei Potts.
Ingrid draaide zich om. 'Wat?'
'Amos,' herhaalde Potts. 'Mijn voornaam is Amos.'
'Ik hou van je, Amos Potts,' zei ze. 'Hou jij van mij?'
'Ja.'
'Dan komt alles helemaal goed.'

20

Om een of andere reden werd seks in wanhoopstijden nog beter. Misschien gaat het meeste van seks wel over vergeten. Misschien neuken we wel omdat we het zo lang mogelijk willen rekken, we ons lichaam en onze zintuigen tot het uiterste willen brengen, en niet willen weten wie en waar we zijn. Mensen vragen zich af waarom de armen zo veel kinderen hebben, maar neuken is gratis, althans in het begin, tot de kinderen komen. Neuken is als een drug, je vergeet waar je bent, wie je bent, het kan je niet schelen, zolang je maar naar een orgasme wordt gebracht, en dan het gezegende moment zelf, terwijl al het andere wordt verdrongen. Marx had het mis. M'n rug op met godsdienst. Zoals iedereen in de reclamewereld weet, is een lekkere wip pas opium voor het volk.

Terry was een beetje weggedoezeld en Allison had de gelegenheid om na te denken. Terry maakte haar opgewonden en zo lekker klaar als niemand ooit eerder had gedaan, hoewel ze niet wist waarom dat zo was. Hij was een goed minnaar, maar het zat 'm niet in de techniek. Ze dacht dat het misschien kwam omdat hij, ook al voelde ze zich veilig bij hem, haar nog steeds in de war maakte. Hij was onvoorspelbaar... bij het vrijen, bij alles wat hij deed, het ging op en neer op de schaal van tederheid en geweld. Er waren eindeloos veel mogelijkheden, de reden waarom je zo makkelijk in zijn mooie praatjes trapte. Bij iedere andere kerel kon je het afdoen als gebakken lucht, maar bij Terry wist je het nooit, en daar werd ze door bevangen. Bij Terry vervaagden als het ware de grenzen tussen werkelijkheid en fantasie. Hij werd er een geweldige minnaar door, maar ook een gevaarlijke, zo wist ze.

Allison en Richie waren uit eten geweest, op de avond dat ze in de club ruzie hadden gemaakt, de avond dat hij haar mee wilde nemen naar Cabo. Allison was zo moe van het tegensputteren dat ze eenvoudigweg toegaf, hem gaf wat hij wilde zodat ze er maar vanaf was. Het ergste was nog dat de seks niet eens zo heel erg was, en dat ze zich ondanks zichzelf altijd wel wat tot Richie aangetrokken had gevoeld. In bed was hij liever dan ze had gedacht. Geen marathonminnaar en ook niet bijster origineel, maar hij was ongewoon lief en wilde het haar heel graag naar de zin maken. Bij Richie had ze zich zorgen gemaakt over zweepjes en kettingen, misschien iets met scheermesjes. In plaats daarvan was hij bijna jongensachtig, onzeker. Hij kwam klaar en ze vond het wel zo tactisch om net te doen alsof zij ook kwam. Kennelijk had hij dat niet in de gaten en was hij blij. Maar daarna ontstond dat vacuüm. Niets weten te zeggen, geen warmte, geen lach, je rolde als boksers van elkaar weg naar je eigen hoek. Wat Richie betrof had ze iedereen geweest kunnen zijn. En zij had hetzelfde gevoel over Richie. Vond Allison zichzelf een hoer? Nee. Dit is de eenentwintigste eeuw, waarin seks en macht zo duidelijk van slag zijn dat niemand zich er meer druk om maakt. Allison voelde zich geen steek beter over zichzelf, maar het was weer één ding minder om tegen te hoeven strijden. Richie zou nu niet meer achter haar aan lopen en doen wat hij altijd deed.

Prima.

Behalve dat Terry er weer was.

Terry, die als de spreekwoordelijke onwelkome gast was opgedoken. Daar kwam je net zo moeilijk van af als van hondenpoep onder je schoen.

Als ze had geweten dat ze Terry weer zou zien, zou ze nooit met Richie naar bed zijn gegaan. Maar ze had zichzelf wijsgemaakt dat het met Terry voorbij was, dat er van hem alleen maar narigheid kwam, hij met zijn grootse plannen om Richie onderuit te halen. Ze had het Terry nooit moeten vertellen, dat overtuigende stuk stront, over Martin en de dopeleveringen. Dat was een fout, ook al kon ze zich niet voorstellen hoe Terry dat ooit zou kunnen gebruiken, of dat Richie er ooit achter zou komen dat zij het was geweest. Hoe dan ook, ze had haar mond moeten houden. Richie was niet iemand die met zich liet sollen.

Allison stak een sigaret op en keek naar de slapende Terry, ze merkte dat ze weer naar hem verlangde. Alsof ze van piekeren opgewonden raakte. Hoe meer ze in de piepzak zat, hoe meer seks ze wilde. Hoe meer seks ze hadden, moe meer ze in de piepzak zat. Het leek wel een drug. Ze drukte de sigaret uit en stak haar hand tussen de lakens om hem wakker te maken. Ze was niet echt dol op dat hele botengedoe, maar er was iets erotisch aan dat geluid van het water en de zachte deining, en het feit dat ze anderhalve kilometer buiten de kust zo hard kon schreeuwen als ze wilde. Er was altijd het kind geweest, de buren of gasten of iets anders. De vrijheid om jezelf helemaal te laten gaan, zo hard als je wilde alles zeggen wat je wou, dat was extra pikant. Nu kon ze het uitschreeuwen en niemand die haar hoorde.

De skiff was op weg naar de zeilboot. Potts zat op de boeg aan het roer terwijl Squiers voorop zat als George Washington die de Potomac overstak. Squiers was op een bepaald moment zelfs gaan staan, tot het vaartuig vervaarlijk begon te schommelen en Potts hem had gezegd dat hij op zijn dikke reet moest gaan zitten. Het was donker en ze voeren geen licht, hoewel ze alleen echt gevaar liepen door een of andere motorboot overvaren te worden. Maar er was niemand op het water en de skiff volgde simpelweg de streep tussen de verlichte haven en de deinende lichten van Terry's boot, die dik een kilometer verderop voor anker lag.

De avond was slecht begonnen en werd er niet veel beter op. Richie had dit gedetailleerde plan uitgewerkt, dat bestond uit een 'amfibische aanval' op Terry's boot. Net als de D-day-invasie klonk het heel aannemelijk totdat je het uitprobeerde en de echte problemen uit het niets opdoemden. Zoals hoe kwam je aan een boot? Eerst zorg je voor een kleine boot, zegt Richie. Alleen, Richie weet geen bal van boten, groot of klein. Richie heeft te veel verdomde commandofilms gezien. Hij stelde zich een rubberboot voor, een Jacques Cousteau-achtige Zodiac die 's nachts aan komt glijden. In werkelijkheid had Potts alleen maar een krakkemikkig stuk wrakhout kunnen krijgen dat water maakte als een zeef, met een motor die nog geen mayonaise kon mengen maar verdomme wel zo veel lawaai maakte als een vrachtschip. Hij had hem geleend van een ouwe stinkende klootzak die op de kades aas verkocht, wat hem tweehonderd pegels had gekost. Die ouwe wilde er eigenlijk driehonderd voor, totdat Squiers wat druk op hem uitoefende. Zo nu en dan snauwde Potts naar Squiers dat hij die kloteputs moest pakken om te hozen.

En dan was er nog die kleine kwestie van de drugs.

Potts' drugsdagen lagen al lang achter hem, hoewel god mocht weten dat hij zo veel tequila en bier achteroversloeg dat een schuit erop bleef drijven. Maar op deze speciale avond had hij behoefte aan iets toepasselijkers. Hij was één bonk zenuwen over dit hele shitgedoe, hij wilde dit niet doen, wist niet of hij er eigenlijk wel toe in staat was, hoewel hij de bonus die Richie hem had beloofd wanhopig nodig had. Zijn maag leek wel een karnton sinds Richie hem dit had opgedragen, dus van drank kon geen sprake zijn, maar hij scheet zo in zijn broek voor wat hem te wachten stond dat hij dit niet zonder hulp kon. Wat hij nodig had was een Xanax of iets wat de scherpte eraf haalde en zou voorkomen dat hij erg draaierig werd. Potts had voor hij wegging in zijn medicijnkastje en door de verschillende kasten in zijn huis gerommeld en niets bruikbaars gevonden. Dus raakte hij 'm met de tequila, wat de zaken er alleen nog maar erger op maakte, aangezien hij nu aan de schijterij was én zichzelf onderkotste.

Op dat moment maakte hij zijn grootste fout waaruit alle andere zouden voortkomen: hij luisterde naar Squiers. Normaal gesproken zou hij dat nooit doen, om de voor de hand liggende reden dat Squiers krankzinnig was, een pathologisch leugenaar die alleen handig was als er met geweld gedreigd moest worden, iets wat hij goed kon. Toen ze uit LA naar Ventura op weg gingen, reed Squiers zoals gewoonlijk en zat Potts op de passagiersstoel onrustig te schuiven.

'Zenuwachtig?' zei Squiers glimlachend tegen hem.

'Met mij gaat het prima,' zei Potts, hoewel dat duidelijk niet zo was. Het duurde niet lang meer of hij zou tegen Squiers zeggen dat hij moest stoppen zodat hij langs de kant van de weg kon kotsen en hij naar huis kon liften. Hij kon hier niet mee doorgaan. Dit was een klus voor Squiers, hoewel je hem dit niet kon toevertrouwen omdat het dan geheid uit de hand zou lopen.

'Wil je een Xanax?' zei Squiers.

Potts kreeg een sprankje hoop toen hij het woord 'Xanax' hoorde, een godsgeschenk. Natuurlijk wist hij wel beter – het was tenslotte Squiers – maar hij was wanhopig. 'Heb je die dan bij je?'

'Natuurlijk,' zei Squiers. Hij stak zijn hand in zijn zak en viste er drie potjes pillen uit. Dat op zichzelf was al een slecht teken. Squiers hield van pillen en hij had altijd een kleine apotheek bij zich. Potts wist nooit of het door de pillen kwam dat Squiers krankzinnig was of dat ze er juist voor zorgden dat het niet erger werd. Squiers bestudeerde de etiketten op de flesjes in de koplampen van de tegemoetkomende auto's, maakte er toen een open, liet er een paar tabletten uit vallen en gaf die aan Potts. Het was duidelijk geen Xanax.

'Dat is geen Xanax,' zei Potts.

'Dit is precies hetzelfde,' zei Squiers.

Potts staarde naar de pillen. Het was alsof je uit een vliegtuig viel met alleen een paraplu. Je kon ze net zo goed openmaken, je was er toch geweest, kwaad kon het niet.

Potts nam op zijn eigen moment van waanzin de pillen.

Bij Calabassas begonnen de pillen te werken en Potts realiseerde zich enigszins geamuseerd dat hij ten slotte naar Squiers' universum was overgestoken. Dat was zo slecht nog niet, veel makkelijker om mee om te gaan dan met Potts' eigen universum. Het karnen in zijn maag trok weg, evenals het gevoel dat iemand zijn aderen had opgepompt. Hij had het warm en zweette een beetje, en kreeg plotseling verschrikkelijke dorst. Slechts een kleine prijs. Voorwerpen namen een licht aura aan en geluiden leken van een derde bron te komen, kwamen iets achter zijn gezichtsveld bij Potts' oren naar binnen. Als je er eenmaal aan gewend was, was het niet onplezierig. Potts voelde hoe zijn spieren ontspanden, hij zuchtte en ging achterover in de stoel zitten.

'Lekker, hè?' zei Squiers. Zijn ogen schitterden door god mocht weten wat. De duivelse tweeling misschien of hetzelfde als Potts had genomen. Potts was nu zachtmoedig, maar Squiers stuiterde. Squiers reed te hard over het lange, steile, kronkelige pad Cabrillo binnen. Normaal gesproken zou Potts alle kanten op zijn gehotst en Squiers gemaand hebben langzamer te rijden. In plaats daarvan bestudeerde Potts de zachte lichtgloed van de laagvlakte onder hen. De auto hobbelde met de bochten op en neer. Het was alsof je in een landend zweefvliegtuig zat. Wauw, dacht Potts.

Nu zaten ze op het water terwijl het afmattende gegier van die klotemotor door Potts' door drugs benevelde hersens ratelde. De dingen waren prima zolang er geen problemen waren, en het was Potts vergund om door te varen terwijl hij zich in een dikke kleine drugsbel bevond, beschermd en enigszins afgescheiden van de rest van de wereld waar hij trouwens sowieso niet erg op gesteld was. Vervolgens moesten ze zoeken naar een manier om bij die zeilboot te komen en die stinkende ouwe man, en Squiers die een beetje druk op hem moest zetten. Niet te lichamelijk, gewoon dat dreigende staren waar Squiers zo goed in was: hij greep de broodmagere pols beet en wrong de tweehonderd dollar in zijn hand, pak an of 't zal je berouwen. De oude man pakte het geld aan, maar toen ging het helemaal mis met de vibes. Op dat moment nam Potts' zachtaardigheid een U-bocht. De plezierige beslotenheid van de bel tegen de werkelijkheid voelde nu alsof je je schoenveters strikte met een paar ovenwanten. Dingen waren steeds moeilijker te bevatten, waardoor hij in de war raakte en zo'n beetje paranoia werd.

Ze voeren tegen de wind in, zodat het geluid achter hen bleef, maar Potts zette halverwege de motor uit. De plotselinge stilte leek hemels, en Potts merkte dat zijn hersens niet meer tegen zijn schedel trilden.

'Ik haat het water,' zei Squiers. 'Mijn oom is verdronken.'

'Hou je kop, ja? Geluid draagt ver over water. Hoe vaak moet ik je dat nog zeggen?' Hoewel het de waarheid was, wilde Potts vooral dat die lulhannes zijn mond hield.

Ze haalden de riemen tevoorschijn en begonnen te roeien. Squiers maakte er een enorme show van door met de riemen tegen de boot te slaan alsof hij een verdomde pauk bespeelde, tot Potts ze van hem afpakte, van positie wisselde en zelf ging roeien.

Op het donkere water en met het licht dat uit de zeilboot sijpelde, leek het wel of die vanbinnen in vuur en vlam stond. Wat in zekere zin ook zo was. Terwijl Potts en Squiers dichter bij de boot kwamen, hoorden ze dat Terry en Allison als een stel uitzinnigen aan het vrijen waren.

'Shit,' zei Squiers vol bewondering.

Terry schreeuwde met korte, ademloze stoten, maar werd overstemd door Allisons nog hardere kreunen en aanmoedigingen. Ja, o god, ja, doe het dan, ja, alsjeblieft, ja, ja ja...

Squiers grijnsde breed en Potts kon zweren dat zijn ogen in het donker rood opgloeiden. Het liet Potts zelf ook niet helemaal koud. Langs zijn ruggengraat liep die voyeuristische rilling, een kort helder beeld van wat ze aan het doen waren. Potts roeide sneller. Dit was goed, ze waren afgeleid. Daardoor werd het makkelijker. Ze kwamen langszij de boot en de geluiden waren nu zo intens dat het leek alsof ze bij hen in de kajuit waren. Potts hing een kleine rubberband op zodat de boten niet tegen elkaar aan botsten en maakte een lijn aan een kikker vast. Het vrijen ging door. Potts en Squiers klommen voorzichtig het dek op. Het luik stond open en vanaf het uiteinde van het dek zag je het kronkelende naakte paar op de brits. Potts wilde naar voren lopen, wilde het snel achter de rug hebben, maar Squiers hield hem tegen en gebaarde dat hij moest wachten. Squiers luisterde naar de seks en na een poosje nam zijn adem hetzelfde ritme aan als dat van hen. Potts werd ongeduldig, wilde ervanaf zijn en kwam in beweging, maar Squiers staarde hem aan en greep dreigend zijn arm. Ze wachtten tot de geluiden luider en sneller werden en Allison en Terry het allebei in een finale golf uitschreeuwden terwijl Squiers het 9mm-pistool tevoorschijn trok en zichzelf in de kajuit lanceerde.

'Als je schreeuwt blaas ik je hersens weg,' zei Squiers tegen Allison. Terry rolde zich snel van haar af, ging rechtop op bed zitten en keek alsof hij Squiers zou bespringen. Allison greep een punt van een laken om zichzelf te bedekken.

'En jij bent je pik kwijt!' zei Squiers tegen Terry. 'Verdomme, ik wist niet dat iemand zo snel zijn pik kon kwijtraken.'

Squiers gebaarde Terry dat hij achter op de brits moest gaan zitten. 'Als je de held wilt uithangen, gaat zij er als eerste aan, begrepen?' Terwijl hij het pistool op Terry gericht hield greep hij Allison bij de haren en sleepte haar van het bed de kajuit door. Hij duwde haar op de knieën, nog altijd met een handvol haar in zijn rechterhand, waaraan hij zo nu en dan trok om haar bij de les te houden.

Potts zei tegen Terry: 'Rol op je buik.' Terry staarde hem kwaad aan, maar bewoog zich niet. Naakt en gespannen leek hij op een in het nauw gedreven dier en hij was net zo gevaarlijk. Potts zei: 'Die meid hoeven we niet, we zijn alleen in jou geïnteresseerd. Als je doet wat we zeggen, overkomt haar niets. Jij gaat er toch aan, wat er ook gebeurt. Je kunt die snol nog redden.'

Terry keek naar Allison, die naakt op haar knieën naast Squiers zat. Squiers grijnsde, gaf een ruk aan haar haar en ze gilde het uit. Terry bewoog zich niet en probeerde na te denken. Terry maakte een voorwaartse beweging maar Potts richtte zijn pistool op zijn gezicht en gebaarde hem terug op het bed. Potts knikte naar Squiers, die de 9mm achter zijn broekband stopte en Allison een harde klap met zijn linkerhand gaf, de greep van zijn andere hand verslapte geen moment op Allisons haar. Ze schreeuwde het uit en Squiers trok het pistool weer uit zijn broek los. Allison snikte en er verscheen een bloeddruppel in haar mondhoek. Squiers leek zich kostelijk te vermaken. Allison keek smekend naar Terry.

'Oké,' zei Terry. 'Doe haar geen pijn.'

'Niemand doet haar pijn,' zei Potts, 'zolang jij maar doet wat je gezegd wordt.'

Potts gebaarde dat Terry zich op zijn buik moest rollen. Potts stopte zijn pistool in zijn achterzak. Onder het toeziend oog van Squiers haalde Potts een paar plastic koorden en bond Terry's polsen en enkels. Potts rolde hem terug. 'Doe je mond open.' Terry opende zijn mond en Potts stopte er een zakdoek in en plakte zijn mond toen met *ducttape* af. Potts haalde een rol dun draad tevoorschijn en Terry raakte bij het zien daarvan in paniek. Potts stapte achteruit buiten zijn bereik en knikte naar Squiers die nog een harde ruk aan Allisons haar gaf, zo hard dat ze het uitschreeuwde.

Terry bedaarde en Potts liep weer naar hem toe, bond Terry's handen aan de bovenkant van de kooi en zijn voeten aan de onderkant. Terry ademde moeizaam door zijn neus, stikte bijna, probeerde zichzelf op een of andere manier onder controle te houden.

'Weet je wie me heeft gestuurd?' zei Potts.

Terry knikte.

'We gaan je niet vermoorden. We gaan je pijn doen, maar een poosje zou je wensen dat je dood was. Ik moet je twee dingen vertellen. Ten eerste moet je niet met andermans vriendinnetje neuken. Dat is niet aardig. Ten tweede, als je weer kunt praten mag je die klotecowboynicht van je vertellen dat hij als volgende aan de beurt is.'

Potts keek naar Squiers, die Allison overeind trok. Squiers legde een hand over haar mond en sloeg de andere stevig om haar middel. Potts stak zijn hand weer in de boodschappentas en haalde er een korte, in tape gewikkelde ijzeren staaf uit. Allison wilde het nu ook uitschreeuwen en worstelde, maar Squiers hield haar stevig vast en had totaal geen moeite met haar kronkelende lichaam. Potts haalde een rubberen handschoen tevoorschijn, stopte even, hield de ijzeren staaf in zijn handen, keek naar Terry en verstijfde. Er klonk een soort hoge zoemtoon in zijn hoofd en even geloofde hij dat die alleen maar in zijn hoofd zat, dat hij helemaal niet echt was. Maar het zoemen ging door en door zijn bonzende hart en kortademigheid kwam hij weer bij zinnen: ja, hij was hier dan wel, hij moest dit doen, alles hing ervan af dat hij dit deed, hij deed het voor Brittany, voor Ingrid en hun toekomst, en wie was die klootzak trouwens helemaal, een volslagen vreemde, een of andere kerel die met de vriendin van iemand anders neukte, een of andere kerel die hem geen donder zei, een of andere kerel die tussen hem en wat hij wilde en de mensen om wie gaf in stond.

Potts hief de ijzeren staaf op en liet hem hard en snel op Terry's linkerscheenbeen neerkomen. Hij voelde het bot meegeven en hoorde de doffe klap van de breuk en tegelijkertijd Terry's gedempte kreten. Ergens achter hem wilde het meisje het ook uitschreeuwen. Potts nam een pauze. De ijzeren staaf was ongelooflijk zwaar geworden. Potts kon hem nauwelijks optillen. Het zoemen klonk als een onophoudelijke sirene en Potts voelde zijn hand in de rubberen handschoen zweten. Hij klemde zijn tanden op elkaar en brak Terry's andere been op dezelfde plek. Vervolgens bewerkte Potts Terry's gezicht met zijn gehandschoende hand. Dat moest per se van Richie. Ergens onderweg was de man op het bed bewusteloos geraakt. Intussen stond Squiers in Allisons oor te fluisteren. Hij had haar mond losgelaten. Ze was het schreeuwen voorbij, snikte en was verzwakt, en Squiers betastte haar met zijn vrije hand.

Potts bleef staan en probeerde zich te oriënteren. Hij stond op zijn benen te zwaaien. De drug werkte nu in alle hevigheid. Door de adrenaline kreeg hij een turbolading en zijn hart pompte het verzengende mengsel als een stuiterende lichtschicht door zijn aderen. Hij dacht dat hij zou flauwvallen, maar wist zich te herpakken. Hij trok de bloederige handschoen uit, liet die weer in de boodschappentas vallen, pakte toen de ijzeren staaf van het bed waar hij hem had laten vallen en deed die ook in de tas. Hij pakte de tas en bedacht dat alles in orde zou komen, maar maakte toen een snoekduik naar het vooronder waar hij hevig in de wc moest kotsen. Hij spoelde koud water over zijn gezicht en toen hij tevoorschijn kwam had Squiers het meisje op een stoel vastgepind en was bezig zijn broek open te wurmen. Potts staarde ernaar en het duurde even voor het tot hem doordrong.

'Wat ben je verdomme aan het doen?'

'Help?' zei Allison smekend tegen Potts. Squiers negeerde hen beiden.

'Ga als de donder van haar af!' zei Potts tegen hem.

Squiers zat tussen haar benen en probeerde zijn spijkerbroek open te krijgen. Potts schreeuwde nogmaals naar hem en toen hij niet reageerde haalde Potts de ijzeren staaf weer tevoorschijn en sloeg Squiers op zijn rug, zo hard dat hij nu absoluut zijn volle aandacht had. Squiers gromde en draaide zich naar hem om.

'Ben je verdomme gek geworden?' zei Potts. 'Richie zei "alleen die vent". Hij zei dat we het meisje met rust moesten laten!'

Potts' hoofd was een en al luchtafweersirenes en Squiers was volkomen buiten zinnen. Squiers' ogen stonden door zijn eigen bruisende chemische brouwsel glazig en zijn vlees was verdoofd. Een truck kon over hem heen denderen en dan nog zou hij er niks van merken. Squiers gaf Potts een optater, die door de kajuit vloog en de staaf liet vallen. Toen hij opkeek had Squiers die te pakken en hij kwam met opgeheven staaf op hem af.

Potts wist niet hoe het pistool in zijn hand terecht was gekomen. Hij was vergeten dat het in zijn achterzak zat, maar hij moest er op gevallen zijn, het zich toen hebben herinnerd en het zonder nadenken hebben vastgegrepen. Het enige wat hij wist was dat het er plotseling was, dat het afging en dat er een klein gat in Squiers' borst verscheen.

Een .38 kaliber pistool is geen groot wapen, maar in een kleine afgesloten ruimte – zoals een kleine kajuit van een dertigvoeter – klinkt zo'n schot oorverdovend. De drugzoem had plaatsgemaakt voor pijn en gesuis in zijn oren en Potts hoorde verdomme niets meer. Helemaal niets. Hij kwam overeind en keek naar het meisje, dat zich had opgerold en met haar handen over haar oren lag te huilen. Potts zag wel dat ze huilde maar hoorde het niet. Potts zei iets tegen haar, maar het was zinloos. Squiers lag in een hoop op de grond, een bloedend gat vlak bij zijn hart. Als hij niet al dood was dan was hij stervende. Potts kwam niet zo dicht in zijn buurt dat hij het kon controleren.

Potts ging aan de kleine kombuistafel zitten. Doof, gedesoriënteerd, getergd door de hels tekeergaande drug. Zijn slapen klopten, terwijl hij gebukt ging onder het gewicht van hoe akelig de dingen eruitzagen. Hij was zo gesjochten als iemand maar gesjochten kon zijn. Alles. Allemaal. Zijn hele leven. Voor altijd.

Hij worstelde om te bedenken hoe hij het beter kon maken, maar hij wist dat dat niet kon.

Dit was het plan geweest: daar opduiken, de poten van die vent breken, zijn smoel verbouwen. Niemand raakt het meisje aan, die trut zou moeten toekijken, maar niemand mocht haar aanraken. Uiteindelijk belt zij de ambulance of wat dan ook, maar niemand zou dit op Richies conto kunnen schrijven en niemand zou sowieso naar de politie gaan, dan kregen ze alleen nog maar meer problemen. Gewoon de zoveelste waardevolle morele les geleerd. Potts en Squiers zouden al lang weg zijn en Potts zou genoeg geld in zijn zak hebben om een echt leven te beginnen, met Ingrid en zijn kind. Einde verhaal. Nou ja, oké, het is een kloteverhaaltje. Maar het leven zit vol kloteverhaaltjes en we doen wat we kunnen, zo goed als we kunnen. En nu doet Potts zijn best, hij had het weer geweldig voor elkaar.

Maar niet heus.

Nu had hij een moord op zijn geweten. O ja, dit is absoluut moord. Iemand was door geweld om het leven gekomen. Geen sprake van zelfverdediging. Potts zou de rest van zijn leven achter de tralies slijten.

Potts dacht na. Probeerde na te denken.

Potts had Squiers vermoord. Nu zitten we met zijn grote, dode lijf. Dit komt nu allemaal bij de politie terecht. Ze gaan de man en het meisje ondervragen, en die zullen alles vertellen, alles over Richie, de hele mikmak. Ze gaan Squiers identificeren en linken hem aan Potts. Ze vinden Potts en gaan hem een heel lange tijd opbergen als Richie hem niet eerst vindt en vermoordt.

Allemaal helemaal niet leuk.

Potts weet wat hij moet doen. Maar dat wil hij niet. Hoe

snel kunnen ze Potts aan Squiers linken? Hoeveel tijd heeft Potts? Kunnen ze bewijzen dat Potts erbij betrokken was? O ja. De man en het meisje, zij zullen Potts verlinken. Ze zullen een prachtig beeld schetsen.

Getuigen, dacht Potts, en de drug scheen het terug te kaatsen.

Potts stond op en ging naar de wc. Hij scheurde wat toiletpapier af, maakte dat vochtig en stopte dat in zijn oren. Hij ging naar het meisje in de kajuit. 'Alles is naar de kloten,' zei Potts, maar hij hoorde het niet, en zij ook niet, en schoot haar vervolgens neer. Hij liep naar Squiers en schoot hem voor de zekerheid door het hoofd en haalde toen alles uit zijn zakken waarmee ze hem konden identificeren. Dit zou de boel in elk geval vertragen. Potts liep naar de man op het bed, de klootzak die al deze ellende had veroorzaakt, die kerel die Potts' leven had verwoest. Terwijl hij op Terry neerkeek, knipperde Terry met zijn ogen en deed ze open, en even keken de twee mannen elkaar aan als waren ze elkaars minnaar. Terry zag het pistool in zijn hand en wist wat er zou gaan gebeuren. Potts hief het pistool op en Terry sloot zijn ogen, en dacht aan Allison, vroeg zich af of zij ongedeerd was, bad tot God dat zij in orde was, en hoorde het pistool nooit afgaan.

Potts ging aan dek en gleed bijna uit, hij keek omlaag en zag dat er overal waar hij liep bloed lag. Hij ging zitten, trok zijn schoenen uit en gooide ze zo ver hij kon in het water. Hij keek naar het pistool en gooide dat ook ver weg. Potts bleef zitten en probeerde zich te herinneren of hij aan alles had gedacht, of hij vingerafdrukken had achtergelaten, fouten had gemaakt. Verdomme, ja. Overal. En die stinkende ouwe klootzak op de kade, die zal me verraden. Wat moet ik doen, terugroeien en hem ook om zeep helpen? Een atoombom bouwen en heel Ventura platbombarderen? Potts kon geen fatsoenlijk alternatief bedenken. Vlucht. Vlucht en kijk niet achterom, ellendige ongelukkige kloothannes. Dan win je in het beste geval nog wat tijd.

Potts klom in de skiff, startte de motor, waar hij nu geen last meer van had omdat hij toch niets hoorde. En trouwens, hij had wel belangrijker dingen aan zijn hoofd.

21

Bobby stond half gekleed in een kostuum van Versace voor de spiegel en probeerde zijn broek dicht te knopen. Spandau zat in een stoel een modeblad te lezen. Bobby friemelde geërgerd met de knopen en uiteindelijk trok hij er eentje af.

'Verdomme! Kut, kut, kut...'

Ginger kwam met een verzameling stropdassen binnen. 'Wat is er aan de hand?'

'Een pak van vijfduizend dollar, verdomme, en de knopen vallen ervan af.'

'Ik naai die knoop er wel weer aan.'

'Klotezooi. Ik trek wel wat anders aan.'

'Je hebt beloofd dat je dit pak zou dragen. Ze hebben het speciaal voor je gemaakt. Je moet het dragen.'

'Ik moet helemaal niks.' Hij wilde het pak uittrekken.

'Zo meteen scheur je nog wat stuk,' waarschuwde Ginger.

'Geef me een schaar. Ik stuur het terug in een supermarktzak. Krijgen ze een rolberoerte.'

'Rustig nou maar,' zei Ginger. 'Wat wil je anders aantrekken?'

'Ik heb een kast vol kleren.'

'Als je Versace wilt afzeiken,' zei Ginger, 'dan ga je je gang maar. Maar ik wens je veel geluk als je nog iets van ze wilt.'

'Verdomme,' zei Bobby.

'Blijf staan terwijl ik 'm er weer aan naai. En verroer je niet, tenzij je wil dat ik door je gulp in je soldaatje prik.'

'Gaat het altijd zo?' vroeg Spandau.

'Altijd,' zei Ginger.

'Ik haat die dingen,' zei Bobby. 'Man, je hebt er geen idee van. Als je naar die shit op tv kijkt, lijkt het allemaal zo simpel. Je stapt gewoon uit de auto, zwaait en wandelt naar binnen. Maar zo gaat het niet. Je weet verdomme niet waar je loopt. Al die flitslichten, en iedereen gilt. Het jaagt me de stuipen op het lijf.'

'Jurado zegt dat de beveiliging prima is,' zei Spandau.

'Waar is Irina?' vroeg Bobby.

'Ze heeft gebeld om te zeggen dat ze onderweg is,' zei Ginger.

'Wat heeft ze aan? Alles in orde?'

'Ik heb haar gezegd dat jij Versace draagt. Zij weet wat ze aan moet. Ze is een supermodel, godbetert.'

Bobby, Spandau, Irina en Annie stonden voor Bobby's huis voor een paar limo's. Janine, Jurado's pr-agent, gaf aanwijzingen.

'Bobby en Irina in de eerste limo. Ze rijden voor, stappen uit en lopen bijna tot de deuren. Daarna Annie, jij en David in de tweede limo. Jij komt als laatste. Ik ben er dan al.'

'Dan ben jij zeker mijn date,' zei Spandau tegen Annie.

'O, geweldig vind ik dat,' zei Annie tegen hem.

'Als je dreigt flauw te vallen,' zei Spandau hulpvaardig, 'dan grijp je gewoon mijn gespierde arm.' Annie zoog sissend lucht tussen haar tanden.

Crusoe zou een megahit worden. Vanavond was de officiële Hollywoodpremière en Europa zou de komende weken volgen. Daarna kwamen Latijns-Amerika en Azië aan de beurt. De recensenten hadden al een voorvertoning van de film gezien, hun oordeel was geveld en veiliggesteld. Voor degenen die omgekocht of omgepraat konden worden, was gezorgd. Dan had je nog degenen die sowieso nooit toegang hadden tot een voorvertoning en tegen de tijd dat hun kritiek werd gepubliceerd, maakte het al niet meer uit. *Crusoe* zou een gigantische hit worden. De Zittende Macht had gesproken. Zo werkte het nu eenmaal in die industrie.

Zoals met al het andere aan deze film was de première al maanden groot nieuws, dus uiteindelijk waren er geen verrassingen. Mensen stonden aan weerskanten van de straat, een half blok ver, terwijl de gillende meute bij de bioscoopingang kolkte. Een strak kordon bewakers hield de fans op afstand en weg van de auto's wanneer die aan kwamen rijden. Het kordon liep nog tot in het theater door, aan beide kanten van de rode loper, die vanaf de straat naar binnen ging. Bobby's limo reed voor en toen de deur openging, werd de menigte hysterisch. Spandau keek vanuit de tweede limo toe. Bobby en Irina stapten uit en liepen naar voren, bleven staan, lieten zich fotograferen, deden nog een stap naar voren, beantwoordden wat vragen, en liepen weer door. Intussen was de auto van Spandau en Annie voorgereden, die ze zonder poeha op de rode loper uitspuugde. Ze schuifelden snel naar binnen, hun was verteld dat Jurado's auto vlak achter die van hen zat en dat ze de weg vrij moesten maken. Ze haalden Bobby en Irina op driekwart van de rode loper in. Op Bobby was een tv-camera gericht en Bev Metcalf duwde een microfoon onder zijn neus. De fans gilden, overal waren flitslichten terwijl de hoge staande spots al erg genoeg waren. De menigte zelf was één omsluitende, rumoerige vlek. Je kon geen gezichten onderscheiden, niet zien wat mensen deden. Je voelde je hulpeloos, naakt, kwetsbaar. Welke dierlijke overlevingsinstincten je ook had, je had er niks aan. Je stond daar open en bloot, blind en omsingeld. Je hoopte uit de grond van je hart dat de beveiliging goed was, dat die wist wat ze deed. Als iemand een houwitser op je zou richten zou je dat nooit weten. Het gebeurde nog vaak genoeg. Daarom had Bobby hier zo'n bloedhekel aan. Daarom had iedereen hier zo'n bloedhekel aan, het was elke keer weer een verdomde nachtmerrie. Maar je moest het doen, je moest daarnaartoe lopen, naakt en bibberend, want dat werd van je verwacht.

De bewaking leek goed. Spandau had langs de kordons gekeken. De bewakers waren profs, geduldig en sterk, en toch niet agressief. Ze hielden de linies gesloten, kregen hun orders door discrete oortjes, bleven zich bewust van de sterren en gasten die zich op de loper bevonden. Spandau was vergeten te vragen wie de leiding over de bewaking had. Wie het ook was, diegene wist wat hij deed. En toen gebeurde het.

Spandau zag het puur toevallig, anders had hij het net als ieder ander over het hoofd gezien. Hij keek heel even een van de bewakers in het gezicht, kon hem duidelijk zien, ondanks de felle lichten. Zag hoe hij zijn hoofd licht schuin hield om naar een bevel in zijn oortje te luisteren. Toen zag Spandau dat hij deed alsof hij zijn gedeelte in het kordon controleerde, maar in plaats daarvan maakte hij zijn oortje los en liet het vallen. Het had een ongelukje kunnen zijn, maar dat was het niet. De menigte drong zich onmiddellijk door het gat de loper op, regelrecht op weg naar Bobby. De rest van de menigte, aan weerskanten van de loper, ging er prompt achteraan en brak eenvoudigweg in een reusachtige zwerm door de rest van de afzetting.

Spandau rende naar Bobby voor de menigte zich om hen had kunnen sluiten. Drie bewakers die aan Bobby waren toegewezen probeerden een kring om hem te vormen, maar een van hen viel en ze konden de cirkel niet sluiten, werden steeds weer weggeduwd, zodat Bobby een schietschijf was. Fans drongen zich naar voren, een paar probeerden met hem te praten, anderen wilden hem aanraken, weer anderen wilden alleen maar dat de filmster hen zou opmerken, en sommigen waren net zozeer slachtoffer van de clash als Bobby. De bewakers probeerden Bobby in de richting van de deuren te leiden, maar dan werd hij juist dieper in de menigte geduwd, er was nog niemand op weg om hem van binnenuit te ontzetten. Spandau sloeg nietsontziend mensen opzij en duwde ze met zijn ellebogen weg. Hij was een grote man, zette zijn schouder in en ploegde zich er als een vleugelverdediger doorheen. Over de hoofden heen zag hij Bobby, zijn gezicht één panische grimas, hij probeerde zijn ogen te beschermen en niet blind te raken van alle zwaaiende balpennen van de aasgieren die uit waren op een handtekening. De bewakers deden hun best de fans niet te bezeren, dat was hun ingepeperd. Spandau interesseerde het nul komma nul wie hij bezeerde.

Hij werkte zich dicht in de buurt van Bobby, wrong zich tussen Bobby en een furieuze fan in. De fan duwde woedend tegen Spandau terug en Spandau gaf hem een elleboogstoot in de maag en haalde met zijn schouder uit naar zijn kin, hem zo naar achteren en op de grond werkend. In zijn val sleurde hij mensen mee en Spandau greep Bobby bij de revers van zijn Versace en duwde hem voor zich uit naar de open ruimte, over de machteloos gevallen fan heen. Spandaus honderd kilo was nu op stoom en hij was niet van plan het op te geven. Hij doorkliefde rennend de menigte, blindelings mensen als bowlingkegels opzij slaand en sleurde Bobby achter zich aan. Toen ze bij de deuren kwamen, probeerden bewakers die van binnenuit open te maken maar ze konden de fans die de deuren blokkeerden niet uit de weg krijgen. Spandau loste dit op door eenvoudigweg twee mensen die de deur blokkeerden, een tienermeisje en -jongen, op te tillen en ze letterlijk in de menigte te gooien. Het zou misschien aanklachten regenen, maar dat was zijn probleem niet. Hij opende de deur en zwiepte Bobby erdoorheen, en liep toen achter hem aan.

'Shit,' zei Bobby. Er zat een snee in zijn wang waar een zwaaiende pen op een haar na zijn oog had gemist. 'Waar is Irina? Heb je Irina ook? Je moet terug en Irina gaan halen!'

Spandau staarde hem even aan, schudde zijn hoofd en drong zich weer door de deur. Irina was er niet ver vandaan. De lijfwachten hadden een cirkel om haar heen weten te vormen en kropen met haar naar voren, en nu Bobby niet meer op het menu stond, loste de menigte langzaam op. Ze wilden

Bobby, hoewel Irina trilde en huilde toen ze haar door de deur meenamen. Bobby nam Irina in zijn armen, troostte haar. Jurado was er ook, die was er wonderbaarlijk doorheen geschoten.

'Wat gebeurde er verdomme?' vroeg een uitzinnige Jurado. 'Met jou alles goed?' vroeg hij aan Bobby. 'Jezus,' zei hij tegen niemand in het bijzonder, 'hoe heeft dit kunnen gebeuren?'

'Ik ben in orde,' zei Bobby.

'Zeker weten?' vroeg Jurado.

'Ik zei verdomme dat ik in orde was. Mooi staaltje werk, Frank.'

'Waar is Janine? Die zal het weten ook!'

'Hoe ben jij verdomme binnengekomen?' vroeg Spandau aan Jurado.

'Ik zag de klotezooi en ze hebben me via de achterdeur naar binnen geleid,' zei hij afwezig tegen Spandau. Tegen Bobby zei hij: 'Met jou is tenminste alles goed. De lijfwachten hebben hun werk gedaan.'

'M'n rug op met die lijfwachten,' zei Bobby. 'Als Spandau er niet was geweest, zou ik nog steeds buiten hebben gestaan, dan was ik levend gevild.'

Een van de deuren ging open en Annie strompelde naar binnen, ze zag eruit alsof ze tien minuten in een droger had rondgetold. 'Jullie worden verdomme bedankt,' kondigde ze aan. 'Nu weet ik wie mijn vrienden zijn.'

Janine haastte zich naar haar toe. 'O, god, ik heb het gehoord. Iedereen in orde? O, god, wat erg! Ik weet niet wat er is gebeurd, die jongens zijn de besten...'

'Daar komen we later nog uitvoerig op terug,' zei Jurado, 'en ik verzeker je dat er een paar klotekoppen zullen rollen. Maar voorlopig, nu het goed is met iedereen, moeten we doorzetten. *The show must go on*, begrepen?'

'M'n reet, Frank,' zei Annie.

Bobby, Irina en Jurado gingen het theater in. Spandau en Annie luisterden naar het applaus toen ze naar binnen liepen.

'Ik zag wat je deed,' zei Annie. 'Dank je wel.'

'Sorry dat ik je buiten liet staan, maar...'

'Je hebt adequaat opgetreden. Je bent een prof, dat moet ik je nageven. Je deed wat je moest doen.' Annie wilde naar binnen gaan. 'Kom je mee?'

'Ik wacht hier nog even,' zei Spandau.

Annie haalde haar schouders op en ging naar binnen. Spandau liep naar een kant van de lobby en wachtte tot alle gasten binnen waren en de film was begonnen. Een paar bewakers bleven buiten en andere kwamen binnen. De bewaker die het kordon had doorbroken, kwam binnen. Spandau liep achter hem aan naar het herentoilet, greep hem vast en smeet hem hard tegen de tegels.

'Hé!'

'Wie gaf het bevel?' zei Spandau op bevelende toon.

'Hoor 'ns, ik weet niet waar je het over hebt...'

'Ik zag dat je het kordon doorbrak. Wie sprak er in je oortje?'

Een andere bewaker kwam binnen en zag dat Spandau de vent nog een keer tegen de muur smeet. Hij rende naar buiten en binnen een mum van tijd wemelde het in de toiletruimte van bewakers.

'Dat is verdomme geweldpleging, man!' zei de man toen Spandau hem losliet. 'Jij gaat de bak in!'

Spandau kwam in de handboeien het toilet uit, gevolgd door een stuk of tien beveiligers. Janine stond daar te wachten en zei tegen Spandau: 'Ga je me nog vertellen wat hier aan de hand is?'

'Die klerenkast viel me aan,' zei de bewaker tegen haar.

'Ik zag dat hij het kordon doorbrak,' zei Spandau tegen haar. 'Hij deed dat met opzet.'

'Onmogelijk,' zei Janine. 'Het was daar een krankzinnige toestand. Je hebt 't je verbeeld.'

'Is de publiciteit zo veel waard voor je? Het had zijn dood wel kunnen zijn.'

Tegen de bewaker zei Janine: 'Laat hem gaan.'
'Hij viel me aan!'
'Ik zei dat je hem moet laten gaan. Ga aan je werk. Ik neem hem wel voor mijn rekening.'
Een van de bewakers deed Spandaus handboeien af. De rest verspreidde zich schoorvoetend.
'Ik weet niet wat je dacht te hebben gezien, maar je houdt je mond erover. Je kunt iemand niet zomaar ergens van beschuldigen. Dan moeten we namelijk het tegendeel bewijzen.'
'Hebben jij en Jurado dit soms bekokstoofd? Het lijkt me net wat voor hem.'
'Je hebt je vergist. Daar laten we het bij.'
'Misschien ziet Bobby dat wel anders. Hij was er bijna geweest.'
'Hij zal je niet geloven,' zei ze.
'Denk je dat?'
'Hij kan het zich niet permitteren je wel te geloven,' zei Janine. 'Niet in dit stadium van zijn carrière. Dat weet je net zo goed als ik. Moet je horen, je wilt Frank Jurado niet tegen de haren in strijken. En die van mij trouwens ook niet, als het daarom gaat. Je kunt hier niet nog meer vijanden gebruiken dan je al hebt. Ga naar huis voordat je iets overkomt.'
'Ik blijf op Bobby wachten.'
'Ga dan in het restaurant zitten. Zeg dat je bij ons hoort, drank en zo is van het huis. Verdwijn en denk hierover na. Kom tot jezelf.'

Ze hadden een heel restaurant in Beverly Hills afgehuurd. Tegen de tijd dat Bobby met Irina aan zijn arm binnenkwam, was het er vol en had Spandau al een paar borrels achter de kiezen. Hij had ook besloten Bobby te vertellen dat hij er de brui aan gaf, maar dat wilde hij persoonlijk doen. Dat was het minste wat hij de knul verschuldigd was. Het kostte Bobby een kwartier om de gebruikelijke zwerm aanklampers van zich af te slaan. Hij zag Spandau aan een tafeltje aan een grote wodka zitten en liep naar hem toe.

'Wat is er met jou gebeurd? Je was ineens verdwenen.'

'Ik had geen zin om twee uur lang stil te zitten,' zei Spandau.

'Ik wilde je bedanken.'

'Daar betaal je me voor,' zei Spandau tegen hem.

'Heb je het daarom gedaan?' zei Bobby. 'Is dat de reden?'

'Alles goed met je?' Bobby zag er moe uit en zijn kaken stonden gespannen.

'Nee, alles is niet goed met me. Ik stort zo meteen verdomme in, maar dat kan ik hier niet doen. Die luxe kan ik me niet veroorloven.'

Jurado zag ze bij elkaar zitten en haastte zich naar hen toe. 'Bobby, je moet met een paar mensen kennismaken. Ze vonden je trouwens geweldig. Je was verrekte goed.'

'Ik moet weer de hoer gaan spelen,' zei Bobby en hij liep met Jurado weg.

Spandau dronk zijn glas leeg en dacht erover na of hij er nog een zou nemen. Intussen kuierde Ross Whitcomb zijn kant op. Whitcomb was in de jaren zeventig en tachtig een beroemde ster geweest, een gigantische kaskraker, in een serie films waarin hij een charmante zuidelijke landarbeider speelde. Die landarbeidersrol begon hem te vervelen en hij probeerde zich toe te leggen op het Cary Grant-type, maar het publiek wilde hem alleen maar met een cowboyhoed op. Zijn opbrengsten maakten een snoekduik en door een reeks slechte en aandacht trekkende huwelijken was hij vaker in een gerechtshof dan op een filmset te vinden.

'Dit is de eerste keer dat ik je in een pak zie,' zei Whitcomb tegen hem. 'Je ziet eruit als een gedresseerde mastodont.'

'Fijn je weer 'ns te zien, Ross. Dat is alweer even geleden.'

Whitcomb ging tegenover Spandau zitten. Whitcomb had de reputatie van een klootzak, maar zoals veel acteurs had hij een zwak voor stuntmannen en met Spandau was hij altijd prettig in de omgang geweest.

'Je hebt je pols gebroken. Bij welke film was dat ook weer? *A Song for the Dying*? God, wat een klootzak was die regisseur. Hoe heette hij ook weer?'

'Weet ik niet meer,' moest Spandau toegeven.

'Ik word al dement, verdomme,' zei Whitcomb. 'Alles loopt door elkaar. Ik hoorde dat je uit het vak bent gestapt.'

'Na Beau was het niet meer hetzelfde.'

'Niks is meer hetzelfde,' gaf Whitcomb toe. 'Het wordt nu allemaal gerund door halfzachte hittepetitjes met een tatoeage op hun reet. Misschien is het wel altijd zo geweest. Dus jij hoort bij onze junior?'

'Beveiliging. Je weet wel.'

'Heeft iemand gedreigd hem te vermoorden?'

'Dat geloof ik niet.'

'Jammer,' zei Whitcomb. 'Dat is een slecht teken. Toen ik op mijn top zat, kreeg ik minstens vijf serieuze doodsbedreigingen per week. Ik wist dat mijn notering in de gevarenzone kwam als het daar ver onder zat.' Hij nam een ferme slok van een grote scotch. 'Als niemand je wil vermoorden, dan maak je ook niemand jaloers. Als je niemand jaloers maakt, dan ben je geen filmster. Natuurlijk wordt het ruimschoots overtroffen door de hoeveelheid seksuele voorstellen. Tegenwoordig wil niemand me meer vermoorden, behalve mijn ex-vrouwen. En ikzelf, uiteraard. Acteurs zouden oude Apaches moeten zijn. Ze zouden het moeten weten wanneer hun houdbaarheidsdatum verstreken is, de woestijn in moeten trekken en sterven als hun tijd gekomen is.'

'Heb je er ooit over gedacht iets heel anders te gaan doen? Hollywood is niet alles, hoor.'

Whitcomb schonk hem een verbaasde cartoonblik. 'Natuurlijk wel. Voor mensen als wij is dat wel zo. Wat zou ik moeten doen? Onroerend goed verkopen? Ik was tien jaar lang een topkaskraker in dit land. Tien verdomde jaren, op de kop af. Ze moesten het verkeer stilzetten om me midden op Sunset Boulevard te laten schijten, en vervolgens heeft iemand het verguld. In een jaar tijd ben ik met meer dan tweehonderd vrouwen naar bed geweest, de meesten van hen actrices... mijn advocaat liet me dat bijhouden, voor het geval een van hen me voor de rechter wilde slepen. Wat ze ook deden.' Whitcomb haalde even adem en liet een boertje. 'Als ze je hier mogen, is het alsof de wereld van jou is. Je kunt alles maken. Alles. Mensen denken dat het om geld gaat. Vergeet het geld. Je hebt geen geld nodig... mensen staan in de rij om je alles te geven wat je maar wilt. Het gaat om macht, het soort macht dat je niet kunt kopen en niet kunt scheppen. Mensen geven zich gewoon aan je over. Het is alsof je God zelf bent. Ik heb een paar van de rijkste mensen ter wereld ontmoet... fans van me, ze komen naar je toe en zeggen: ik ben liever jou. Vergeet het geld. Als het om geld ging, zouden mensen hun best doen om rijk te worden in plaats van beroemd.'

'Er is ook een keerzijde,' zei Spandau.

'Zoals wat?' zei Whitcomb. 'Alles wat omhooggaat, komt ook weer ten val? Zoals ik, bedoel je? Kijk eens, jij vraagt me of ik het de moeite waard vind, of ik het met de wetenschap die ik nu heb allemaal over zou doen. En ik zeg ja, verdomme, ik zou 't zo weer overdoen. Waarom denk je dat wij afdankertjes ons zo aanstellen, het proberen bij te benen? Niemand wil hiervoor weglopen. En wat moet je anders doen? Terug naar de werkelijkheid? De werkelijkheid is waardeloos. Daarom gaan mensen sowieso naar de film. En toch heb ik het aardig goed gedaan. Ik vraag me af of we hetzelfde over onze vriend hier kunnen zeggen.'

'Het is een slimme knul. Die redt 't wel,' zei Spandau, hoewel hij op het moment dat hij het zei dat zelf niet geloofde.

'O, natuurlijk,' vervolgde Whitcomb. 'Als hij verleidingen als drank, drugs en seks kan weerstaan, en omdat niemand hem ooit gaat vertellen wanneer zijn broek is gescheurd en zijn kont eruit steekt. Hij weet niet eens wanneer mensen hem uitlachen, totdat het te laat is. Plotseling is er niemand meer. Zo kom je erachter. De meesten komen er nooit meer overheen. Ze lopen leeg, vinden ander soort werk of schieten zichzelf door de kop. De taaie jongens, zoals ik, doen wat ze moeten doen, bijten door de zure appel heen en houden vol. Ik ben op de top geweest en heb eronderaan gebungeld. Op een dag komt er een puisterige, onafhankelijke regisseur naar me toe en biedt me een rol aan, krijg ik in maart daarop een Oscar. Zit ik weer aan de top. Zo werkt het nu eenmaal. Ik, ik zal in het harnas sterven. Je vriend houdt het zo lang niet vol.'

'Waarom zeg je dat?'

'Hij wil iedereen te vriend houden. Hij wil alles. Dat straalt van hem af. Mij kon het geen donder schelen of ze me wel of niet mochten, zolang ze me maar gaven wat ik wilde. En, god bewaar me, eigenlijk vind ik het heerlijk om te acteren. Maar ik heb nooit een acteur gekend die het overleefde en uiteindelijk nog een beetje respect overhield voor de industrie of die verdomde fans. Maar hij, hij heeft pluimstrijkerij nodig. Moet je hem zien. Die blik op zijn gezicht. Hij vreet het helemaal op. Hij heeft het nodig. Als het gekus ophoudt – en dat gaat een keer gebeuren – verschrompelt hij als een kleenex. Ze kloppen hem op zijn schouder en zuigen hem leeg. Als een legertje spinnen smelten ze hem vanbinnen en zuigen hem door kleine gaatjes leeg. En wij ellendige ouwe kerels gaan achteroverzitten en toekijken hoe hij implodeert. Hanengevechten zijn verboden, maar in vergelijking hiermee is dat een spelletje Monopoly. Hartstikke leuk, zolang het maar niet over jou gaat.'

Whitcomb stond op, zijn gezicht was rood van de alcohol en het vele praten. 'Ik ben te oud voor gratis drank,' zei hij. 'Ik zou thuis aan de Ovomaltine moeten zitten en mijn Guatemalaanse meid moeten overhalen om me af te trekken.'

'Goed om je weer eens te zien.'

'Zie maar dat je je nek niet breekt,' zei Whitcomb tegen hem. 'Je hebt met een ruig stelletje te maken. In een stad vol klootzakken zou Jurado tot koning Misbaksel uitgeroepen moeten worden. Wees op je hoede, ouwe reus.'

Spandau stond op en keek om zich heen naar Bobby. Hij zag hem en Bobby zag hem ook, maar keek nerveus de andere kant op. Er was iets mis. Spandau wilde naar hem toe lopen toen Jurado en twee grote bewakers hem de weg versperden.

'Deze heren zullen je naar buiten begeleiden,' zei Jurado tegen hem. 'Ik wil niet nog meer problemen, dus vertrek nu maar keurig netjes.'

'Ik ben hier met Bobby,' zei Spandau.

'Niet meer. Ik heb met Bobby gepraat. Hij wil dat je hier weggaat en uit zijn leven verdwijnt. Sterker nog, als je weer contact met hem opneemt, zorg ik voor een straatverbod wegens stalken.'

'Laat me met hem praten.'

'Je begrijpt het niet. Het is gedaan met je.'

Spandau stak zijn handen op in een gebaar van overgave. Terwijl hij, geflankeerd door de bewakers, naar de deur liep, brak hij los en drong zich door de menigte naar Bobby. Bobby zag hem komen, maar draaide hem de rug toe.

'Bobby?'

Bobby draaide zich niet om. De bewakers grepen Spandau vast en Spandau verzette zich niet. Jurado zei in zijn oor: 'Als je niet rustig weggaat, zie ik er persoonlijk op toe dat die kerels je ribben breken. En dán mag je de nacht in de cel doorbrengen. Het feestje is voorbij, vriend. Ik breng je naar de deur.'

Jurado bracht Spandau tot op de stoep. Het was een triomfmoment voor Jurado en hij wilde ervan genieten.

'Wat heb je tegen hem gezegd?' zei Spandau.

'Ik heb hem uitgelegd waarom je diensten niet langer nodig zijn. De zaak is gesloten. Alles is geregeld. Ik zei je al dat ik wel voor mijn eigen zaakjes kon zorgen, en op dit moment is Bobby mijn zaakje. Je blijft bij 'm uit de buurt. Hij wil je niet meer zien.'

Spandau keek naar de bewakers die bij de ingang stonden te wachten.

'Als je die knul een plezier wil doen, verkloot het dan vanavond niet voor hem. Dit is allemaal voor hem. Dit is zijn grote avond.'

'En dan? Hem aan jou overlaten?'

'Wat ben je eigenlijk? Zijn moeder? Zijn vriendje? Is dat het soms, val je op 'm?'

'Zoiets ja,' zei Spandau en hij trof Jurado in de maagstreek. Jurado sloeg dubbel en de bewakers stormden op Spandau af. Jurado knikte en ze sleurden Spandau naar de steeg achter het restaurant en begonnen hem te bewerken.

De donkere auto reed naar de kant, spuugde Spandau op de stoep uit en reed weg. Spandau was nog genoeg bij zinnen om tijdens het neerkomen zijn gezicht te beschermen, anders zou hij zijn neus hebben gebroken, als dat niet al zo was, tenminste. Feitelijk hadden die jongens het behoorlijk professioneel aangepakt, geprobeerd hem te slaan op plekken waar het geen sporen naliet. Spandau rolde zich om, kreunde en ging midden op de stoep rechtop zitten. Daarna wist hij een heel eind overeind te komen, behalve dat zijn zijden pijn deden en hij niet helemaal rechtop kon staan. Hij liep langzaam naar een bushalte en ging op de bank zitten. Hij zocht naar zijn mobieltje om een taxi te bellen. Toen hij het vond, herinnerde hij zich dat hij het tijdens de première uit had gezet. Hij zette het aan en nog voordat hij de kans kreeg om te bellen, ging het over.

'Waar zit je verdomme?' zei Walter. 'Ik probeer je al twee uur te bellen!'

'Ik zat bij een première. Ik was vergeten dat ik mijn telefoon uitgezet had.'

'Ik moet je nu spreken.'

'Ik heb mijn auto hier niet en ben niet in mijn beste doen.'

'Waar zit je?'

Spandau stond op en strompelde naar de straatnaamborden. 'Eighteenth en Central.'

'Blijf waar je bent,' zei Walter. 'Ik kom er zo aan. En blijf uit het zicht.'

'Wat is er aan de hand?'

'Doe het gewoon,' zei Walter. 'Ik ben er zo snel mogelijk.'

Spandau ging in de schaduw zitten wachten. Walter was er binnen tien minuten. Spandau stapte in de auto.

'Wat is er gebeurd?'

'Terry en het meisje zijn dood. De havenpolitie van Ventura heeft ze op zijn boot gevonden. Ze zijn met nog een vent neergeschoten. Terry lag verdomme aan het bed vastgebonden en zijn benen waren stukgeslagen.'

Eerst kon hij het niet geloven, zijn brein vertelde hem dat hij het verkeerd had verstaan, dat het een vergissing moest zijn. Maar Spandau wist dat het waar was. De wereld had een verkeerde afslag genomen en was in duistere en kwade tijden terechtgekomen, en Spandau voelde dat. Er viel niets te zeggen. Het schuldgevoel en de haat zouden later komen, zo wist hij.

'De politie is naar je op zoek. Ik neem je mee naar huis en daar wachten we tot ze naar jou toe komen. Intussen heb ik een advocaat stand-by staan. We treffen haar bij het station. Zeg verdomme niks tot je eerst met die advocaat hebt gepraat.'

'Het is allemaal mijn schuld.'

'Dat is dus precies wat je niet gaat zeggen. Hou gewoon je mond dicht. Maar eerst ga je mij het hele verhaal vertellen.'

Zeven uur later liepen Spandau, Walter en een advocaat die naar de naam Molly Craig luisterde, het politiebureau uit.

'Dat was goed,' zei Molly. 'Dat ging prima. Je weet hoe je je mond moet houden. Daar komen we een heel eind verder mee. Had ik maar meer cliënten zoals jij.'

'Wat nu?' vroeg Walter.

'Ze hebben hun vragen gesteld. Ze zijn niet tevreden, maar ze kunnen hem niet aan de moorden linken en hij heeft een dijk van een alibi. Ze zullen nog wat rondneuzen, maar dat is het dan wel. Ze weten dat hij het niet heeft gedaan.' Tegen Spandau zei ze: 'Komt het met jou wel goed?'

'Ja.'

'Je moet wat rust nemen. Als ze je weer willen ondervragen, bel me dan. Je hebt mijn nummer. Ontspan je. Ze kunnen je helemaal niets maken. Ze moeten dit voor de vorm doen.'

Ze stapte in haar auto en reed weg. Walter zei tegen Spandau: 'Je had dit niet onder controle.'

'Ik heb hem ertoe aangezet. Ik heb hem verteld dat hij gebruik moest maken van het meisje. Dat was een stom spelletje.'

'Hoor eens, Terry is altijd al een ongeleid projectiel geweest. Ik heb je nog voor 'm gewaarschuwd. Jij hebt hem gezegd dat hij het meisje met rust moest laten en in plaats daarvan gaat hij met haar uit en neemt haar verdomme mee voor een feestje op zijn boot. Joost mag weten wat hij daar aan het doen was. Hij heeft zijn orders genegeerd. Dat heeft 'm de das om gedaan. Hij was onprofessioneel. Hij was stom.'

Ze liepen naar Walters auto. 'Ik wil dat je deze zaak laat vallen,' zei Walter.

'Prima.'

'Neem een poosje vrij. Je hebt het verdiend. Ga op een of andere rodeo je nek breken. Beloofd?'

'Ja, natuurlijk, oké.'

'Als je de neiging krijgt iets stoms te doen, dan bel je me, ja?'

'Je bedoelt of ik mezelf een kopje kleiner ga maken?'

'Ik bedoel gewoon iets stoms, lulhannes. Dan bel je me, oké?'

Spandau ging naar huis en maakte zichzelf niet een kopje kleiner. Sterker nog, hij ging naar binnen, nam een douche, stapte in bed en viel onmiddellijk in slaap. Spandau had de hebbelijkheid om verdriet uit te stellen tot het moment dat hij zich dat kon veroorloven. Op het moment dat hij het politiebureau was binnengewandeld en had gelogen over wat hij wist, voelde Spandau niet veel meer. Later zou hij waarschijnlijk een borrel nemen, dan zouden de dingen doorbreken, zou hij zichzelf straffen en stilletjes zijn woede op de wereld bekoelen, maar nu wist hij wat hij moest doen, wist hij eindelijk de laatste fase van het belachelijke plan dat hij in gang had gezet en waardoor zijn vriend de dood had gevonden. Terry had het aan hem gegeven. Terry had gedaan wat hij moest doen. Terry had Richie Stella op een presenteerblaadje aangereikt.

Spandau werd die ochtend laat wakker door de telefoon. Als altijd liet hij het aan het antwoordapparaat over.

'Meneer Spandau, met Ginger Constantine. U hebt uw auto hier laten staan en daar willen we graag vanaf. Wilt u dat iemand van ons hem komt brengen of pikt u 'm zelf buiten het hek op?'

Spandau nam een taxi tot boven aan Wonderland Avenue. Zo moesten gevallen engelen zich voelen als ze naar huis terugkeerden. Zijn auto stond buiten het hek, niet erbinnen, waar hij hem had achtergelaten. De sleutels lagen waar Ginger had gezegd dat ze zouden zijn, onder de bank. Voor hij in de auto stapte wierp Spandau een lange blik in de camera, waarvan hij wist dat die hem in de gaten hield. Hij vroeg zich af of Bobby iets voelde, of misschien had Bobby er een talent voor om alleen te voelen wat hem goed uitkwam. Dat wist je nooit met acteurs. Spandau stapte in de auto en maakte opnieuw de lange, slingerende afdaling naar het hellevuur. Toen hij op Laurel Canyon de auto aan de kant zette, belde hij naar Pookie op kantoor.

'Walter zegt dat waar je ook om vraagt, ik je dat niet mag geven,' zei ze.

'Alleen maar een telefoonnummer, Pook.'

'Ik vind het erg van Terry. Ik kan het niet geloven. Het is alsof...' Er viel een lange stilte. 'Ik ben een keer met hem uit geweest, weet je.'

'Nee, dat heb ik nooit geweten.'

'We gingen naar een of andere club in Ventura Beach waar we de hele nacht met een stel andere gekken Dungeons en Dragons hebben gespeeld. Dat soort dingen deed je gewoon opeens met Terry.'

'Ik weet het,' zei Spandau.

'Weet je wie het gedaan heeft?' vroeg Pookie.

'Ja.'

'Ga je achter hem aan?'

Spandau zei niets.

'Ik geef je dat nummer,' zei Pookie, 'en je zorgt dat je niks overkomt, oké? Je past goed op jezelf, ja?'

'Beloofd.'

'Oké dan,' zei ze. 'Ik wil dat je die klootzak te grazen neemt. Ik wil dat je hem echt verschrikkelijk te grazen neemt.'

22

Het was halverwege de middag en Salvatore Locatelli zat aan een tafel achter in zijn restaurant in Thousand Oaks met zijn chef-kok te bakkeleien over hoe lang tomaten moesten sudderen in een marinarasaus. Normaal gesproken was Salvatore niet het soort kerel met wie je ging zitten te bakkeleien, maar de chef-kok was de neef van de echtgenoot van zijn zuster en Salvatore had de knul altijd al gemogen. Salvatore had er mede voor gezorgd dat hij naar een chique koksschool in de staat New York werd gestuurd, waar de knul verbazingwekkende dingen met scungilli had leren maken maar niets over marinara had geleerd. Hij kon ook heel laatdunkend doen, op een kwajongensachtige manier. De jongen zei dat je de tomaten niet al te lang moest laten sudderen omdat ze dan stuk gingen en hun identiteit in de rest van de saus verloren ging. Salvatore zei toedeloe tegen tomaten en hun identiteit: zijn moeder, zijn grootmoeder en haar grootmoeder hadden de tomaten doorgekookt tot ze bijna oplosten, als het daarom ging, en zij maakten de beste marinara in Europa. En tenzij de chef-kok liever wilde eindigen als tomatenplukker in Bakersfield in plaats van ze klaar te maken in de Thousand Oaks, was het nu genoeg met de verdomde identiteitscrisis van die klotetomaten en hij moest ze klaarmaken zoals dat hoorde.

Salvatore Locatelli's wereldje draaide voorspoedig. Hij had

eigenlijk nergens spijt van in zijn leven. Hij had drie kinderen die de universiteit hadden bezocht en hem nog steeds ieder weekend belden. Hij had een vrouw van wie hij nog steeds hield, en hij voelde zich niet schuldig over zijn slippertjes met jongere meiden, aangezien zoiets voor een man volkomen natuurlijk was en die ongetwijfeld het geheim waren van zijn jarenlange huwelijk. Salvatore voelde zich ook niet schuldig over zijn zaken, die voornamelijk crimineel waren, maar niet zo crimineel als ze vroeger waren geweest. Hij had de zaak van zijn vader geërfd, Don Gaitano Locatelli, die Los Angeles net zo runde als zijn im- en exportzaak, zijn kredietmaatschappij, zijn drie restaurants, zijn twee autodealerzaken, zijn acht hoerenkasten, het dievengilde en de verschillende drugsoperaties die niet meer te tellen waren. En dit was nog maar een greep uit zijn ondernemingen. Salvatore had zijn opleiding genoten aan de Wharton School of Business, maar het meeste had hij geleerd door naar zijn vader te kijken, een genie in zijn eigen verkozen beroep.

Op een dag nam Don Gaitano Salvatore apart en vertelde hem zorgvuldig zijn filosofie over de wereld. Don Gaitano zei dat een man in zijn leven twee wegen kon bewandelen. Hij kon zich terugtrekken uit de strijd en rivaliteit in deze wereld, priester worden, zijn ballen afstaan en zich zorgen maken over het lot van zijn medemens. Daar was niks mis mee, het was fijn als iemand dat deed, maar je moest wel weten dat het niemand een bal kon schelen wat je deed en dat je arm zou sterven. Aan de andere kant, vervolgde Don Gaitano, kon je je mengen in het gekrakeel en je uiterste best doen om niet verzwolgen te worden. Je moest zorgen dat je je ballen behield, en genoot van gezin en seks, en alle mooie dingen die het leven te bieden had. Vooropgesteld dat je je die kon veroorloven en dat je sterk genoeg was om ervoor te zorgen dat je die niet door een paar jaloerse klootzakken van je liet afpakken, wat ze absoluut zouden proberen. Het geheim om dat te bereiken, was dat je je alleen bekommerde om je gezin en bewezen vrienden: jij zorgde voor hen en zij zorgden voor jou. De rest van de wereld moest het zelf maar uitzoeken, en aangezien Don Gaitano ervan overtuigd was dat dit niet het soort wereld was die God in gedachten had toen hij die schiep, sloeg hij er schaamteloos een mooi slaatje uit en deed waar hij maar kon zijn voordeel met alle verwarring. Toen gaf Don Gaitano Salvatore een kus en de zegelring van het familiebedrijf. Het was een ontroerend moment, en Salvatore kon het nooit over zijn hart verkrijgen hem te vertellen dat de Wharton School of Business hem dat al lang had geleerd.

Het restaurant ging pas om zes uur open, en Salvatore hield ervan om 's middags bij de vertroostende kookgeuren zijn zaken te doen. Een paar kilometer landinwaarts bezat hij een landgoed van dertig acres en een kantoorgebouw of drie in Santa Monica, maar hij deed het liefst hier zaken. Soms, zoals nu, stond er iemand buiten het gesloten restaurant te wachten om binnen te worden gevraagd. Meestal te wachten om een gunst te vragen. Salvatore geloofde niet dat deze vent anders was, hoewel hij zo te zien wel ballen had. Salvatore moest hem dat nageven. Hoe hij aan zijn huisnummer was gekomen, was hem een raadsel. Salvatore zou daarachter moeten zien te komen. Hoe dan ook, er wordt rechtstreeks gebeld naar Salvatores privénummer, dat misschien drie mensen kenden, en Salvatore neemt zelf op aangezien op de nummermelding 'onbekend' stond en zelfs de paus zijn nummer blokkeert. En deze vent, die volslagen vreemde, kondigt bij Salvatore aan dat hij informatie over Richie Stella heeft, die Salvatore wellicht verhelderend vindt. Dat was het woord dat hij gebruikte: 'verhelderend'. Salvatore zei ja, hij wilde niets liever dan opheldering over alles, en bedacht dat die vent hem eigenlijk ergens wel beviel, ondanks het feit dat die klootzak hem thuis belde. Salvatore zei dat hij iemand naar hem toe zou sturen. Zegt die vent nee. Salvatore vraagt hoe hij heet. En die kerel vertelt hem dat. Daar schrok Salvatore een beetje van. Hij had nooit verwacht dat die kerel zou vertellen hoe hij heette. Wie was David Spandau, verdomme? En waarom zat hij er niet over in dat Salvatore Locatelli hem op een vroege ochtend wellicht een duik zou laten nemen in de teerputten van LaBrea?

Spandau probeerde de restaurantdeur, maar die was op slot. Dat verbaasde hem niet, aangezien er een groot GESLOTEN-bord voor het raam hing. Hij klopte op de spiegeldeur en probeerde naar binnen te gluren. Hij wachtte. Locatelli zag hem wachten. Het was altijd goed om mensen te laten wachten als ze iets van je wilden. Ten slotte stuurde Locatelli twee man naar de deur. Een van hen fouilleerde Spandau terwijl de ander de deur weer op slot deed en het parkeerterrein op verrassingen controleerde. Ze brachten Spandau naar de tafel waar Locatelli zat. Locatelli bekeek hem van top tot teen en zei: 'Ik weet wie je bent. Jij bent die cowboy met al die dode vrienden.'

'Zo is het,' zei Spandau terwijl hij omlaag keek naar de kleine, goed verzorgde man met de onberispelijke snor en het onberispelijke grijze golvende haar. Het gezicht stond hard en bleef onbeweeglijk, maar in de ogen leken de stemmingen wel als knipperende kerstlichtjes te wisselen. Op dit moment leken ze, gelukkig, geamuseerd.

'Nou, je zou kunnen zeggen dat je pech hebt gehad. Je hebt drie minuten, Texas. Zie het maar als een telefoongesprek. Steek van wal.'

Spandau wachtte een dag, drie dagen, een week. Er gebeurde niets. Misschien ging er ook niets gebeuren. Hij hing in en om zijn huis rond, las en bekeek video's die hij al had gezien. Hij probeerde niet aan Dee of Terry te denken. Hij miste ze allebei. Alleen Dee leefde nog. Hij kon de telefoon pakken, haar bellen, erheen rijden. Ze had vast nog niet van Terry's dood gehoord, anders had ze zelf wel gebeld. Spandau wist dat hij het haar hoorde te vertellen, hoewel ze Terry niet goed had gekend en ze een van de weinige vrouwen was die hem niet mochten. Spandau had wel honderd keer op het punt gestaan om haar te bellen, maar was bang voor zijn eigen zwakheid, wetend dat een deel van hem dat beschouwde als een excuus om haar terug te krijgen. Hij werkte in de tuin, maakte de vijver schoon. Ontdekte dat er weer een paar vissen weg waren, sterker nog, ze waren bijna allemaal verdwenen, vond vinnen en koppen in de struiken. Er zag nog één enkele vis in de vijver, die zwom rondjes langs de rand alsof hij een uitweg zocht. Spandau wist hoe hij zich voelde.

Op een avond kwamen ze hem vroeg halen, negen uur ongeveer. Spandau zat voor de honderdste keer *Rio Brava* te kijken toen hij achterover wilde leunen en een pistoolloop tegen zijn achterhoofd drukte. Spandau voelde zich enigszins verraden, dat ze onder dekking van de Duke hun binnenkomst hadden weten te camoufleren.

'Richie wil je spreken,' zei Martin.

'Zeg Richie maar dat hij naar de hel kan lopen,' zei Spandau zonder zich om te draaien. Er waren er meer dan één, Spandau hoorde ze ademen, voelde hun aanwezigheid. Een van hen gaf hem een klap.

In films werden kerels voortdurend buiten bewustzijn geslagen. In het echte leven is dat niet zo eenvoudig. Het is bijvoorbeeld onwaarschijnlijk dat je iemand met een enkele kaakslag buiten westen slaat, tenzij je een zwaargewicht bokser bent. En elke stomp die wel hard genoeg is om je buiten westen te slaan, veroorzaakt een hersenschudding, waarbij kort daarna hersenbeschadiging kan optreden, zowel kort- als langdurend, geheugenverlies, stemmingswisselingen, heftig braken, blindheid en de dood. En natuurlijk hoofdpijnen.

Technisch gesproken was Spandau niet knock-out. Verbijsterd is waarschijnlijk een beter woord, en het duurde niet lang of de hoofdpijn zou toeslaan. Ze sloegen hem met iets zwaars, iets wat meegaf maar wel zo hard aankwam dat zijn hersens goed door elkaar werden geklutst en het een tijdje zouden laten afweten. Genoeg waardoor hij zou meewerken. Ze bonden zijn handen op zijn rug. Hij kon staan en zelfs lopen, hoewel niet zonder te struikelen en de drie mannen hielpen hem de auto in. Ze waren op de 405 richting LA toen een van hen een klein, zwaar kussensloop over Spandaus hoofd trok. Spandau probeerde de route die de auto nam te visualiseren, telde de bochten, maar zijn hoofd deed pijn en hij was duizelig. Hij wilde per se niet in het kussensloop overgeven en visualiseren maakte het alleen maar erger.

Een half uur later stopte de auto en Spandau werd weer door iets geslagen. Deze keer niet zo hard, maar toch een behoorlijke optater. Ze sleurden hem uit de auto, de kap zat nog altijd over zijn hoofd, een trapje op, door een paar deuren, een gang door. Ze lieten hem op de vloer vallen en gaven hem op de koop toe nog een paar schoppen. Spandau lag op de vloer, bewoog zich niet, wachtte af. Hij wachtte een tijdje of er nog een volgende klap kwam. Toen realiseerde hij zich dat ze weg waren.

Spandau bewoog met zijn handen, die met een dun touw vastgebonden waren. Het had niet veel om het lijf en Spandau bedacht dat dat ook de bedoeling was geweest. Hij werkte zijn handen los, trok de kap van zijn hoofd en ging rechtop zitten. Hij was in het kantoor van de Voodoo Room. Het was er angstaanjagend stil. Richie zat op de grote bureaustoel met zijn rug naar hem toe. Spandau stond op, zwaaide een beetje heen en weer, en wachtte tot Richie iets zou gaan zeggen. Toen hij dat niet deed, liep Spandau naar hem toe, draaide de stoel om en zag dat er een gaatje in Richies voorhoofd zat, en een straaltje bloed druppelde langs zijn wang zijn kraag in. Een rolletje 35mm-film hing aan een soort snoertje en lag als een amulet om zijn hals. Voorzichtig, zodat hij niets aanraakte, trok Spandau het snoertje los en stopte het filmrolletje in zijn zak.

Spandau liep het kantoor uit naar de club zelf. Er brandde geen enkel plafondlicht en de plek was nagenoeg helemaal gestript, alsof de club die hij kende nooit had bestaan. Hij duwde met zijn elleboog de zijdeur open en stapte de straat op. Zijn hoofd deed pijn en hij vroeg of het slimmer was om naar een taxi uit te kijken of over Sunset naar Wilshire te wandelen. Hij had net voor Wilshire gekozen en was de hoek om geslagen, toen achter hem een auto met zijn lichten knipperde en langzaam naast hem kwam rijden. De achterruit van de Lincoln zoefde omlaag.

'Je bent laat, Texas, en een heel eind van huis.' Locatelli gebaarde dat hij moest instappen. Dat deed Spandau en Locatelli liet het raampje weer dichtzoeven en knikte naar de chauffeur dat hij moest doorrijden. Locatelli keek uit het raam terwijl de stad langsrolde, alsof hij zijn privébezit inventariseerde. 'Nou, Texas, je had gelijk,' zei hij ten slotte. 'En nu sta ik bij je in het krijt.'

'Ik wil niks van je,' zei Spandau.

'O, maar dit wil je wel, hoor. Want weet je wat 't is? Je komt hiermee weg. Je blijft leven, Texas. Vooropgesteld dat je het slim speelt en een eind ermee wegloopt.'

'Waar gaan we naartoe?'

'Het is het mooiste deel van de avond,' zei Locatelli. 'Laten we ergens een afzakkertje nemen. Onze vriendschap als het ware beklinken. Het is een lange dag geweest. Neem me niet kwalijk dat ik het zeg, Texas, maar voor een vent die eigenlijk dood had moeten zijn, zie je er bepaald niet gelukkig uit.'

'Wat zijn we weer geestig.'

'O, jeetje, in werkelijkheid ben je op elke stap onderweg overklast. Ik hou je nu al weken in de gaten, Texas. Er ontgaat me niet zo veel. Je hebt lopen rondneuzen, vragen gesteld over Richie. Ik wist dat hij crack verkocht, maar al sla je me dood, ik wist niet waar hij het vandaan haalde. Bleek dat hij meer connecties had dan ik dacht. En daar gebruikte hij mijn cocaïne voor. Hoe dan ook, jij hebt het vuile werk voor me opgeknapt. Daar bedank ik je voor.'

Locatelli wachtte even om een sigaar op te steken. Hij bood Spandau er een aan, die zijn hoofd schudde. Hij werd ziek van de stank. Locatelli pafte er gelukzalig op los.

'Richie wilde je vermoorden, weet je. Hij had geen keus. Hij had er zo'n puinhoop van gemaakt dat hij de losse eindjes wel moest opruimen voor ik erachter zou komen.'

'Waarom liet je 'm niet zijn gang gaan?'

'Dat had ik waarschijnlijk ook gedaan, als dat akkefietje op de boot van je vriend niet was gebeurd. Dat was akelig, smerig. Richie maakte er aan alle kanten een puinhoop van en trok veel te veel de aandacht naar zich toe. Naar zichzelf en naar mij. Ik heb het liever rustig en netjes.'

Locatelli nam nog een paar trekjes en keek toen naar de sigaar alsof die zich tegen hem had gekeerd. Hij drukte hem in de asbak uit.

'Hoe dan ook, wat is dit, het Oude Westen?' zei Locatelli. 'Je kunt niet in het wilde weg mensen neerschieten, Texas.' Hij zweeg om even na te denken. 'Nou ja, niet te veel in elk geval. Als zulke populaire kerels als jij ergens dood worden aangetroffen, ontstaan er allerlei problemen. Geen echte problemen, maar wel vervelend. Richie is een ander verhaal. Niemand mocht Richie. Niemand zal 'm missen. Zelfs zijn neef Martin heeft 'm geflest. Martin gaat de Voodoo Room managen zodra die weer opengaat. We gaan voor een heel nieuwe look. Weet je dat de gemiddelde homobar vijfentwintig procent meer winst oplevert dan heterobars? Waar gaat het toch naartoe in de wereld, vraag ik je.'

De auto hield voor de Ivy stil. Locatelli staarde hem aan en zei: 'Nou, schiet op, dan.' Spandau stapte uit. Locatelli liep achter hem aan en bleef glimlachend op de stoep staan, ademde de prikkelende avondlucht in. In het restaurant begroette de maître Locatelli als een oude vriend.

'Goedenavond, meneer Locatelli. Fijn u hier weer te zien.'

'Ook fijn om jou te zien, George. Zijn mijn vrienden gearriveerd?'

'Ze wachten aan uw tafel. Een prettige avond, meneer Locatelli.'

'Dank je, George.'

Spandau liep achter Locatelli naar een tafel achter in de eetzaal, waar Frank Jurado en Bobby Dye zaten te lachen. Ze keken op toen Locatelli naar ze toe kwam en glimlachten, hoewel Bobby als eerste zag dat Spandau achter hem aan kwam. Hij keek Spandau met pijnlijke blik aan, keek toen naar Locatelli en vervolgens naar Jurado.

'Goedenavond, heren. Jullie kennen allemaal meneer Spandau, neem ik aan?'

'Wat doet hij hier?' vroeg Jurado op scherpe toon.

'Meneer Spandau komt even gedag zeggen. Hij kan niet lang blijven. Hij wil alleen iets aan Bobby geven.'

Spandau viste het filmrolletje uit zijn zak en gooide dat over de tafel op Bobby Dyes schoot. Bobby keek Spandau even aan en even dacht hij dat Bobby hem misschien iets te zeggen had, hem wellicht zou bedanken, maar dat deed Bobby niet. Bobby staarde naar de film omlaag terwijl hij er met zijn vingers mee friemelde.

'Is het niet geweldig als alles uiteindelijk keurig op zijn plek valt?' zei Locatelli theatraal. 'Zie je wel dat alles goed komt als we maar samenwerken?'

Spandau voelde zijn maag omkeren, en hij wist niet of het van woede of pijn was. Hij voelde zich vooral stompzinnig en zwak, en hij wilde het bewijs vernietigen. Hij kon Bobby niet aankijken. Hij wilde dat dat klootzakkie zich zou schamen, maar hij was de schaamte al voorbij. Als Bobby zich nu niet zou schamen, zou hij dat nooit doen, en Spandau zag hoe zijn vriend, zijn vriend tegen wil en dank, de duisternis in dreef en buiten bereik kwam. Ze hadden hem nu in hun greep en daar zouden ze hem houden, en hij haatte Bobby meer dan hij Locatelli haatte, of Jurado of Richie of welke andere van de miljoenen klootzakken ook, die alles wat ze aanraakten bezoedelden. Werk mee, dat was het motto. Ze konden je je ziel niet afnemen, tenzij je die aan hen aanbood. Als hij een pistool had gehad, dan had Spandau ze stuk voor stuk aan die tafel kunnen neerschieten. Maar hij wist dat hij dan ieder ander in het vertrek ook moest vermoorden, en op straat, blok voor blok, helemaal tot aan zee en waarschijnlijk nog weer terug ook. Er kwam geen eind aan, je moest ze allemaal vermoorden. En dan zouden er weer anderen komen. Zo zou het altijd gaan. Misschien was het ook altijd zo geweest.

Spandau draaide zich om en liep weg. Locatelli haalde hem op de veranda in. Hij greep Spandau stevig maar vriendelijk bij de bovenarm vast en liep met hem naar de straat.

'Wat zit je nou eigenlijk dwars, Texas? Vertel me dat eens,' zei hij geduldig, als een vader die zijn zoon een lesje in moraal leert. 'In tegenstelling tot Richie hoef ik niemand hardhandig aan te pakken. Ik heb het al gemaakt. Films? Jezus, ik heb tien films gemaakt. Ooit gehoord van Collateral Pictures? Dat ben ik. Dat is van mij. Dat moet je weten. Bij de laatste film van Collateral is er vijftig miljoen omgegaan. We financieren films over de hele wereld. Ik heb zakenpartners in elk land op deze planeet, de grootste fondsen waaruit geput kan worden sinds het verdomde Vaticaan. En iedereen wil in de film, Texas. Daar zit het echte geld. Bij films vergeleken zijn cocaïne en heroïne kinderspel. Punt is, ik hoef niet in het systeem in te breken. Ik bén het systeem. Deze keer laat ik je lopen. De volgende keer ben je wellicht minder fortuinlijk. Denk daar de volgende keer aan als je door mijn bossen wandelt.'

Locatelli gaf hem een amicaal schouderklopje, draaide zich om en liep het restaurant weer binnen. Spandau was vergeten waar in dit gedeelte van de wereld een taxistandplaats was. Terwijl hij er lopend naar een op zoek ging, had hij ruim de tijd om na te denken. Het was voorbij. Richie Stella was niet meer en Bobby Dye was bevrijd. Missie volbracht. Behalve dat er nu drie mensen dood waren, vier als je die arme stomme meid meetelde met wie het allemaal was begonnen. Vier mensen dood maar geen van allen kon je bepaald onschuldig noemen. Onschuld is een overschatte eigenschap, besloot Spandau. Onschuld brengt mensen in de problemen. Door onschuld gaan mensen dood. Kijk maar naar mij.

23

Op een frisse avond in februari zat David Spandau zich thuis te bedrinken. Hij had een paar dagen geleden een zaak voor Walter afgerond en wilde de komende week per se vrijaf. Hij wilde absoluut vandaag ladderzat worden omdat hij wist dat hij het nodig had, dat hij alleen door stomdronken te worden het aankon en dat het daarna een paar dagen zou duren voordat hij daar weer overheen was. Spandau had 's middags zijn eerste borrel genomen en was tot in de avond doorgegaan. Uiteindelijk zat hij in het donker in de woonkamer voor een leeg tv-scherm te drinken. Zo nu en dan nam hij een slok, keek op zijn horloge en nam weer een slok. Ten slotte keek hij nogmaals op zijn horloge, leegde zijn glas en schonk zichzelf er nog een in, en deed de tv aan. Het was de avond van de Oscaruitreikingen.

Spandau keek met het geluid uit. Het had eigenlijk verdomme geen zin om hiernaar te kijken, maar het was een soort afronding en hij had wanhopig een afronding nodig. Afsluiting, zo had Dee het genoemd. Spandau had een bloedhekel aan dat woord.

Spandau keek naar de mooie, stralende, elegante mensen die in stilte over het scherm bewogen. Er werd op de deur geklopt en Spandau ging kijken wie het was, het was Dee. Hij had haar in geen maanden gezien. Hij had haar gemeden. Niet teruggebeld. Was bang voor wat ze hem zou gaan vertellen. Was bang voor de Afsluiting. Dat verdomde woord. Sommige dingen wilde je nooit afsluiten.

'Ik wist niet zeker of je wel thuis was. De lichten waren uit.'

'Kom erin.'

Hij ging haar voor naar de woonkamer en liet zich weer zwaar op de bank vallen. Dee torende boven hem uit, keek op hem neer.

'Slecht moment? Ik kan later wel terugkomen...'

'Nee,' zei Spandau, plotseling bang bij de gedachte dat ze weg zou gaan, zelfs nog banger voor zijn reactie als ze weg wilde. 'Ik ben blij dat je er bent.'

Dee ging in de stoel tegenover hem zitten. 'We hebben je al een tijdje niet gezien.'

'Hoe is het met je moeder?'

'Als altijd. Ze mist je.'

Spandau knikte.

'Je zit naar de Oscaruitreikingen te kijken. Ik was vergeten dat dat vanavond was.'

'Wil je wat drinken?' vroeg Spandau. 'Ik kan ook koffiezetten.'

'Moet je horen, dit is misschien geen goed moment...'

'Blijf, wil je? Alsjeblieft?' Zijn stem sloeg over en hij schaamde zich ervoor, klemde zijn tanden op elkaar om het te verdoezelen, voelde een brok in zijn keel.

'Dit is een ongelukkig moment,' zei ze.

'Waarvoor?' Maar hij wist het. O, wat wist hij het.

'Weet je wat? Misschien wil ik die borrel toch wel.'

Spandau haalde een glas, schonk haar een whisky in en gaf het aan haar. Ze pakte het aan en rolde het tussen haar handpalmen. Ze zei: 'Je neemt de telefoon niet op.'

Er viel niets te zeggen. Spandau knikte, nam een slok. Voelde dat hij gek werd. Voelde de waanzinnige demonen onder zijn huid rondspringen die bevrijd wilden worden, rotzooi wilden trappen, het uit wilden gillen, hun zonden wilden bekennen.

'Ik moet je iets vertellen. Voordat je het van iemand anders te horen krijgt. Charlie en ik...' Ze kan het niet zeggen. Lieve god. Ze kan het niet.

Spandau staarde naar de zwijgende tv.

'Wij krijgen het nooit voor elkaar, David. We gingen er beiden aan onderdoor, alleen al door ons aan elkaar vast te klampen.'

Stilte. Laat de jakhalzen maar razen. Pak ze bij de lurven, uiteindelijk komen ze wel tot rust.

'Ik wilde 't je komen vertellen,' zei ze. 'Om je zegen te krijgen, vermoed ik.'

'Wat?' zei Spandau, alsof hij niet luisterde. Misschien deed hij dat ook niet. Misschien raasde het in zijn oren. Het geluid van het leven voor het in de Niagara-watervallen verloren gaat.

'Ik moet je horen zeggen dat je het begrijpt. Dat je me niet haat.'

'Natuurlijk,' zei Spandau.

'Ik zal er altijd voor je zijn.'

'Natuurlijk,' zei Spandau.

'Ik heb er met Charlie over gepraat, en als je ooit...'

Spandau boog zich naar voren, greep de afstandsbediening en zette het geluid aan.

PRESENTATOR *(op tv)*: ... En de Academy Award voor de beste film gaat naar...
(tegen presentatrice)
... Is het niet spannend?

PRESENTATRICE: *(nerveus)*: Schiet nou toch op, ik krijg zo nog een rolberoerte...

PRESENTATOR: En de winnaar voor de beste film is... *Loser's Town*! Een productie van Collateral Pictures, producent is Frank Jurado...